ROTAS DE COLISÃO

CB061632

Chris Hejmanowski

ROTAS DE COLISÃO

*A Jornada de um Pai em Busca da
Salvação da Alma de sua Filha.*

*Uma Revelação Tecnológica que Pode Provar
Cientificamente a Existência da Vida Após a Morte.*

Tradução
JACQUELINE VALPASSOS

JANGADA

Título do original: *Collider*.
Copyright © 2012 Chris Hejmanowski.
Copyright da edição brasileira © 2014 Editora Pensamento-Cultrix Ltda.
Texto de acordo com as novas regras ortográficas da língua portuguesa.
1ª edição 2014.
Todos os direitos reservados. Nenhuma parte desta obra pode ser reproduzida ou usada de qualquer forma ou por qualquer meio, eletrônico ou mecânico, inclusive fotocópias, gravações ou sistema de armazenamento em banco de dados, sem permissão por escrito, exceto nos casos de trechos curtos citados em resenhas críticas ou artigos de revistas.

A Editora Jangada não se responsabiliza por eventuais mudanças ocorridas nos endereços convencionais ou eletrônicos citados neste livro.

Esta é uma obra de ficção. Todos os personagens, organizações, lugares e acontecimentos retratados neste romance são produtos da imaginação do autor e usados de modo fictício.

Editor: Adilson Silva Ramachandra
Editora de texto: Denise de C. Rocha Delela
Coordenação editorial: Roseli de S. Ferraz
Preparação de originais: Marta Almeida de Sá
Produção editorial: Indiara Faria Kayo
Editoração eletrônica: Fama Editora
Revisão: Vivian Miwa Matsushita

Dados Internacionais de Catalogação na Publicação (CIP)
(Câmara Brasileira do Livro, SP, Brasil)

Hejmanowski, Chris
   Rotas de colisão / Chris Hejmanowski ; tradução Jacqueline Valpassos. — 1. ed. — São Paulo : Jangada, 2014.

   Título original: Collider.
   ISBN 978-85-64850-77-4
   1. Ficção científica norte-americana I. Título.

14-09142   CDD-813.0876

Índices para catálogo sistemático:
1. Ficção científica : Literatura norte-americana 813.0876

Jangada é um selo editorial da Pensamento-Cultrix Ltda.
Direitos de tradução para a língua portuguesa adquiridos com exclusividade pela
EDITORA PENSAMENTO-CULTRIX LTDA., que se reserva a
propriedade literária desta tradução.
Rua Dr. Mário Vicente, 368 — 04270-000 — São Paulo, SP
Fone: (11) 2066-9000 — Fax: (11) 2066-9008
http://www.editorajangada.com.br
E-mail: atendimento@editorajangada.com.br
Foi feito o depósito legal.

Para Grace, minha pequena dádiva do universo

Agradecimentos

Meus agradecimentos a todos os que me ajudaram a produzir *Rotas de Colisão*; meus editores na ABC Book Publishers, Inc. e na Fischer Press, minha editora Kathy e minha conselheira e agente Kim Benton. Aos meus pais, Gregg e MaryAnn, agradeço por me darem tudo o que tenho. Seu apoio e seu incentivo, independentemente dos meus sucessos, fizeram toda a diferença. À família Stevens, seu encorajamento e a divulgação em todo este processo têm sido inestimáveis. Obrigado por todo o seu otimismo. E à minha esposa Tracy, cujo contínuo interesse neste projeto e confiança incondicional em mim me motivam diariamente.

Em 1905, Albert Einstein publicou três teses que mudaram o mundo, sendo que a mais importante delas foi a sua Teoria da Relatividade Especial.

Anos mais tarde, em 1915, ele ampliou a compreensão humana dos mistérios do universo com a publicação de sua Teoria da Relatividade Geral. Neste trabalho, ele empregou um valor conhecido como constante cosmológica. Esse número inteiro servia para equilibrar todas as forças conhecidas no universo. Tal sacada, a princípio, foi ridicularizada por seus pares. Durante muito tempo depois de sua morte, essa constante universal provou-se válida. Na realidade, ela representava uma força tão poderosa que afasta tudo o que podemos ver no cosmos para longe de todo o resto. Nos últimos anos, demonstrou-se que essa expansão universal, que inicialmente acreditava-se ser constante, na verdade sofre uma aceleração, e em todas as direções. A natureza dessa força, essa energia escura, como veio a ser conhecida, se manteve um dos maiores mistérios do universo conhecido. Até agora...

"A realidade é meramente uma ilusão, ainda que muito persistente."
— Albert Einstein

Grande Colisor
de Hádrons
(LHC)

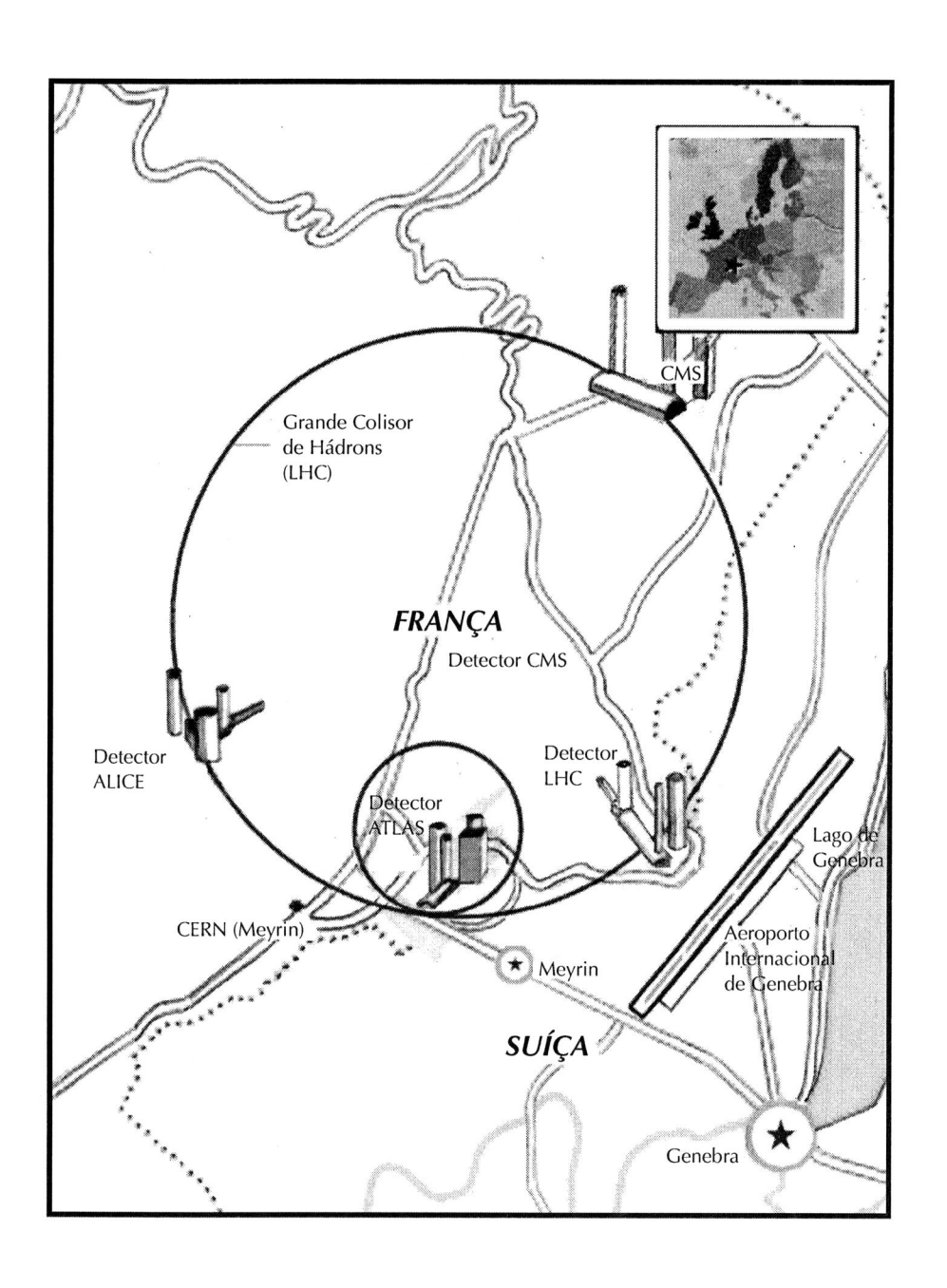

CMS

FRANÇA

Detector CMS

Detector
ALICE

Detector
LHC

Detector
ATLAS

CERN (Meyrin)

Meyrin

Lago de
Genebra

Aeroporto
Internacional
de Genebra

SUÍÇA

Genebra

Capítulo I

Os navios lá embaixo pareceram-lhe minúsculos grãos de arroz quando ele agarrou o maciço e frio parapeito com ambas as mãos e inclinou-se sobre a água. Todo carro ou caminhão que passava fazia vibrar a constituição física ligeiramente musculosa de Fin, junto com a ponte na qual ele se equilibrava. O vento fustigava sua camisa de algodão fino como uma bandeira esfarrapada enquanto ele olhava por cima da borda da estrutura de concreto e aço. Sessenta metros abaixo dele, as águas azul-cinzentas da Baía de San Diego passavam tranquilamente. Para além dos próprios pés, Fin contemplou o que poderia ser o seu fim e não pôde deixar de pensar no quanto sua vida mudara nos últimos seis meses. Rachel ainda estava viva naquela época, e eles tinham uma família próspera. Ele fora o homem-chave para o CERN, a Organização Europeia para a Pesquisa Nuclear, em uma batalha legal que cativou a opinião pública internacional, e sua carreira como físico de partículas vinha florescendo. Mas, agora, depois da morte da esposa e com o declínio de sua fé na religião e na ciência, Fin tentava desesperadamente encontrar um pouco de sentido em sua vida despedaçada.

Fechando os olhos e respirando fundo, Fin buscou coragem para pôr um fim em tudo. Sua farta cabeleira escura açoitada pelo vento dançava freneticamente. Parado ali, no precipício de sua vida, já não tinha certeza de que acreditava em alguma coisa. Se havia um Deus, por que ele lhe tirara sua jovem esposa? E se não houvesse, bem, então, ele não teria nada a perder se saltasse da ponte.

É só pular e tudo estará terminado, disse a si mesmo.

Outro enorme caminhão jamanta passou por ele, encobrindo por uns instantes a claridade do início da tarde e sacudindo a ponte violentamente. O lado direito do corpo de Fin recebeu uma saraivada de pedriscos do asfalto. Virando-se rapidamente para evitá-la, os pés de Fin deslizaram para a frente, para fora da borda, forçando-o a se segurar brevemente com ambas as mãos. Seus pouco mais de setenta quilos pesaram sob seus ombros estirados e fizeram com que sua mão esquerda se soltasse do parapeito. Como seu corpo oscilava muito, Fin bateu o rosto nas barras de metal e ricocheteou para longe da estrutura. Sua mão direita se abriu, e por um breve e terrível momento ele despencou em queda livre em direção à água, até que sua mão cegamente encontrou apoio novamente no estreito parapeito inferior. Agarrado ali, recuperando-se, Fin podia provar o sangue salgado escorrendo de seu nariz.

Lá embaixo, a água tinha perdido a sua tonalidade azul. Estava cinzenta e se movia mais rápido do que antes. Fin esforçou-se para agarrar o parapeito com a mão esquerda, mas errou, e em vez disso encontrou uma barra mais fina abaixo dele. Esperneou freneticamente, chicoteando o ar com os pés, tentando erguer-se.

Eva! As pupilas de Fin dilataram com a onda de pânico que o varreu. Era como se sua filha não tivesse existido para ele até aquele momento. *Como eu pude fazer isso? Eva não merece... como eu pude ser tão egoísta?* A mãe de Eva já havia sido tirada dela, e agora era tarefa de Fin garantir que sua filha de 3 anos de idade se sentisse segura e amada, não abandonada.

A mão de Fin que agarrava o metal lentamente afrouxou sob seu peso. O aço frio e envelhecido coberto de excrementos de pássaros se mostrou uma péssima escolha em se tratando da superfície na qual depositava sua vida.

Como ninguém me viu cair? Será que ninguém se importa?

Fin lançou outro olhar para baixo. Os navios haviam desaparecido e, embora apenas alguns momentos antes as águas estivessem calmas, agora elas formavam pequeninas ondas de cristas espumantes. O vento havia voltado. E o empurrava repetidamente para longe da viga que lhe atravessava o peito, deixando-o bater de volta nela quando o peso de seu corpo não permitia a Fin erguê-lo mais. Abaixo dele, a uma distância equivalente a mais ou menos sua própria altura, estava a borda inferior da enorme viga de sustentação da ponte.

Balançando sua massa corporal em sincronia com o vento, Fin lançou-se por baixo da ponte. Seus pés tocaram a segurança da borda de 35 centímetros enquanto seus joelhos, seu peito e rosto colaram-se à parede vertical da viga de ferro. Agarrando-se à superfície áspera, Fin pressionou seu corpo contra ela o máximo que pôde, para não cair para trás. Ficou assim por um instante, congelado naquela posição de relativa segurança, uma vez que bastava um passo em falso para trás e seria certa a queda desobstruída até a água lá embaixo. A saliência não era regular. Ela tinha uma inclinação para baixo que impedia o acúmulo da água da chuva e de outros itens indesejados. Fin colou-se contra a viga com mais força. Não conseguia evitar que os pés deslizassem em direção à borda, e os calcanhares se arrastavam para fora de maneira quase irreprimível. Embora ele se segurasse desesperadamente nas palmilhas dos sapatos mantendo os dedos dos pés curvos como garras, continuava a escorregar. Seus joelhos bateram na parede da plataforma enquanto o rosto e o peito saltaram para fora da superfície vertical. Uma onda de frio terror atravessou-lhe o peito quando o seu centro de gravidade arrastou-o para trás. Seu corpo deslocou-se para além da segurança da borda. Girando os braços descontroladamente, Fin caiu de costas, ao ar livre.

Deixando sua vida para trás, Fin despencou em direção à baía. Sentiu o deslocamento do vento de seu rosto para as costas enquanto algo o empurrava para aquele fim. Os arcos debaixo da ponte pareceram-lhe uma imensa catedral, quando Fin passou velozmente por eles. Abaixo dele, a água estava agitada, e o que Fin a princípio pensou ser sua própria sombra se aproximando agora se assemelhava a uma depressão que crescia na água. Fin acelerou para baixo em direção àquele ponto, que então havia se tornado um vórtice de verde profundo.

Como aquilo podia estar acontecendo? Caindo vertiginosamente, sentia já as gotículas de água encharcando suas roupas e seu rosto.

Fin despertou coberto de suor, sentado na cama de Eva, com o peito arfando e o livro que lia antes de adormecer ainda descansando em seu colo. Baixando a cabeça, ele respirou fundo.

— Que diabos esse sonho quer dizer? — Fin sussurrou para si mesmo.

Agora, quase todas as noites, o sonho se repetia — cada vez mais intenso. Depois da morte de Rachel, as noites de Fin inicialmente haviam sido desprovidas de quaisquer sonhos, mas, nas últimas semanas, aquele se desenvolvera como erva daninha em terra não cultivada. Todas as noites, o sonho parecia tão novo quanto na noite anterior, e, a cada repetição, ele chegava cada vez mais perto da água antes que acordasse. Fin perdera Rachel, mas o medo de abandonar Eva era esmagador. Iria até o inferno por seu anjinho antes de deixar isso acontecer.

Fin olhou para o relógio: três da madrugada. Saiu do quarto de Eva sem fazer barulho e passou pela cozinha, em direção ao seu quarto escuro. Tinha um longo dia como professor pela frente antes de poder se encontrar novamente com o padre Moriel.

Capítulo 2

Mara Salvatrucha*, ou MS-13, como o FBI e os seus rivais a conhecem, goza da reputação de ser uma das gangues mais violentas da história dos Estados Unidos. A vida moldara Azazel Guevara perfeitamente para ser um membro desse clã. Filho de imigrantes oriundos da guerrilha, Azazel se juntara ao grupo para alcançar o respeito que nunca tivera em sua terra natal, El Salvador. Coberto de tatuagens, com 1,74 metro de altura, ele podia ser menor do que os seus irmãos Salvatruchas, porém era mais forte e muito mais perigoso. A família criminosa de Azazel, agora um crescente sindicato de terror, inicialmente protegia os imigrantes salvadorenhos em Los Angeles. Em pouco tempo, ela criou uma reputação por meio de crimes violentos, e as cenas de assassinato do MS-13 se tornaram conhecidas por suas execuções a facão.

Azazel abraçou plenamente essa criminalidade, que agora era acrescida de venda de drogas e contrabando de armas, mortes por encomenda, tráfico de seres humanos e assassinatos de policiais. O seu maior orgulho era a capacidade de atrair jovens para a organização. Com a idade de 28 anos, Azazel era um dos mais antigos e temidos membros da facção local do MS-13. Ele vivia na região havia mais de quinze anos e tinha grande influência sobre os membros mais jovens

---
* "Mara" é uma gíria para "gangue de rua" e "Salvatrucha" é termo relativo à nacionalidade salvadorenha.

da comunidade — uma influência que ele exercia de forma agressiva na reunião daquela noite.

Não havia janelas naquele lugar onde se reuniam, e a única iluminação consistia em uma solitária lâmpada nua pendurada no centro do teto. Azazel gostava de pregar naquela fábrica de papel abandonada porque lhe dava um sentimento de corajosa determinação.

— Estamos encolhendo — disse ele ao grupo de jovens do sexo masculino presentes ao encontro daquela noite. — Estamos sendo espremidos pela porra dos macacos que costumavam mandar nesta cidade. Precisamos de sangue novo, sangue fiel, para continuar o que o nosso povo começou — acrescentou Azazel, rondando o espaço de concreto. A claridade que iluminava bem o centro do aposento esmaecia para além dos participantes da reunião, permitindo-lhes apenas entrever o concreto imperfeito e escuro em seus cantos.

Ele acelerou o ritmo, o olhar detendo-se ocasionalmente para encarar os membros mais tímidos dos cerca de trinta participantes.

— Precisaremos de visibilidade se quisermos ser a principal gangue, a gangue hispânica número um. Precisamos de mais notícias nos jornais, mais sangue, *más grandes huevos*! Os *puercos* não têm medo de nós, as outras gangues não têm medo de nós. Todos eles precisam mostrar respeito. — Azazel tinha uma surpresa para sua família naquela noite. Era um presente que ele estava guardando para a evolução de seu discurso.

Na cultura da MS-13 havia apenas três maneiras de ingressar no grupo, e os aspirantes tinham que escolher. No primeiro ritual, chamado de "bateção", o membro novato era espancado — sem piedade ou regras — durante treze* segundos pela quadrilha. A torrente de chutes e socos era considerada bem-sucedida se o novo irmão ou irmã fosse deixado inconsciente. Muitas vezes, as atividades da noite resultavam na morte do calouro, mas os que sobreviviam conquistavam o respeito do grupo. A segunda opção para a iniciação era um ato de

---

* Daí o "13" de MS-13.

violência aleatória e não provocada, que deveria resultar em assassinato. Essa opção era conhecida como "cruzar a linha". Fora a forma de iniciação escolhida pelo próprio Azazel, uma vez que lhe assentava mais naturalmente. A pura anarquia da ação era o que atraía a maioria dos membros em potencial. Tais atos serviam para aumentar ainda mais a mitologia sombria da MS-13. A terceira forma de iniciação, reservada às mulheres, era o estupro coletivo. Era esse o presente especial que ele guardava para o fim da noite.

A aspirante a membro era uma garota de 20 anos que fugira de casa havia tempos, chamada Maria Ramos. Era uma jovem latina magra e bem-feita de corpo, que tinha chamado a atenção de Azazel um ano antes, enquanto se prostituía em uma esquina de um território da MS-13. Depois de se deitar com ela, Azazel tentou convencê-la a trabalhar para ele. Como era de esperar, Maria se recusou, por medo do que seu cafetão faria com ela. Uma semana depois, o corpo decapitado do cafetão apareceu na autoestrada Santa Fé, perto da plataforma da estação do Metrolink. Com ele fora do caminho, Maria passara a trabalhar para Azazel de bom grado. Nas semanas que se seguiram, o seu apreço por ela cresceu depois que Maria bateu em um cliente quase até a morte com um telefone do hotel quando ele se recusou a pagar.

Azazel deslizou para a porta. Do lado de fora, no corredor mal iluminado, relegadas durante as reuniões como aquelas, as mulheres da gangue esperavam.

— Mande-a entrar — ordenou. Voltando-se para o aposento, ele acrescentou: — *Hombres*, nós vamos terminar esta noite com uma curra.

Maria entrou na sala.

— Você sabe o que fazer — declarou Azazel. Ela lentamente se despiu. Soltando o roupão no chão cheio de marcas, a crua luz lançou compridas sombras sobre sua pele morena e perfeita. Com seu longo cabelo caído sobre os seios, ela ficou parada ali nua diante dos homens da gangue. Sabedores das atrocidades de que Azazel era capaz, os membros mais antigos se retiraram para o canto escuro do aposento, na esperança de deixar os membros mais jovens sofrerem as consequências da mais nova perversão de seu líder.

— Que porra é essa que vocês estão fazendo? — Azazel lhes cuspiu as palavras com os dentes cerrados. — Ela está pedindo a aprovação de vocês, de todos vocês. Se ela vai ser uma de nós, então nós vamos lidar com ela da mesma forma que as outras. Vamos lhe dar o mesmo tratamento, o mesmo amor, como todas as outras, sem misericórdia! — Azazel estava nas sombras da sala; suas expressões faciais indistintas estavam fora do círculo de luz da lâmpada solitária. — Comecem, e *eu lhes digo* quando acabar.

A comemoração começou devagar, com uma cacofonia de rosnados e gritos para inspirar ainda mais o esporte da noite. O primeiro membro atingiu Maria de forma violenta por trás, metendo o ombro no centro de suas costas, derrubando-a no chão. Azazel retirou-se ainda mais para as sombras, permitindo aos seus discípulos a prática de sua tarefa sem impedimentos. Ficou em silêncio, assistindo a Maria vasculhar a sala freneticamente em busca de seus olhos, dali onde ela se encontrava. Um a um, membros mais antigos primeiro, eles a violaram. Maria reagia, chutando e mordendo, arranhando rostos quando conseguia. Camadas de pele esfolada acumulavam-se debaixo de suas unhas a cada ato de defesa. Seu altivo olhar inicial, quando ela adentrara a sala, se fora, substituído agora por uma expressão de pânico. Pressionando o rosto no cimento áspero enquanto era penetrada, o último vestígio de qualquer suposto favoritismo foi arrancado dela. Não havia amor ou prazer inerente naquilo, era simplesmente violência pela violência.

Maria era dele, e Azazel ficou satisfeito ao ver que ela agora sabia disso também. Ele olhou para o relógio.

Oito horas, onde diabos ele está?

Azazel saiu da sala, passando por cima das mulheres que aguardavam sentadas no chão do corredor úmido por sua mais nova irmã.

Seguindo seu caminho pelo túnel escuro, os ecos do contínuo batismo de Maria foram diminuindo aos poucos enquanto ele se aproximava da superfície. Ele apertou o botão de rediscagem em seu celular e olhou para o céu noturno, esperando a conexão ser realizada.

Atenda o maldito telefone, Salvador. Três chamados depois, o correio de voz do seu diretor financeiro pôs fim à espera de Azazel.

— Onde diabos você está? Eu disse que esta noite era importante. Você e eu precisamos conversar, *hermano*. — Fechando o telefone com violência, Azazel meteu-o de volta no bolso e desceu o túnel.

Os gritos haviam cessado, ou, pelo menos, os de Maria. Azazel entrou na sala, permitindo que a luz se derramasse sobre a multidão ansiosa que aguardava a sua entrada. Sua candidata estava semiconsciente em meio a uma poça vermelha. Azazel parou na porta com uma pequena curvatura para cima no cantinho de sua boca.

— Agora — ele rosnou —, acabou.

Maria era uma Salvatrucha.

Capítulo 3

Fin estava dirigindo do *campus* da UC Davis La Jolla, onde era professor associado no departamento de física, até Chula Vista de três a quatro vezes por semana para falar com o padre Moriel. Naquele dia, ele havia tomado o caminho mais longo por causa de sua filha, Eva. Ela adorava a paisagem descortinada ao longo do Silver Strand Boulevard. Eles sempre baixavam as janelas do Volvo prateado para inspirar o ar salgado e avistar os golfinhos ou as focas brincando nas águas tranquilas do sul da Califórnia. Ultimamente, porém, Fin mal conseguia olhar por sobre a borda da ponte enquanto a cruzavam.

— O câncer é uma ferramenta do diabo, essa é que é a verdade. Foi a derradeira cruz que Rachel teve de suportar — padre Moriel disse a Fin, ajeitando-se desconfortavelmente no banco duro de madeira.

Até ali, as únicas experiências de Fin com as fases do luto haviam ocorrido com a morte de sua mãe no ano anterior, e também com a do pai, quatorze anos antes. Depois que Rachel morreu, ele atravessou a fase de negação mais rápido do que Moriel esperava. Fin passou bastante confortavelmente para a fase da raiva, direcionada tanto para Deus quanto para a própria Rachel. Naquela noite, os dois homens compartilhavam um banco na igreja silenciosa, enquanto Eva brincava pelos corredores vazios.

— Isso não faz sentido nenhum — disse Fin baixinho, com os dentes cerrados, os músculos superiores do corpo todos tensos em uníssono. — Se ela tivesse sobrevivido, todos os nossos amigos teriam dito que era um milagre, e que as nossas orações ao Senhor haviam sido atendidas. Mas ela morreu, e agora eles tentam me enfiar goela abaixo uma conversa do tipo "Foi a vontade de Deus" e "Era para ser" — Fin estava com raiva nas últimas semanas, mas seu estado de espírito naquele dia era diferente, mais sombrio e mais imerso no próprio desespero.

A igreja estava meio escura, com apenas as velas na sacristia iluminando a nave central, onde estavam sentados. As lajotas de cerâmica vermelha do piso da igreja e os bancos de madeira escura refletiam sua profunda luz dourada.

— Nós não fomos feitos para entender o quadro geral, você sabe disso — o padre insistiu. — Qualquer um pode ter fé depois de sobreviver a um evento traumático ou após o nascimento de um filho. Mas ela é mais rara e mais espiritualmente valiosa em tempos como estes... quando não se tem nenhuma base racional.

O padre David Moriel era um homem corpulento de ascendência italiana. Era profundamente inteligente. Tendo se formado em biologia pelo Hartwick College, em Nova York, fez mestrado em teologia e também em genética no Boston College. Era o único entre seus companheiros cuja crença religiosa era cientificamente influenciada. Tinha suas próprias teorias referentes à junção das duas escolas muito diferentes de pensamento sobre as origens do homem. Sua formação mista era ao mesmo tempo uma bênção e uma maldição. Ele tinha um lado racional e acessível que seus paroquianos apreciavam, mas sua natureza científica era a sua maior cruz. Ele lutava contra suas próprias dúvidas quanto àquilo em que a Igreja esperava que ele acreditasse, muitas vezes tendo problemas para aceitar o que não podia provar. Sua fé era algo com que travava uma luta diária, algo para o qual ele desejava encontrar uma prova. Moriel via a mesma luta em Fin e entendia a necessidade de continuar aquelas conversas, que muitas vezes se desviavam para a física teórica, a matemática e a genética.

O padre Moriel tinha o hábito incomum de fechar os olhos ao tentar expor um raciocínio e sua conclusão. Às vezes, ele era capaz de deixá-los fechados por todo um sermão — seus sermões costumavam ser eloquentes, mas muito desarticulados. Rachel e Fin brincavam dizendo que, se fizessem bastante silêncio, toda a paróquia poderia escapar durante esses trechos, e o padre jamais se daria conta até que abrisse os olhos. Eles certa vez combinaram com seus amigos de chegarem mais cedo à missa apenas para garantir as duas primeiras fileiras de bancos em ambos os lados da igreja. Durante o sermão, o grupo reorganizou-se inteiramente. Essa manobra inocente valeu a Fin o apelido de *sapientone*, ou "espertinho" em italiano.

Àquela altura, Fin havia parado de prestar atenção ao que o padre dizia. Em vez disso, estava observando a filha brincar com as sombras dançantes projetadas pelas velas de oração. Ela ria alegremente enquanto corria para dentro e fora dos bancos, tendo o cuidado de não pisar sobre as lajotas maiores. Seus longos cabelos negros refletiam a luz vermelha, assim como os da mãe também o faziam.

— Ela é muito jovem para entender para onde Rachel foi — disse Fin. — Ela pergunta pela mãe nos momentos mais estranhos. Às vezes, é interessante, mas em outras, é apenas estranho.

— Em que ocasiões, Fin?

— Eva pergunta sobre ela durante o jantar ou no meio da noite, quando ela sai de seu quarto e vagueia até o meu. Eu costumo levá-la para a cama comigo e abraçá-la até ela parar de chamar pela mãe e adormecer. — Fin muitas vezes chorava até voltar a dormir nessas noites também, mas isso não era uma informação que ele estivesse pronto para compartilhar. — Nós estávamos finalmente encontrando a nossa paz. Como Deus pôde ter feito isso? *Por que* ele teria feito isso? E com uma criança de 3 anos de idade, deixada para trás — Fin perguntou, enquanto estavam sentados num banco da frente na igreja escura. Segurando a cabeça entre as mãos, ele continuou em voz baixa. — Não sei que diabos eu estou fazendo. Era Rachel quem levava a Eva a todas as consultas com o pediatra, foi ela quem tomou todas as providências em relação à escolinha. Deus do céu, ela até sabia quando Eva preci-

sava fazer xixi! — Ele parecia exausto e emocionalmente devastado.
— Eu não sei o que estou fazendo, padre — Fin acrescentou baixinho, enquanto olhava para o chão.

— Ela parece feliz, Fin, e saudável. Obviamente, você está fazendo alguma coisa certa. É normal que não seja fácil, pelo menos não nesta fase inicial. Faz apenas alguns meses. — Fin permaneceu imóvel. Após uma longa pausa, o padre acrescentou: — Você tem sonhado?

— Não. Bem, alguns pesadelos recorrentes, mas nada sério. — Ele não estava a fim de psicanálise naquele momento. — Normalmente eu adormeço e, seis horas mais tarde, estou acordado, como se nada existisse nesse meio-tempo — Fin respondeu com desgosto. — Quando fecho os olhos, não consigo nem imaginar o rosto de Rachel. Eu tenho que olhar para fotografias antigas só para ver... — Ele desviou os olhos de Eva quando eles começaram a lacrimejar. No início, ele chorava muito, abertamente, na frente da filha, achando que fosse uma coisa ao mesmo tempo natural e saudável que ela pudesse ver. Mas ela era muito pequena para entender, e isso só pareceu assustá-la.
— No começo, eu acordava de manhã inconsciente de sua morte, sendo depois invadido mais uma vez por uma aniquiladora onda de depressão. Agora, só acordo com a sensação imediata de sua ausência pesando sobre mim.

— Você tem se mantido ocupado como nós conversamos?

— Não de uma forma saudável. Gasto o tempo ocioso lutando com meus próprios pensamentos de uma forma cíclica, sem fim. Sentimentos de solidão desencadeiam minha culpa católica, o que me leva a perguntar se eu ignorei os primeiros sinais, como a ligeira perda de peso de Rachel ou uma pequena diminuição em seu nível de energia.

— Fin, você não pode culpar a si mesmo. A vontade de Deus...

— Já que ela era médica socorrista, eu me pergunto por que mudanças em sua saúde, não importa quão insignificantes, não alertaram Rachel quanto à sua doença. Eu passo do sentimento de culpa à raiva de Rachel por ela ter me colocado nesta posição; em seguida, muito rapidamente, volto à culpa. Sinto que estou gastando o pouco de energia que me resta tentando manter as coisas normais para Eva, uma tarefa na qual eu sei que estou falhando miseravelmente.

— Suas dúvidas parecem estar se tornando mais fortes. Estou preocupado com vocês dois, Fin.

Fin sentou-se ereto, olhando para o chão entre seus pés. Seus olhos se encheram de lágrimas novamente. Moriel tinha um talento para pular por cima de toda embromação e cutucar diretamente a ferida emocional daqueles com quem se preocupava. Na maioria das vezes, as pessoas apreciavam, mas, naquela noite, isso estava irritando Fin.

— Por que se preocupar? De verdade, qual é a utilidade em ter fé se tudo o que você ganha no final é um golpe certeiro na garganta? Algo que não faz absolutamente nenhum sentido, não beneficia ninguém e serve apenas para extenuar o relacionamento já fraco que temos com essa... nossa ausente divindade. — Fin ficou em silêncio por um momento, tentando entender os sentimentos que estavam fermentando em sua cabeça. — Eu simplesmente não dou mais a mínima, de todo modo, não quanto a tudo isso — ele sussurrou, apontando rapidamente ao redor da igreja sem levantar a cabeça. — É melhor eu... nós irmos embora, padre. Está ficando tarde. Eva tem que ir para a cama, e não acho que eu vá conseguir ir muito além disso esta noite.

— Você sente como se isso fosse tudo o que você sempre terá, mas não fazemos ideia do plano do Senhor para nós — o padre acrescentou enquanto eles se levantavam. — Não estou sugerindo que você passe por cima da morte de Rachel, não mesmo. Mas você tem uma obrigação para com Eva de acreditar que vai superar. Estamos todos destinados a alguma coisa. Você só precisa estar preparado espiritualmente para reconhecer o que é quando chegar a hora.

Fin sentiu uma claustrofobia crescente, como se a igreja estivesse se fechando sobre ele. Pondo-se de pé, ele recolheu os casacos e se dirigiu para a porta rapidamente com Eva. Ela se contorceu em seus braços e repetiu a palavra "velas" várias vezes.

— Hoje não, querida, talvez da próxima vez — Fin disse para a filha. — Além disso, não tenho certeza de que a mamãe iria sequer saber.

— Quando você está pensando em voltar para continuar nossas conversas, Fin?

Fin continuou andando em direção à porta dos fundos sem se virar para responder a Moriel.

— Vou estar de volta em poucos dias, como sempre, padre. Não se preocupe, não estou pensando em cair fora ainda. — Com isso, ele beijou Eva na testa e pediu licença para se retirar.

A 9.600 quilômetros de distância dali, surgindo do fundo da terra, debaixo de uma sonolenta cidade suíça e longe da vista de olhos curiosos, um leviatã estava acordando. Suas serpentinas dilatadas estendidas por quilômetros de terra preta continham em seu despertar os segredos do universo, prometendo ser a próxima grande esperança da humanidade para a compreensão de sua própria salvação.

Capítulo 4

— Cara, esse lugar cheira a merda — Sal murmurou para si mesmo.

Ele odiava ir até lá. Podia sentir o fedor daquele local a quase um quilômetro de distância. Azazel havia encontrado aquela fábrica de papel abandonada enquanto procurava um lugar para esconder armas e drogas. Ao longo dos anos, o lugar passou a ser o seu principal ponto de encontro.

— É o fim da picada sair de uma reunião de gangue cheirando como se tivesse passado a tarde inteira na porra de uma latrina — ele havia dito a Azazel. Porém o local era perfeito: remoto, escuro, e bem à prova de som.

Os faróis de xenônio do Mercedes-Benz de Sal faziam um péssimo trabalho cortando o nevoeiro, mas ele tinha ido a reuniões ali por tanto tempo que não precisava deles. O antigo estacionamento de cascalho era uma paisagem lunar cheia de crateras agora, mas ele conseguiu evitá-las todas em seu caminho para o barranco. O saguão da fábrica, fechada havia mais de vinte anos, funcionava para eles como um estacionamento coberto e escondido. A tentativa fracassada de demolir a fábrica no final dos anos 1970 propiciara um esconderijo para a facção local da MS-13. Sal deu uma conferida em si mesmo antes de deixar o carro. Sabia que todos os riscos que havia corrido nos últimos meses iriam por água abaixo por um único momento de descuido.

Enquanto descia para o esconderijo, o cheiro mudou.

— Que porra *é* essa? Isso aqui está com cheiro de coisa podre misturada com água sanitária. — Sua voz ecoou pelas paredes úmidas do túnel.

Azazel estava caminhando em direção a ele pelo túnel.

— Onde diabos você se meteu? Eu lhe disse para estar aqui às oito. Isso está começando a se tornar um hábito, Vira-Lata, e um hábito que eu não aprecio.

— Relaxe, eu fiquei preso cuidando de uns negócios. Nada de mais. — Sal não parou de andar. Descartou a suspeita de Azazel com um encolher de ombros, o tempo todo balançando a cabeça. Passou pelo rival em seu caminho para o esconderijo. As meninas estavam ocupadas cuidando de Maria, que agora estava acordada e sentada contra a parede oposta da sala. Com os joelhos dobrados contra o peito, ela ainda estava nua, mas parcialmente coberta por uma esplêndida manta colorida em completo contraste com aquele lugar, que não passava de um buraco de merda. Sua cabeça estava afundada entre os joelhos e uma pequena poça de fluidos ainda permanecia em torno de onde estava sentada.

— Pelo amor de Deus! Alguém faça o favor de limpá-la. E arrumem algo mais para ela vestir. — Sal odiava cada vez mais aqueles rituais, para não falar do lugar. Era frio e úmido, e aquelas reuniões quase sempre terminavam em algum ato de ódio de tirar o sono. Tudo isso somado dava àquele antro uma vibração maligna.

Ao longo dos anos, tal estilo de vida o tinha desgastado. Sal estava cansado da intriga incessante e dos assassinatos, mas guardava suas opiniões para si mesmo. Já tinha visto as consequências que banalizar as tradições das gangues poderia trazer a alguém, e a fúria parecia nunca ter fim. Havia sempre a surra ou a curra de uma nova alma na esteira de quase todas as mortes por violência entre gangues rivais. O mau cheiro das atividades daquela noite já era ruim o suficiente, mas a visão daquela mulher ensanguentada e estuprada o estava deixando fisicamente nauseado. Sal virou-se para sair da sala antes de ficar constrangido.

— Aonde você vai? — Azazel se moveu para bloquear a saída.

Sal parou; um pouco surpreso por Azazel estar assumindo aquele tom com ele na frente do grupo.

— Ora, vamos, *vato**, vamos sair para discutir isso.

Azazel avançou para o antro e colocou uma mão pesada no peito de Sal.

— Você anda perdendo um monte de coisas recentemente... *Vato*!

Azazel havia provado ser imprevisível e perigoso, vezes sem conta, e adorava demonstrar isso.

— Eu lhe fiz a porra de uma pergunta, cara! Parece que eu só o vejo nas reuniões de dinheiro, nunca nas de diversão. Qual é o problema, Vira-Lata, você precisa de algum incentivo?

Sal sabia o que isso significava.

— Com quem você pensa que está falando? Estamos juntos nessa, *hermano*, não se esqueça de onde viemos.

Salvador José Cabrera também era salvadorenho, porém, um ano mais novo do que Azazel. Tinha cerca de 1,77 metro e era musculoso, apesar de magro. Seu farto cabelo negro, agora arrumado em trancinhas apertadas e rentes ao couro cabeludo, destacava seu rosto enganadoramente jovem. Seus olhos eram sua característica mais marcante. De duas cores diferentes, um azul e outro castanho, levaram Azazel a lhe dar o apelido de "Vira-Lata".

— Só porque nós viemos do mesmo lugar não quer dizer que estejamos juntos no mesmo barco agora — zombou Azazel, seguindo Sal pelo túnel, enquanto se moviam em direção à superfície. — Você me deve a vida que tem agora. *Eu* salvei você depois que seus pais foram mortos. Você ainda seria o imigrante órfão de um professor, se não fosse pela *nossa* "família".

Sal virou-se para encarar seu mentor, bastante próximo da superfície agora para realçar o dedo que apontou na direção de Azazel.

— Cuidado com o que fala. Lembre-se de que fui eu que o procurei.

— As coisas nem sempre são o que parecem, *hermano*.

Sal olhou o velho amigo nos olhos por um momento, considerando o comentário de Azazel. Sua vida, que costumava ser bastante normal, saíra dos trilhos dez anos antes, quando seus pais foram assassinados

---

* "Vato" é uma gíria que significa "companheiro".

na própria casa. Como o governo local não conseguiu processar os responsáveis, Sal decidiu tratar do assunto por conta própria. Com 17 anos na época, o então estudante universitário começou a passar suas noites andando nas ruas para conhecer a cultura da gangue local — seus bares, as brigas de rua, os pontos de venda de drogas. Descobriu que o assassinato de seus pais havia ocorrido em território da MS-13, pelas mãos de uma gangue rival. Sal não tinha histórico violento para mostrar, mas tinha um laço comum com seus pretensos salvadores... era um companheiro de El Salvador.

— Tanto faz. Isso não nos leva a lugar algum. — Sal voltou a se mover em direção à noite aberta, pensando consigo mesmo: *Este laço comum não é a minha vacina contra a violência, é uma maldição.*

A gangue rival se gabando do assassinato de seus pais foi um ponto de partida. Dizia-se que era uma dissidência da 18th Street Gang. Formada a partir de uma das gangues mais antigas da LA, aquela nova facção contava com pouco mais de duas dezenas de integrantes. O esconderijo que estavam usando era fácil de ser encontrado pela Mara Salvatrucha, e, certo dia, na calada da noite, ele foi atacado por uma dúzia de membros da MS-13. Eles rapidamente limparam a casa, matando todos lá dentro, com exceção de um.

Com o ar ainda carregado com o mau cheiro do massacre, Sal foi levado para a cozinha. Sentado no chão, encostado na despensa, havia um homem de camiseta branca respirando pesadamente, com dois buracos de bala encharcados de sangue na altura da barriga.

— Este é o *cerdo** que puxou o gatilho. Queríamos trazer você aqui para ver isso.

O jovem, na casa dos 20 anos, estava sentado em meio a uma poça de seu próprio sangue. Encostado no armário, ele se apoiava no chão com uma das mãos, enquanto a outra apertava seu abdômen ensanguentado.

Azazel apontou sua pistola nove milímetros para a cabeça do homem.

---

* Porco.

— Está na hora de você pagar por seus pecados.

Sal o impediu de atirar.

— Dê-me a pistola — ele ordenou. Sentindo o peso da arma pela primeira vez, Sal encostou-a na lateral da cabeça do homem. Tomado pela emoção que ele vinha reprimindo havia meses, Sal pressionou a arma firmemente no couro cabeludo do carrasco. — Com medo? — ele perguntou ao homem em meio às lágrimas. — Eu aposto que eles também estavam. Vai se foder!

O estalo seco do disparo único o sobressaltou. O homem não se debateu, não estrebuchou. O corpo só caiu no chão, sem vida, e mais rápido do que Sal esperava. Ele nunca iria se esquecer do contraste do sangue vermelho brilhante e dos miolos esparramados contra o linóleo branco sujo, uma imagem que se tornava ainda mais horripilante pelo completo silêncio após o tiro disparado. Azazel ficou impressionado, e como a sua verdadeira família já não existia, Sal era agora considerado um irmão.

Parados ali no "buraco" naquela noite, estranhando-se daquele jeito, todos estavam de orelha em pé para ouvir o confronto deles. Sal sabia que, se pressionado, Azazel poderia ordenar sua execução; entretanto, também sabia quanto ele era necessário. Havia se tornado o cérebro financeiro por trás da gangue local e, sem ele, o bando seria apenas mais um grupo de traficantes de rua. Ele sabia onde todo o dinheiro estava investido, tinha todas as senhas para as contas on-line e controlava todas as assinaturas necessárias para as transações. Por enquanto, Sal estava a salvo por conta de sua própria relevância financeira.

— Vamos, eu não estou me sentindo bem.

Azazel seguiu Sal pelo restante do túnel e saiu para o nevoeiro lá fora.

— Talvez você não tenha me escutado, *vato*: você precisa de algum incentivo? Hein? Estamos lutando para manter a família unida e você fica de fora "cuidando dos negócios". Cara, isso é negócio. Hoje foi negócio, negócio do qual você deveria participar!

Sal parou novamente, dessa vez se mantendo de costas para Azazel.

— De onde você acha que o seu Lexus veio? De onde você acha que a sua maldita TV de LED de 55 polegadas veio? Se eu ficar me divertindo com as suas piranhas e ficar somente às voltas com essas merdas, então, não haverá mais negócios e nem esse seu estilo de vida. Portanto, saia do meu pé, porra! — Sal nunca havia falado desse jeito antes com Azazel, e a relação dos dois ou estava amadurecendo ou se deteriorando. Sal não tinha certeza, mas, de qualquer forma, ela estava prestes a mudar drasticamente. Ele ficou ali parado, com medo, esperando o próximo movimento de Azazel.

— Caramba, você está um pouco tenso esta noite, *hermano*. Você *realmente* precisa de algum incentivo. Tire um ou dois dias de folga e eu vou chamá-lo para algumas festas, mas não se esqueça de quem lhe deu os seus *tres puntos*. — Azazel colocou a mão sobre o ombro esquerdo de Sal, cravando o dedo indicador na tatuagem da gangue que ele trazia por baixo da camisa.

Por um instante, os dois se encararam, a pressão do dedo de Azazel queimando a pele de Sal. Ele estremeceu ligeiramente e desviou-se um pouco. Queria acrescentar algo para amenizar o clima daquele momento, mas sentiu que era hora de manter a postura, de se impor. Ainda assim, nunca havia falado grosso dessa forma com Azazel e só tinha visto coisas ruins acontecerem com quem ousara fazê-lo.

Os homens bateram os punhos, o que significava que tudo estava bem entre os dois. Mas não estava, e Sal sabia. Não estava tudo bem já havia algum tempo. Virou-se para caminhar até o carro, e colocar-se de costas novamente para Azazel provocou-lhe um leve calafrio que percorreu toda a sua espinha. Abrindo a pesada porta de seu CL Class, Sal deixou-se cair no banco densamente estofado. Segurando o volante com força, ligou o carro e saiu dali rapidamente. Deixando o estacionamento, estendeu a mão por trás de seu assento para conferir se sua maleta estava lá. Tinha mais uma visita a fazer naquela noite.

Capítulo 5

— "Foi o maior erro da minha vida", Einstein disse certa vez a um amigo. Sentiu-se dessa forma até o fim de seus dias. A constante cosmológica, como ele a chamou em 1916, foi uma jogada matemática que assombrou o mestre até o fim.

Fin sentia-se aliviado por não poder enxergar sua plateia devido ao brilho das luzes do palco. Ele não gostava do escrutínio de novas situações. Quando jovem, era discriminado por seus colegas por causa de sua inteligência, muitas vezes servindo de espetáculo nos corredores, entre as aulas. Um adolescente magro, de joelhos ossudos, tinha seus livros derrubados de suas mãos de propósito pelos outros alunos, ou os óculos arrancados do rosto na correria entre a mudança de sala de aula ao meio-dia. Ele logo aprendeu a se deslocar rapidamente entre as classes, mantendo a cabeça baixa e evitando contato visual. Isso e um senso de humor afiado, ele descobriu, foram as melhores formas de minimizar encontros hostis. Fazer piadas à própria custa, colocar-se para baixo e rir de si mesmo primeiro, antes que alguém aproveitasse a oportunidade, tornaram-se o salva-vidas de sua juventude.

— Nenhum outro, nos diversos campos da física, goza de tão imenso grau de fama e respeito como este funcionário de escritório de patentes, que mudou nossas vidas para sempre. Alguém aqui é capaz de se lembrar de outro físico cujo nome seja citado em conversas do dia a dia? "Einstein" é usado tanto como um elogio a um intelecto superior como num comentário sarcástico, quando se chama pelo nome do cientista alguém que está praticando uma ação ou dizendo algo obviamente idiota. — Uma onda de risadas sacudiu o auditório escuro. Fin fez uma pausa, esperando ter ganhado algum crédito com o público jovem.

Estava tentando deixar o papo da noite anterior com o padre Moriel fora de seus pensamentos. A conversa servira apenas para deprimi-lo ainda mais, principalmente porque a única coisa que o impedira de afundar naqueles últimos meses — aquelas conversas — já não estava funcionando mais, havia perdido seu poder terapêutico. No passado, quando Fin sentia-se deprimido, buscava refúgio e salvação em seu trabalho. Portanto, era isso o que ele desejava cegamente agora.

— Então, uma das maiores mentes analíticas do nosso tempo duvidou de si mesma de tal forma que nas últimas décadas de sua vida ele praticamente se retirou do ritmo frenético de descobertas que a tinham marcado. Em 1905, Einstein lançou simultaneamente três teorias que alteraram os rumos da história e cujas nuances ainda estão sendo descobertas hoje em nossas experiências. — Fin caminhava casualmente pelo palco de madeira enquanto falava. Descobrira que, se se mantivesse em movimento, sua ansiedade por estar na frente de uma multidão podia ser controlada. — Seus trabalhos sobre o efeito fotoelétrico, a teoria da relatividade especial e a teoria do movimento browniano nos proporcionaram a tecnologia de hoje para os nossos televisores de plasma, celulares e ponteiros a laser. — Ele brilhou seu ponteiro a laser ao redor do teto do auditório para obter um efeito dramático.

Fin não se encaixava na imagem típica de um físico. Superando todas as expectativas em tudo que realizava — sem dúvida, uma compensação para seu complexo de patinho feio quando garoto —, Fin tinha sido um atleta na faculdade. Media 1,77 metro de altura e pesava cerca de 72 quilos. Aos 36 anos, dava o melhor de si para manter o seu físico atlético, apesar de sua agenda lotada. Seu queixo quadrado, seus cabelos escuros fartos e sua boa aparência máscula pareciam contrastar com seu profundo intelecto.

— Porém a obra-prima de Einstein, como muitos reconhecem, foi a sua teoria da relatividade geral, publicada em 1920. Nela, ele construiu para nós o tecido do espaço-tempo. Ele mostrou à humanidade como massa, gravidade e tempo são unificados em uma bela sinfonia matemática. Mas Einstein era um homem profundamente religioso, um homem que acreditava firmemente que a eloquência de Deus na ciência era fundamental. Certa vez, segundo citam, ele disse: "Sutil é o Senhor, mas malicioso Ele não é", embora eu prefira a tradução posterior do próprio Einstein: "Deus é esperto, mas não é mau". — Novamente Fin fez uma pausa, dando um tempo para que algumas risadinhas ecoassem na escuridão.

Tal como acontecera em muitos compromissos anteriores, ele estava usando óculos, para passar uma imagem mais intelectual. Ele era muito respeitado em seu campo, como físico de partículas, e adquiriu fama nos círculos acadêmicos como membro de vários *think tanks* — ou laboratórios de ideias — de elite. O nome de Fin frequentemente figurava na lista dos responsáveis por projetos renomados. Como resultado, ele era frequentemente convidado para dar palestras em faculdades e universidades. Seu objetivo nessas ocasiões era o de descobrir estudantes de graduação de valor, que poderiam inovar na física da mesma forma que Bohr e Friedman haviam feito. As palestras de Fin muitas vezes tinham como foco seu trabalho com o CERN, a Organização Europeia para a Pesquisa Nuclear, e o desenvolvimento do Grande Colisor de Hádrons.

— Einstein acreditava que Deus não seria malicioso a ponto de esconder as facetas importantes da nossa realidade de tal forma que as tornassem não detectáveis. Sua teoria levava em conta toda a matéria e energia do universo, algo que ninguém em seu tempo estava preparado para fazer, mesmo que remotamente... mas ele estava, e ele fez. Seus cálculos revelaram a ele que o universo deveria estar se expandindo ou se contraindo, o que não era coerente com um universo eterno como o que é descrito na Bíblia. Também não era um resumo previsível ou eloquente de sua teoria, e isso perturbou muito Einstein. Então, para satisfazer essa religiosidade, ele propôs a constante cosmológica.

Fin gostava de se identificar com seu ídolo. Ele também se esforçara para encontrar harmonia entre o seu desejo de compreensão universal, como cientista, e a crença em Deus como criador do universo. Tal ponto de vista foi compartilhado e cultivado com a tutela de seu orientador na pós-graduação. No entanto seu senso de paz com esse equilíbrio tornou-se quase impossível de se perpetuar depois da morte de Rachel. Seus sentimentos de raiva e dúvida tinham crescido durante as conversas com o padre Moriel. Agora, seus pensamentos o haviam levado de volta a essas discussões. De repente, ele se deu conta de que estava parado no palco sem dizer coisa alguma por um tempo embaraçosamente longo demais.

Olhando para fora do palco iluminado, Fin conseguiu murmurar:
— Perdão, onde eu estava? — Ajeitou os óculos de aro de metal antes de continuar. — Einstein percebeu que, com toda a massa e as forças gravitacionais no universo, eventualmente, tudo teria de se expandir até o ponto de completa perda de calor, ou se contrair sobre si mesmo, incinerando tudo. Novamente, não uma noção de acordo com a construção eterna bíblica. Na ausência de uma explicação melhor, e ignorando seus próprios cálculos, ele inventou esse artifício numérico... a constante cosmológica. Era um número grande o suficiente para equilibrar tudo o que ele tinha imaginado, ao mesmo tempo que mantinha os céus no lugar, um universo estático. Certa vez, ele disse: "Deus não joga dados com o universo". Seu amigo, Niels Bohr, respondeu a essa declaração em uma carta lembrando Einstein para "parar de dizer a Deus o que fazer".

Mais uma vez, ouviu-se uma risadinha na plateia de Fin.

— Eram planetas, sistemas solares e galáxias, tudo equilibrado nas equações de Einstein. Seus colegas eram gigantes matemáticos que percebiam o universo ao redor como enigmas numéricos grávidos com os segredos de Deus. Para Einstein, essa viagem só poderia terminar com a compreensão previsível de todas as coisas, a ordem e inércia do universo como Deus pretendeu que fosse.

O público de Fin, aparentemente um exemplo rematado do chamado viés de seleção, estava agora enredado em cada palavra sua. Ele se sentia como se estivesse em casa contando a Eva uma história para dormir.

— Essa ideia de uma constante cosmológica não foi bem recebida pelos colegas de Einstein, e chegou mesmo a ser levado à sua atenção várias vezes o fato de que a inclusão daquele número inteiro não batia com seus próprios cálculos. Devido ao seu profundo desejo de permanecer fiel ao que ele acreditava, Einstein rejeitou esses desafios. Em 1929, Edwin Hubble, analisando o desvio para o vermelho da luz em suas observações, descobriu que o universo realmente estava se expandindo. Tal teoria se baseia no efeito Doppler observado nas ondas de luz, e com ela Hubble foi capaz de calcular que os objetos estavam se afastando de nós, e não estáticos, como Einstein havia sugerido. Quando as estrelas ou outros objetos iluminados se afastam de nós, as ondas de luz que eles emitem são propagadas em todas as direções de maneira uniforme, mais ou menos como as ondas de som de um trem que se afasta. Na parte frontal desses objetos, as ondas teoricamente devem estar mais agrupadas. As ondas de fuga, sendo mais espaçadas, aparecem nas cores da extremidade inferior do espectro... neste caso, vermelhos, ou infravermelhos. Quanto maior o movimento, mais rápida a aceleração. Só depois é que os cientistas descobriram, usando meios ligeiramente mais sofisticados, que a própria taxa de expansão estava aumentando. Tudo isso estava em contraste direto com a teoria de Einstein.

Fin fez uma pausa para tomar um copo de água, notando que alguns estudantes estavam dormindo na fila da frente.

— O mais surpreendente foi que, após todos aqueles anos que Einstein passou se recriminando, descobriu-se no começo dos anos 1990, décadas depois de sua morte, que o universo não apenas está em expansão, como está acelerando. — O local estava calmo; a maioria dos alunos compreendia o que estava por vir. — A constante cosmológica era real e relevante, no final das contas, e não só sustentava o universo, mas forçava-o a expandir-se a uma taxa cada vez maior. Assim, o novo mistério era, e ainda é, por quê? Por que isso está acontecendo e o que está causando isso? Levando-se em conta toda a matéria, que forças estão nos empurrando para além e cada vez mais rápido? O que mantém a nossa realidade se expandindo? É algo mensurável, os seus efeitos são observáveis, mas não podemos vê-lo, e a melhor explicação que as maiores mentes científicas puderam arrumar para isso é "Energia Escura". Algo saído diretamente da ficção científica, e que é o que estamos tentando provar ou refutar, no CERN.

Ele havia conseguido. Em uma breve e descontraída palestra, ele arrebatara a atenção dos mais interessados no campo, dando-lhes um resumão mastigado do mais profundo dilema da ciência.

— Obrigada por sua atenção. Agora...

Fin fora abruptamente interrompido pela anfitriã da faculdade, que se levantou da primeira fila e dirigia-se à plateia:

— ... o doutor Canty irá responder a todas as perguntas que vocês tiverem — afirmou ela.

Que merda, pensou Fin. Podia sentir seu bom humor derreter sob as luzes quentes.

Estava torcendo para que não houvesse nenhuma pergunta. Aquilo era para ser uma chamada vocacional para o campo da física, e não uma maldita apresentação infantil em sala de aula. Se aquela garotada achasse o assunto chato, então, aquele campo não era para eles. Se o achassem estimulante, nesse caso, poderiam conversar com seus orientadores sobre pós-graduação. Ele olhou para o relógio. Tinha uma hora para pegar Eva na creche.

Ok — ele disse —, caiam matando. Sim, você aí na frente...

Vinte e cinco minutos e onze perguntas mais tarde, sua paciência estava se esgotando. A maioria das perguntas era focada no aspecto ficção científica pop do que o CERN estava tentando fazer. "E se vocês criarem um buraco negro?" ou "E se a antimatéria que vocês encontrarem nos destruir?". Perguntas para as quais qualquer cientista que se preze teria descoberto sozinho as próprias respostas muito antes daquela pequena palestra, para não mencionar as questões com as quais ele já tivera de lidar em um palco muito maior. *Para onde foram todas as mentes inteligentes? Nem uma única questão relevante*, pensou consigo mesmo. Fin respirou fundo:

— Eu só tenho tempo para mais uma pergunta esta tarde. Sim, o jovem que dormiu durante a maior parte da minha palestra.

— O que você acha da escolha dele?

— Que escolha, meu filho? — Fin respondeu impaciente, sua irritação transparecendo em seu tom.

O rapaz pigarreou, obviamente envergonhado agora.

— A escolha de Einstein de ignorar sua intuição científica e arriscar a sua obra-prima pela fé.

A sala ficou em silêncio. Impressionante. Escolhera o garoto porque ele estava dormindo. Então, de onde diabos ele veio com aquela pergunta... e, ainda por cima, sendo a última do dia. Fin apenas olhou para ele, sem saber ao certo o que estava sentindo. Parando para refletir um pouco mais sobre aquela pergunta, percebeu que estava começando a transpirar — nas palmas das mãos, agora na testa —, estava começando a sentir o calor das luzes. Aquela simples pergunta parecia interligar tantas questões pessoais mal resolvidas... A morte de Rachel, sua carreira, e agora a tarefa de criar Eva sozinho, tudo o que vinha sufocando-o gradualmente. Tudo o que o levara a questionar sua própria fé, uma fé que por tanto tempo considerara inabalável.

— Eu acho que foi a sua sacada mais genial — Fin respondeu, com um pouco mais de impulsividade do que esperava. — Sua matemática lhe disse uma coisa, seu coração e sua fé lhe disseram outra... e, no final, por uma insondável virada do destino, ambos os caminhos estavam corretos. O que esse número representa? O que é essa coisa, essa coisa que mantém tudo isso junto de uma maneira que não podemos ver? Talvez nunca venhamos a saber, mas, como seres humanos, somos obrigados a tentar descobrir e é aí que você entra! — Ele apontou para o jovem que havia feito a pergunta. — Esse campo precisa de mentes jovens e introspectivas; mentes que distorcem problemas e soluções em formas que são imperceptíveis do ponto de vista comum. Se você acha que se encaixa no perfil, então, a sua educação ainda não está completa.

Ele não poderia desejar um final melhor do que aquele para a palestra, e já era hora de ir embora. Agradeceu os participantes e seus anfitriões e se despediu de forma jovial e elegante. Abrindo a porta do auditório, Fin correu para fora, à luz do dia, satisfeito com a sua conclusão teatral. Estava atrasado para pegar Eva. *O padre vai adorar ouvir sobre a palestra amanhã*, pensou ele.

Capítulo 6

Sal parou o carro no estacionamento da St. Angelo Pizzeria. Fazia cerca de duas horas que ele havia deixado o "buraco". A neblina estava piorando, mas ele esperava que isso fosse ajudar ainda mais a encobri-lo. Suas mãos tremiam.

Que diabos estou fazendo?, ele não parava de pensar.

Ou essa era a coisa mais estúpida que ele já tinha feito, ou o nascimento de seu momento de maior orgulho. Ao longo dos últimos dois anos, ele vinha se sentindo muito envergonhado de si mesmo, a vida destrutiva que levava estava muito distante daquilo que seus pais haviam planejado para ele. Aquela era a única maneira. Semanas antes, ele tinha enviado um e-mail de uma conta falsa para o escritório de campo do FBI local. Depois de explicar o papel central que desempenhava na MS-13 como o homem do dinheiro, ele expressou sua vontade de cooperar com todas as investigações em curso... contanto que eles fornecessem alguma proteção para ele. Inicialmente, vários dias se passaram e Sal estava começando a ficar chateado com o fato de não terem dado bola para sua oferta, que o colocara em perigo evidente. Mas cinco dias atrás ele havia recebido uma resposta. Fora instruído a escolher um lugar para o encontro e a comparecer sozinho. Ele havia escolhido o local, mas o FBI determinara a data e o horário: uma da madrugada, na terça-feira.

Agora, passavam cinco minutos da hora combinada e ele estava começando a se perguntar se não havia sido delatado. A MS-13 tinha algumas conexões muito poderosas, para não falar na possibilidade de que eles já houvessem descoberto suas intenções depois daquele primeiro e-mail. Quanto mais sua mente girava em torno do pensamento de ir embora ou ficar, mais certeza ele tinha de que aquele encontro havia sido má ideia.

Fique calmo, todas as boas intenções exigem fé, disse a si mesmo. Era algo que sua mãe costumava pregar. Respirou bem fundo e deixou o peso de seu peito expelir lentamente o ar. Aquele encontro precisava acontecer. Expirando com força novamente, relaxou as mãos em seu colo. Fechou os olhos e permitiu que o queixo repousasse em seu peito. Tinha sido um dia muito longo, gastara toda a manhã e boa parte da tarde recolhendo cópias de todos os registros financeiros da facção — as contas bancárias, as aplicações on-line, títulos e até mesmo algumas contas no exterior que ele abrira. Todas as contas foram feitas com diversos pseudônimos, mas todas haviam sido abertas com a sua caligrafia e identidades falsas. Levara anos para construir aquela rede de lavagem de dinheiro, e ele se tornara muito bom nisso. Era a prova da evolução de mera gangue de rua para uma potência do crime organizado muito difícil de conter.

No chão da parte de trás do carro, um cobertor velho ocultava um pequeno volume. Levantando a ponta do cobertor, ele olhou para a mochila do Batman que estava ali. Ele a usara no ensino fundamental e foi só o que conseguiu encontrar em casa em tão pouco tempo. Sal a tinha enchido com toda a papelada que usaria contra a MS-13 e esperava que a estampa do super-herói lhe desse um ar tão inofensivo que ninguém suspeitaria que contivesse algo tão comprometedor.

Sal foi surpreendido por uma batida firme na janela do lado do motorista. Virando-se rapidamente, viu várias figuras andando em direção à frente de seu carro. Já havia outro sedã escuro pressionado firmemente contra o seu para-choque traseiro. O homem na janela mostrou-lhe rapidamente uma identificação, permitindo-lhe vislumbrar sua foto com o distintivo holográfico do FBI em azul e dourado.

— Você é Salvador Cabrera?

Enquanto Sal abria a porta, mais dois homens haviam se postado em torno de seu carro, e pelo menos mais outros dois próximos dele.

— Sim, senhor — disse ele, rapidamente tentando obter uma contagem precisa de todos os agentes. — Eu mandei o e-mail.

— Então, você vai dar uma voltinha conosco — o agente acrescentou ordenando, não informando. Dando um passo para o lado, ele fez um gesto indicando a Sal uma minivan de vidros escuros que tinha parado a poucos metros de distância.

Enquanto caminhavam em direção ao veículo, Sal pensava em todos aqueles registros financeiros escondidos em seu carro. Ele os tinha colocado na mochila pensando que toda a troca de informações aconteceria naquela noite mesmo. Embora a ideia de contar sobre isso aos agentes lhe tivesse ocorrido, ele dispunha de um punhado generoso de barganha, e se eles não estivessem prontos para mostrar o que tinham a oferecer em troca, então, ele também não estaria. Após Sal entrar na van, a porta se fechou com um baque sólido e, sem que nenhum dos agentes que estavam do lado de fora se juntasse a eles, o veículo partiu.

Rodaram por cerca de dez minutos, sentados em silêncio, no escuro.

— Para onde vamos? — perguntou finalmente Sal. Não houve resposta. — Ei, aonde diabos vocês estão me levando?

Do terceiro banco atrás dele chegou-lhe uma voz de mulher, um som que ele não esperava.

— Nós estamos indo conversar — disse ela com um tom suave, que provavelmente seria tranquilizador em qualquer outra situação. — Gostaria de estabelecer algumas regras básicas antes de qualquer coisa — a mulher continuou.

Sal não tinha visto nenhum dos rostos dos agentes na van e não tinha ideia de quantas pessoas estavam com ele.

— Eu faço as perguntas, você dá as respostas — a agente acrescentou calmamente. — Se forem respostas que eu julgue satisfatórias, iremos continuar. Se não forem, por favor, lembre-se de que tudo o que preciso fazer é deixá-lo no meio do seu território e a MS-13 vai cuidar do resto para nós. Estamos entendidos, senhor Cabrera?

— Sim, senhora. — *Que merda*, pensou ele, *acho que não há mais como voltar atrás agora.*

— Vamos começar... — Nos 45 minutos seguintes, Sal rodou por toda a cidade, enquanto lhe eram feitas perguntas sobre o seu envolvimento com a MS-13. Durante todo o tempo, as luzes da van foram deixadas apagadas e o motorista conseguiu evitar luzes diretas da rua. Depois de ter apurado sua história com a facção local, a agente se concentrou mais nas contribuições financeiras que Sal colocara em jogo. — Conte-me sobre o dinheiro.

— Bem, há muita grana rolando — respondeu Sal. — A maior parte está investida em ativos legítimos: ações, títulos, futuros e alguns imóveis em certas áreas. O que não está investido é simplesmente guardado em um esconderijo para uso imediato, para comprar, sabe? Bens. Não é um valor muito alto, só uns trocados em dinheiro vivo, talvez 20 mil ou 25 mil.

— De que quantias estamos falando, Sal? — Ela começou a chamá-lo pelo primeiro nome cada vez mais. Embora ele soubesse que aquilo era apenas uma tática para acalmá-lo e levá-lo a se abrir, *estava* realmente se sentindo mais relaxado.

— Há cerca de 600 mil no mercado, principalmente em fundos de índice por meio de firmas de investimento on-line. Há também cerca de 300 mil em títulos do Governo da Série I. Azazel...

Sal congelou. *Merda!* Onde que ele estava com a porra da cabeça? Como diabos baixara a guarda tanto assim? Ele não apenas estava citando nomes, como os estava revelando para aquela mulher misteriosa, e a começar pelo nome mais alto da lista! Como se ouvisse seus pensamentos, ela continuou:

— Está tudo bem, Sal, não tenho a intenção de queimar você. — Ela hesitou. — Pelo menos não enquanto você cooperar conosco. Por favor, relaxe e vá em frente.

Ele respirou fundo outra vez.

— Os responsáveis não colocam muito dinheiro em um lugar só. Foi por sugestão minha, uma prática que eu instituí para o caso de alguém dedurar. Também comecei a comprar alguns terrenos. A maior parte deles aqui nos Estados Unidos, mas há alguns poucos no México e na América Central também. Em mais de um local já alugamos terrenos para algumas grandes e legítimas corporações, como farmácias, supermercados e concessionárias de automóveis. — Sal não tinha certeza de onde ir a partir dali, uma vez que já sentia que estava contando muito.

Ele podia sentir os olhos da mulher pousados na parte de trás de sua cabeça e isso estava começando a deixá-lo nervoso. Já estavam rodando por quase uma hora e Sal ainda não tinha visto o rosto de ninguém. Uma claustrofobia crescente alimentou seu desejo de olhar rapidamente para trás, um movimento que foi interrompido pela próxima pergunta da agente.

— Como esses ativos são controlados?

— Por mim. Toda semana eu informo... hum... Azazel sobre o que temos e digo onde tudo está. — *Bem, quase tudo*, pensou. Junto com as provisões que Sal tinha passado todos aqueles anos juntando para a gangue, havia várias outras, secretas, que ele havia reservado para si caso decidisse fugir. Nunca mantivera qualquer registro dessas operações, e afora o seu conhecimento pessoal, não havia nada que o ligasse a elas. Se precisasse fugir, somente a distância iria salvá-lo. O dinheiro que tinha acumulado era a única coisa que lhe proporcionaria essa distância. — Eu os movimento de vez em quando, mas, geralmente, eu apenas acrescento ao que já está lá.

Enquanto eles voltavam para o estacionamento onde a aventura tinha começado, ela continuou:

— Alguém mais tem acesso a todos esses ativos além de você?

— Não, mas há alguns meses Azazel começou a falar em trazer um novo membro para me ajudar, no entanto ele nunca mais voltou a tocar no assunto. Ele me disse que queria que tal membro um dia viesse a ter acesso total aos negócios, caso alguma coisa me acontecesse, porque ninguém iria entender todos os documentos e as contas. — Aquele tinha sido o movimento que levara Sal a agir. O novo garoto teria de ser brilhante e muito determinado. Se tal novato, ou qualquer outra pessoa, descobrisse o que ele andava escondendo, Sal seria executado.

— Como você se sentiu a respeito dessa decisão?

Sal fez uma pausa, aquilo lhe pareceu uma pergunta estranha.

— Bem, eu não tenho certeza. Do ponto de vista dos negócios, é uma decisão sensata. Mas ninguém na MS-13 gosta de ouvir "no caso de alguma coisa acontecer a você", sabe? Eu gosto da minha importância, ela me mantém vivo.

A van parou a poucos metros de distância de seu carro e abriu a porta de correr automaticamente. Sua anfitriã aliviou-o com uma declaração final.

— Eu acho que a nossa parceria é muito promissora, Sal. Estou ansiosa pela nossa próxima conversa. Você terá notícias nossas. Suponho que o mesmo endereço de e-mail irá funcionar. Nesse meio-tempo — ela se inclinou para a frente em seu banco, sussurrando baixinho as palavras no ouvido de Sal —, fique longe de problemas, e não foda com as coisas.

Quando a porta se fechou e a van partiu, ele pensou: *Não foda com as coisas... como se fosse fácil.* Tudo o que ele precisava fazer era continuar mentindo para a gangue mais perigosa dos Estados Unidos, enquanto ele se esgueirava pelas costas deles dedurando-os para os federais. Indo em direção ao seu carro, lembrou-se de repente da mochila que tinha deixado para trás. Sal abriu a porta e levantou o cobertor. Um calafrio repentino em seu peito drenou-lhe o sangue do rosto.

Merda! Ele já tinha fodido com as coisas.

Capítulo 7

O orvalho da manhã, aquele cheiro quente de limpeza misturado com um leve toque de morangos. Era assim que o cabelo de Rachel costumava cheirar. Era um aroma tão reconfortante, e ele nunca dissera isso a ela. Fin odiava ir para a cama sozinho nas noites em que ela fazia plantão no pronto-socorro. Ela entrava em casa como um ladrão, tirando os sapatos na porta e andando pela casa só de meias. Conservando todas as luzes apagadas, ela se esgueirava até o banheiro, entrava no chuveiro e depois tentava deslizar para a cama sem ser detectada. Mesmo que ela conseguisse chegar tão longe sem acordá-lo, seu perfume sempre a denunciava. Aquele mesmo aroma deixava um halo sobre Eva após o banho.

Histórias de ninar constituíam o ritual noturno favorito de Eva, que Fin curtia também. Os livros eram um marco no cotidiano de Eva que ajudavam a manter uma certa normalidade. Ele tentou mudar as histórias, mas descobriu que a filha se sentia mais feliz se eles se limitassem a uma dezena de livros e os repetissem sempre. Para o bem de sua própria sanidade, ele variava os finais um pouquinho. Depois que os dentes de Eva eram escovados, ela ia para a cama. A menina sempre dormira bem. Ele e Rachel evitavam deitar-se com Eva à noite e não ficavam muito tempo em seu quarto, mesmo quando ela ainda dormia no berço. No entanto, depois que Rachel morreu, essa rotina tornou-se difícil de ser mantida. Para piorar a situação, Eva tinha deixado o berço por uma cama de "menina grande" apenas um par de meses antes da morte da mãe. Lentamente, ao longo de algumas semanas,

Fin tinha começado a deitar-se com ela um pouquinho a cada noite. Ele dizia a si mesmo que era para dar a ela a sensação de segurança, mas, no fundo, ele sabia que era por ele também.

Não havia muito a falar aquela noite depois da leitura. Eva estava com sono, e Fin esperava que ela adormecesse mais cedo. Deitado em sua cama, abraçando-a, sua mente vagou para o futuro deles. Como a morte de Rachel alteraria a mulher que Eva viria a se tornar? Que diabos ele iria fazer quando ela estivesse nos primeiros anos da adolescência?

O quarto estava escuro e tranquilo e ele encontrava um pouco de conforto no cheiro do cabelo de sua menina novamente. Eva provavelmente não se lembrava do cheiro da mãe nem de sua voz. Essas eram as coisas que ele achava que certamente deveria contar a ela mais tarde. Imaginando o futuro sem Rachel, os olhos de Fin começaram a se encher de lágrimas.

— Por que você está triste, papai? — perguntou Eva de repente.

Surpreso por ela estar acordada e não sabendo onde aquilo iria dar, ele respondeu:

— Eu estou bem, querida, agora durma.

— Você está morrendo? — emendou Eva, sem pausa.

— Não, querida, eu estou bem. — Ele a abraçou ainda mais apertado. Fechando os olhos com força, doeu pensar que, apesar de seus melhores esforços, ela achava que ele também iria deixá-la.

— Eu estou morrendo?

Verdadeiramente surpreso, Fin sentou-se um pouco. — O quê? Claro que não, querida. Você está bem, também. — Antes que ele pudesse começar a se preocupar com o que aquilo significava, ela mais uma vez fez com que tudo ficasse bem.

— Então, nós estamos bem e você não deve mais ficar triste. — Eva rolou a cabeça para o lado e beijou o pai na bochecha. Em seguida, fechou os olhos e adormeceu.

Fin sentiu-se como se ela houvesse resgatado a noite inteira de suas preocupações malignas. Com uma única e singela frase, aquela pequenina criatura o havia tirado de um estado de intensa angústia emocional e o deixado completamente em paz.

— Bem na hora, minha pequena DadU. — Era assim que ele e Rachel costumavam chamá-la, sua "Dádiva do Universo", sua DadU. Parecia que sempre que se encontravam fora dos eixos, perdidos em discussões fúteis, Eva sabia como trazê-los à razão novamente. Em tais ocasiões, ela dizia ou fazia alguma coisa que parecia arbitrária, mas era tão perfeitamente colocada que eles não podiam negar a falta de sentido de seu desentendimento. Tampouco podiam negar o dom inconfundível em suas palavras simples. Ela estava sempre lá, de uma forma que nenhum dos dois poderia estar um para o outro. Parecia um milagre para Fin que aquela pequena criança, que fora trazida ao mundo pelo amor que ele e sua esposa sentiam um pelo outro, cuidasse deles emocionalmente de uma forma que ninguém mais em suas vidas podia cuidar. Deitado ali, seus pensamentos o levaram a adormecer, a descansar na serenidade que sua filha lhe dera.

Fin foi acordado no susto com o toque estridente do telefone. Ele olhou para o relógio. Eram duas da manhã, e Eva estava dormindo. Levantou-se e saiu do quarto, tendo todo o cuidado para não acordá-la.

— Alô?

— Alô, Fin? — disse uma voz familiar. O atraso na transmissão deixava claro que era uma ligação do exterior.

— Edvard, é você? — Edvard Krunowski era um colega seu, físico de partículas, e atual diretor do CERN. Havia sido determinante no recrutamento de Fin para a equipe de planejamento do atual projeto do Grande Colisor de Hádrons. Edvard, o filho pródigo, que voltara para a Europa depois de quase trinta anos de magistério nos Estados Unidos, também havia sido o orientador da pós-graduação de Fin. — Você parece ansioso, velho amigo, o que está preocupando você?

— Preocupando? Exatamente o oposto, Fin. Estamos descobrindo algo maravilhoso... algo que não esperávamos! — Sua voz com sotaque carregado quase cantarolou a notícia.

Durante os últimos vinte anos, o CERN construíra uma monstruosidade subterrânea que atravessava a fronteira franco-suíça. A intenção do projeto, o maior e mais caro experimento científico da história da humanidade, era descobrir aquilo com que os físicos vinham quebrando a cabeça durante décadas... a matéria escura. A máquina fora ligada pela primeira vez havia vários meses, e o início de seu funcionamento tinha sido comprometido por problemas elétricos. Para o futuro próximo, ela só deveria ser submetida a testes de calibração.

— Vocês já colocaram a máquina em operação? Eu pensei que isso não iria acontecer antes de pelo menos alguns meses! — Fin exclamou em um tom de desaprovação, porém empolgadíssimo. — O que ela está mostrando?

Cento e setenta e cinco metros abaixo da cidade suíça de Meyrin, a mais grandiosa das máquinas fora projetada para encontrar as partículas mais esquivas e minúsculas teorizadas até hoje. Através de seus vinte e sete quilômetros de circunferência, por dentro de um túnel de três metros de diâmetro, corre um tubo de vácuo, o lugar mais frio e mais vazio da galáxia. O uso de ímãs supercondutores refrigerados por hélio líquido permitiu aos cientistas conduzir feixes contrários de prótons. Acelerados ao redor do circuito a uma velocidade próxima à da luz, esses feixes de partículas devem colidir um com o outro frontalmente. Fin conhecia bem as teorias; algumas eram dele. Com essas colisões esperava-se observar o bóson de Higgs ou mesmo a misteriosa matéria escura, o material invisível que parecia manter as galáxias juntas.

Fin tinha a teoria de que, embora essas partículas de antimatéria por sua própria natureza não interajam diretamente com a matéria comum, ainda assim elas devem deixar vestígios detectáveis de sua fugaz existência. Ele postulava que tais partículas se originavam de outro lugar, possivelmente, uma outra dimensão. A analogia que ele muitas vezes utilizava com seus alunos era a de duas colunas de bolinhas de gude que viajam uma em direção à outra.

— Toda ação tem uma reação igual e oposta, pela lei da conservação do momento linear ou conservação da quantidade de movimento — ele iria lembrá-los. — A energia e a matéria são conservadas. Se estamos supondo que essa matéria escura, que essas partículas de antimatéria compartilham o nosso espaço comum, então elas também devem exercer forças detectáveis.

A essa altura, apenas um grupo seleto de seus alunos geralmente ainda conseguia acompanhar seu raciocínio, mas o seu entusiasmo muitas vezes suplantava sua capacidade de perceber isso. Esse tema era o que deixava Fin mais animado. Uma vez que começava a falar do assunto, era difícil pará-lo.

— Em outras palavras, se chocarmos um monte de coisas em conjunto a partir desta direção, então uma quantidade igual de material detectável deve sair na direção oposta. Como as bolas de gude.

Os detectores do LHC* foram projetados para fazer exatamente isso, detectar as partículas dispersas que compõem nosso mundo, enquanto colidem umas com as outras nos espaços vazios. Com esse padrão de dispersão das "bolinhas de gude", um software foi criado para excluir todos os padrões e formas de matéria conhecidos. O que restar, a "coisa estranha", como Fin muitas vezes definia, é o material que o software deve analisar. Esse universo de discrepâncias deve ser material raro, ou mesmo novo, para os físicos de partículas. Apesar de ser aparentemente invisível, ele também deve ser simetricamente equilibrado em seu padrão de dispersão. Se nas infinitamente pequenas frações de segundo depois das colisões dos feixes de partículas esses detritos de matéria e antimatéria se unissem para formar algumas partículas de antimatéria, em teoria, eles criariam espaços dentro dos padrões de bolinhas de gude observáveis e poderiam ser medidos pelos detectores. Sua própria exposição seria o efeito deixado para

---

* Large Hadron Collider [Grande Colisor de Hádrons].

trás por nossa incapacidade de vê-los. Eles devem mostrar-se como a ausência de bolinhas de gude dentro dos padrões observáveis.

Ainda de pé na cozinha escura, Fin pressionou o telefone no ouvido, à espera da resposta de Edvard.

— Você está sentado, meu amigo? — perguntou Edvard. — Nós não estamos observando nenhuma ausência de matéria. — Ele parou.

— O quê? E por que diabos isso é tão importante? Ed, você me ligou no meio da noite só para me dizer que não tem nada interessante para me dizer? — Fin resmungou.

— Fin, não estamos vendo uma ausência de matéria, estamos vendo um excedente. — Sua resposta foi recebida com silêncio do outro lado. — Fin, você está me ouvindo? Os detectores estão registrando mais matéria após as colisões do que antes das colisões. — A linha estalava. — Não sabemos se é o material novo ou não, mas com certeza temos mais matéria agora do que antes.

— Você tem certeza... — Ele foi interrompido, o atraso na recepção dificultava a fluência normal da conversa.

— Você deveria vir para cá, afastar-se de tudo por uns tempos. Eu sei que tem sido duro, mas você precisa de uma pausa. Os últimos meses têm sido excepcionalmente difíceis para você, e não apenas por causa da morte de Rachel. Você foi de vital importância na defesa do nosso trabalho aqui no CERN, e a comunidade científica lhe deve muito por isso. Seu testemunho perante a opinião pública mundial fez de você um herói para seus pares.

— Sim, e ao mesmo tempo me tornou o inimigo público número um para aqueles que julgam que nosso trabalho aí seja o equivalente moderno das heresias.

— Eu concordo, e é por isso que de manhã vou ligar para o diretor de seu departamento e informá-lo sobre nossa recente descoberta. Sua ausência aqui tem sido sentida, e iria ajudar a todos nós ter você conosco. Meu filho adoraria ver você e Eva de novo.

Quando estavam lá, Rachel considerara a região rural um de seus lugares favoritos. Era lógico que uma pausa de toda aquela rotina poderia lhe fazer muito bem. Fin estava cansado, e os eventos dos últimos meses, tanto em casa quanto políticos, o esgotaram.

— Não tenho certeza quanto a isso, Ed. Tenho me esforçado muito para manter alguma normalidade para Eva.

— Bem, eu acho que este seria um lugar maravilhoso para se sentir normal de novo. Ela adoraria, Fin.

— Também costumo passar muito tempo, isto é, passei muito tempo conversando com um amigo meu. Ele me ajudou a atravessar tudo isso.

— Quem?

— O padre Moriel — Fin se encolheu um pouco; ele conhecia bem a forte antipatia de Ed pelo sacerdócio católico.

— Fin, eles são apenas os soldados. A Igreja Católica é a corporação que suga o verdadeiro significado da religião. Você está desperdiçando seu tempo aí. Venha para cá, Fin. Você e eu juntos vamos descobrir as verdadeiras raízes da nossa religião.

— Você tem certeza sobre essas medições? Quero dizer, o colisor nem está totalmente calibrado.

— Tenho certeza, temos certeza. E acho que isso é só o começo, meu amigo. Vamos usar esta máquina para ver o plano de Deus como nunca imaginamos! Volte para a cama, Fin. Conversaremos mais amanhã, mas considere com carinho a minha oferta. — Ele fez uma pausa. — Pense nisso, Fin! Prêmio Nobel... Prêmio Nobel!

A linha ficou em silêncio. Fin desligou o telefone. Talvez fosse disso mesmo o que ele e Eva precisavam. Talvez ele precisasse mergulhar em sua ciência para encontrar a sua religião novamente. Edvard sempre acreditou que somente por meio da física o homem poderia vir a compreender Deus. Talvez esse fosse o seu novo começo.

Capítulo 8

Entrecortado. Essa era a melhor maneira de descrever o sono que ele tivera, se é que se poderia chamar aquilo de dormir. Sal estava deitado na cama, olhando para o teto branco, pensando nos sonhos da noite anterior. Aquela maldita mochila — desde aquele interrogatório bizarro, todos os seus planos tão bem elaborados estavam se desfazendo. Aquele imprevisto o deixara desprovido de qualquer poder de barganha que tivesse junto ao FBI. Seu único trunfo seria a informação de que precisavam, e, agora, eles a tinham. Como diabos eles conseguiram isso? Como sabiam que a mochila estava lá ou o que ela continha... além disso, a busca e apreensão de bens sem um mandado não era ilegal? Francamente, a coisa toda o deixava louco de raiva, e quanto mais ruminava o assunto, mais ele pensava que talvez devesse enviar outro e-mail espinafrando o Bureau pelo seu não profissionalismo. Confiara neles para lhes passar as informações, colocara a vida em risco e eles o ferraram. Levantou-se da cama e foi para o computador.

"Querido FBI,"

Ele parou e olhou para a saudação.

— *Querido* FBI, que porra é essa? — murmurou para si mesmo, com nojo. Toda aquela situação o reduzira a um aluno da quarta série. — Respire fundo, Salvador — ele resmungou em voz alta para si mesmo antes de tentar novamente:

"Senhora,

Estou escrevendo a fim de solicitar outra reunião e discutir a questão sobre a minha coleção de dados que você e seus homens agora possuem. Ela é inútil para vocês sem a minha interpretação. Por favor, entre em contato comigo para marcarmos nosso próximo compromisso.

Att., SB"

Com um suave clique seus pensamentos estavam outra vez nos trilhos. Sentia-se um pouco melhor. Pelo menos, não estava sendo um completo bode expiatório. Sal ficou sentado ali, apenas olhando para a tela do computador, descalço e de cueca, coçando-se preguiçosamente como a maioria das pessoas faz pela manhã ao acordar, quando uma nova mensagem apareceu em sua caixa de entrada.

Era de Azazel. Jogando a cabeça para trás e mais uma vez olhando para o teto, Salvador respirou bem fundo para se controlar, sendo que sua longa exalação terminou num palavrão.

— Merda — ele sussurrou. Hesitante, sem saber que más intenções ela trazia, Sal abriu a mensagem.

"Ligue para mim", era tudo o que dizia.

Embora o FBI estivesse interessado em sua ajuda e, esperava, em ajudá-lo também, ele não tinha tempo para ficar dando sopa por ali, esperando o FBI se manifestar dentro do cronograma deles, se Azazel estava a fim de testar continuamente sua lealdade. E isso era justamente o que ele gostava de fazer. Sal havia testemunhado aquilo antes. A coisa começava com alguma típica atividade de gangue, inofensiva pela maioria dos padrões, e depois terminava em algum ato ilegal hediondo que o acorrentaria à facção por uma eternidade. Tais festas geralmente culminavam no assassinato de um membro de uma gangue rival ou até mesmo de um policial. Mesmo que você não fosse o homem a puxar o gatilho, Azazel sempre procurava mantê-lo na ponta do anzol e fazia com que você também participasse disso.

Sal sabia que teria de acelerar seus planos agora. Teria de resolver a questão das informações financeiras com o Bureau e, então, precisaria desaparecer. Esperava que fizessem um serviço mais bem-feito em esconder seu envolvimento e paradeiro do que haviam executado em casos anteriores. A MS-13 não tinha dificuldade em encontrar pessoas vivendo na clandestinidade, apesar do programa de proteção de testemunhas do FBI.

Sal também não tinha certeza do que iria fazer depois de abandonar aquela casa. Após o assassinato de seus pais, ele não conseguira deixá-la. Naquela manhã, por exemplo, Sal dava-se por satisfeito apenas por poder sentar-se em sua escrivaninha e avistar dali o quarto vago de seus pais do outro lado do corredor. Ele nunca se dera conta de que aquela casa tornara-se uma espécie de santuário, com seus rangidos suaves nos corredores de madeira, os tetos baixos que antes lhe pareciam tão elevados e todas as coisas de seus pais espalhadas aqui e acolá, que faziam daquele lugar um lar. Ele crescera ali, e aquela ainda era a sua casa.

Sal tinha ido ao quarto deles muitas vezes desde que haviam sido mortos e até mesmo limpara seus armários e closets uma ou duas vezes, apenas para colocar tudo de volta onde ele achara. Não conseguira encontrar nenhuma razão para deixar aquela casa, e nunca tivera a intenção de fazê-lo até agora. Levara muito tempo para despertar daquele seu modo de vida pródigo. Entretanto, se a mudança estava para acontecer, ele precisava manter por perto aqueles que ameaçavam sua redenção. A MS-13 não era uma gangue dada a especulações; se houvesse o temor de que um membro poderia afundar a organização, a pessoa era imediatamente marcada para morrer. Muitas vezes, a morte era executada por pessoas de quem o alvo era mais próximo e, geralmente, sem qualquer aviso.

Um zumbido suave arrancou-o de seu devaneio. Tirou o celular do bolso do casaco.

— Merda! — Já eram duas da tarde. — Azazel, qual é a boa? — ele perguntou com a voz mais sonolenta que foi capaz de simular.

— *Vato*, lembra das comemorações de que falamos? Bem, tenho um pouco de diversão para você e para mim. Maria trouxe sangue novo e vamos ter uma pequena *fiesta* hoje à noite. — Azazel faz uma pausa. — Você está aí, Vira-Lata?

— Sim, estou aqui. Desculpe, ainda estou meio dormindo. Quando é que isso vai rolar e onde? — Sal estava pensando em seus próprios planos, nos quais depositara toda a sua esperança, e no prazo para a próxima reunião com a misteriosa agente do FBI.

— Hoje à noite, e estamos contando com você. Não me decepcione.

Sal esperava outra conversa com seu contato no FBI antes que tivesse a chance de "foder tudo", como ela tão elegantemente colocara. Aquelas noites de diversão frequentemente resultavam em tiros e sirenes. Ser preso certamente arruinaria tudo, para não mencionar o fato de que ele poderia ser morto. Mas ele não tinha escolha. Depois da conversa na noite anterior, Sal precisa manter as aparências.

— Você pode ser um pouco mais específico? — ele arriscou.

— Passe lá no buraco por volta das sete da noite e a gente sai de lá juntos. — Depois de um leve clique, a linha ficou em silêncio.

Para Salvador, a voz de Azazel, que um dia já tivera o gosto de salvação, agora lhe parecia apenas um lembrete adocicado de seu próprio fracasso. Muitas vezes, ele se perguntara como acabara indo parar naquele inferno, seguindo a liderança de tal lunático. Sal sentia-se tão perdido nos primeiros meses após o assassinato de seus pais que Azazel lhe dera uma esperança de vingança e também a noção de fazer parte de algo, na ausência de sua própria família.

Vestir as cores da gangue era obrigatório nessas ocasiões, mas decidiu, em vez disso, usar uma das camisas da seleção de futebol salvadorenha favoritas de seu pai por baixo do casaco. Vestir aquela roupa de seu pai o fez se sentir parte de algo invencível. Aquela simples camisa branca e azul real salvadorenha devolveu-lhe um sentimento de autoestima que perdera havia muito tempo. Seus pensamentos o puxaram lentamente de volta para o dia em que encontrara os corpos dos seus pais.

Salvador estava voltando para casa, entusiasmado, após passar a tarde procurando um carro para comprar. Esperava poder comprar um bom carro usado, mas algo com um pouco de estilo. Também alimentava a esperança de se tornar um pouco menos dependente de seus pais, especialmente se continuasse a estudar. Animado para contar a seu pai sobre o Buick GNX 88 que tinha encontrado, irrompeu pela porta da frente. Quando entrou, quase tropeçou em seus corpos. A imagem de seus pais deixados ali no hall de entrada ainda o assombrava, uma visão de pesadelo que nunca mais deixara de atormentá-lo. Eles haviam sido dispostos de forma ritualística e assustadora, ambos deitados de costas em pequenas poças de sangue, com os braços estendidos. Foram colocados um ao lado do outro, mas em posição oposta, com os pés de um ao lado da cabeça do outro. Suas mãos esquerdas estavam entrelaçadas e coladas firmemente pelo sangue seco. Na carne da palma de cada uma haviam gravado à faca uma pequena cruz. Sal praticamente se jogara sobre eles em seu desespero, com uma esperança cega de que ainda lhes restasse um sopro de vida. Lembrava-se de que quisera pedir ajuda, mas fora incapaz de se separar dos corpos, por medo de perder uma oportunidade fugaz de dizer adeus. Levara uma eternidade para se levantar e ir até o telefone, e quando os paramédicos chegaram, ele nem conseguia se lembrar do que havia relatado. A polícia registrou o caso como latrocínio, mas pouquíssimas coisas de valor haviam sido levadas da casa. Disseram a Salvador que já tinham visto aquilo antes, e era indicativo de assassinatos levados a cabo por gangues locais. Os pormenores das cenas de um crime como aquele não eram passados para a imprensa, por medo de que fossem usados por assassinos imitadores, o que só serviria para atrapalhar os investigadores. Sendo assim, os detalhes mais escabrosos do assassinato dos pais de Salvador não foram divulgados pela polícia.

A investigação feita na própria cena do crime no mesmo dia foi o mais longe que a polícia chegou, pelo menos era assim que Sal se lembrava. Nunca houve nenhum suspeito nem conexões com o crime e, certamente, nenhuma esperança para Sal em punir os culpados pelos assassinatos. Semanas se passaram sem qualquer notícia, e, a essa altura, ele já havia deixado de frequentar as aulas fazia muito tempo. A explicação que buscava só veio por meio da MS-13: os seus pais haviam sido escolhidos por causa de sua origem; e também fora apenas com a ajuda da MS-13 que Sal pudera vingar a morte deles.

Isso tudo parecia-lhe agora ter acontecido em outra vida, e afundar-se naquela espiral descendente outra vez não ajudaria a resolver coisa alguma. Perdoando a si mesmo por ter perdido a manhã inteira, decidiu encerrar logo aquele dia para que pudesse se concentrar em outros assuntos mais importantes.

Enquanto se preparava para sair, percebeu que havia uma nova mensagem em sua caixa de entrada. Era de sua auxiliar anônima na conspiração do FBI:

"Para este encontro, você escolhe a data e o horário, e eu escolho o lugar. Nós apreciamos toda a sua sinceridade e esperamos que haja mais coisas além da papelada que nos deu até agora."

— Cara, essa mulher é muito cara de pau — Salvador murmurou, balançando a cabeça incrédulo. — Eu não lhe dei merda nenhuma, minha senhora, você roubou.

"Vamos nos encontrar amanhã à noite, à meia-noite. Só preciso saber onde." Ele enviou a mensagem. Talvez aquilo tudo realmente fosse funcionar. Agora ele só precisava sobreviver ao desafio daquela noite.

Capítulo 9

Azazel tinha acabado de desligar depois de falar com Sal quando seu telefone começou a tocar novamente.

— Sim? — respondeu Azazel.

— Sr. Espíritu, meu nome é Job*. Tenho uma situação que gostaria que você resolvesse para mim.

— Quem diabos é você e como é que conseguiu este número?

Azazel raramente recebia ligações de pessoas de fora do seu círculo muito pequeno de afiliados.

— Temos alguns interesses mútuos e um conhecido em comum.

— Isso não responde à minha pergunta, senhor.

— Tenho uma boa grana, e suas ações tornaram-se quase que indistinguíveis das de seus concorrentes no noticiário das onze hoje em dia. Estava esperando que pudéssemos fazer um acordo de negócios. — A voz masculina do outro lado da linha era profunda, com uma rica tonalidade de barítono que impunha respeito.

— Estou ouvindo... — Azazel esperava que o pagamento fosse alto e a tarefa, simples.

— Temos uma pessoa que gostaríamos que fosse eliminada. Contávamos que você fosse o homem certo para o serviço.

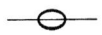

---

* Uma das acepções para *job*, em inglês, é "serviço". O personagem aqui faz um trocadilho com a proposta que fará mais adiante. Job também é o equivalente em inglês para o nome bíblico Jó.

Do outro lado da cidade, a manhã parecia se arrastar para Fin. Depois de deixar Eva na creche, ele tinha seguido para o trabalho em meio ao emaranhado que era o tráfego do sul da Califórnia ao amanhecer. De seu escritório na universidade, ele enviou um e-mail para o seu chefe de departamento, informando-o de que precisavam discutir uma grande notícia, ou, pelo menos, algo que tinha o potencial para ser. Ele mal tinha conseguido dormir depois da conversa telefônica com Edvard na noite anterior e, pela primeira vez em meses, fora por causa de algo bom. Sua mente fervilhava com as possibilidades que aqueles novos dados poderiam representar. Tentou manter seu entusiasmo quase infantil sob controle, mas os últimos meses o haviam deixado desesperado por algo positivo.

Ao longo de sua carreira, Fin havia aprendido a receber com certa reserva as notícias de descobertas científicas. Tais revelações muitas vezes não eram cientificamente replicáveis, ou não passavam do resultado de um erro matemático humano. Fin, portanto, mantinha em mente que as chances de, mais uma vez, ser este o caso era uma possibilidade muito concreta, maior do que a probabilidade de as novas informações serem válidas. Eles teriam que executar novos cálculos no software de detecção com variações. Alcançar várias vezes a repetição desses resultados de forma confiável levaria tempo, um longo tempo, muito provavelmente. A Física era um campo que rendia resultados mágicos quando bem-feita, e eles precisavam ter certeza de que haviam tomado as medidas necessárias naquele momento para fazê-lo dessa maneira. Simples erros de cálculo haviam sido a semente de muitos problemas que custaram caro à Ciência. Com muita frequência, ele e seus colegas tinham, involuntariamente, servido esses erros para a mídia em uma bandeja de prata. Tais resultados ganhavam manchetes em primeira página, que tinham tanto o potencial para destacar os sucessos fenomenais de proeminentes cientistas quanto para levá-los à falência profissional; e, em muitos desses casos, a arrogância superara a inteligência. Fin sempre mostrava inúmeros exemplos desses aos seus alunos, para enfatizar a necessidade da atenção aos detalhes. — No final — ele ensinava —, uma simples verificação de seus cálculos matemáticos pode poupar todos os envolvidos de um profundo constrangimento, além de milhões de dólares dos contribuintes.

Ele estava pensando nesse tipo de situação, olhando pela janela de seu escritório, quando a secretária abriu a porta.

— Edvard está na linha de audioconferência, e Jim quer que você vá ao escritório dele.

Jim Purcell era um cara grande e robusto que amava a vida. E sua maneira de amá-la era curtindo mulheres e bebida. Ele e Fin se conheciam desde os tempos de faculdade, quando iniciaram uma improvável amizade. Ao longo dos anos, os dois tinham passado pelo mesmo "funil" científico que levara Fin à sua posição atual. Purcell, no entanto, não tinha tanto interesse na investigação existencial como alguns de seus colegas. Ele foi nomeado para a cátedra de Física após Fin tê-la recusado. Fin sentiu que tal cargo iria impedi-lo de perseguir outras aspirações científicas mais românticas, como a que chamaria a atenção de todos hoje.

— O que eu perdi? — Fin deixou escapar quando entrou na sala de conferências, que estava cheia de uma maneira fora do comum. — Sinto muito — disse ele, parado na porta —, eu não sabia que você estava em reunião. — Ele se perguntou se invadira a sala errada.

— Ah, Fin. Ainda bem que você conseguiu vir. O doutor Krunowski me enviou um e-mail ontem à noite, solicitando que eu reunisse todo mundo esta manhã. Ele está no telefone e tem algumas novidades interessantes para compartilhar com a gente. — Purcell gesticulou em direção à cadeira vazia na cabeceira da mesa.

Fin estava esperando encontrar Purcell, e, talvez, um ou dois alunos da graduação, não os catedráticos de todos os departamentos da universidade.

— Sente-se, Fin — uma voz familiar saiu do aparelho no centro da mesa de reuniões. — Eu acabei de contar aos nossos colegas sobre a nossa conversa na noite passada. — Edvard era um dos melhores marqueteiros que Fin conhecia. Era capaz de vender merda para um criador de porcos e tinha uma habilidade incomparável para entusiasmar as pessoas ao seu redor com coisas que elas mal compreendiam.

— Quanto você compartilhou com eles? — Fin puxou a cadeira vazia remanescente e afundou no couro escuro macio.

Jim Purcell interrompeu-o:

— Nós estamos apenas começando, Fin. Por favor, continue, doutor Krunowski.

— Já estamos coletando esses dados há mais de um mês e executamos várias variações no software de detecção para procurar inconsistências... e não encontramos nenhuma. Nossos dados apontam um aumento de matéria, não apenas de massa, imaginem só. A célebre fórmula "E é igual a mc ao quadrado" admite partículas de maior massa, mas não a criação de *nova* matéria.

Fin entendia bem esse princípio, mas sabia que ele escapava à compreensão de muitos de seus colegas de biociências ali presentes na sala de reuniões.

— Edvard, deixe-me interrompê-lo por um minuto. — Fin inclinou-se sobre a mesa enquanto falava. — Quero apenas desenrugar algumas testas ao redor da sala. A equação à qual o doutor Krunowski está se referindo é a equivalência massa-energia. Em sua famosa fórmula, Einstein infere que massa e energia são apenas manifestações diferentes da mesma coisa, em que a massa pode ser transformada em energia e vice-versa.

Fin ligou a lousa eletrônica e sua superfície tremeluziu, passando do negro de seu modo de espera para o cálido off-white do papel eletrônico. Ele escreveu $E = mc^2$ enquanto falava.

— Energia é igual à massa de um objeto multiplicada pelo quadrado de uma constante, que é a velocidade da luz.

— Cada gesto que fazia deixava para trás uma linha verde fantasmagórica enquanto ele registrava seus pensamentos sobre a placa sensível à pressão. Selecionando uma nova cor, ele desenhou para o seu público as diversas derivações matemáticas da equação mais famosa de Einstein:

— Se reorganizarmos essa mesma equação, teremos "E" dividido por "c ao quadrado" igual a "m".

$$E/c^2 = m$$

— Uma vez que a velocidade da luz é uma constante, se você aumentar a energia em um sistema, produzirá o aumento da massa. — Sua lousa parecia uma caricatura da Física, com os números e as letras de várias cores, tudo vomitado a esmo na tela branca. Animado com a sua conclusão rapidamente alcançada, ele se virou. A maioria das testas continuava franzida, apesar de seu esclarecimento tão empolgado. Voltando para a tela, ele agitou as mãos sobre a sua criação, apagando-a por completo.

— Exatamente — interveio Edvard. — No Colisor de Hádrons estamos lidando com um feixe de prótons zunindo em torno de uma enorme pista e, em seguida, chocando-se com outro quase à velocidade da luz. Estamos tentando criar partículas novas e exóticas que temos certeza que existem, mas que nós de fato nunca vimos.

Fin continuou diante da tela, deixando enormes arcos coloridos na esteira de seus braços.

— A velocidade da luz e a massa dos prótons são constantes que não podemos mudar. Assim, a única variável que podemos controlar é a velocidade com que essas partículas colidem umas com as outras... esse é o nosso "E". — Finalmente, ele viu alguns semblantes se iluminando na sala. — Quanto mais elevada a nossa "Energia", maior a "massa" que podemos gerar. Portanto, ter como resultado partículas com maior quantidade de massa não seria uma grande surpresa; na verdade, nós esperávamos por isso. Porém, e esta é a grande novidade, ninguém esperava gerar matéria extra.

— Exatamente. — A transmissão de Edvard chiou no telefone de conferência. — Quando somamos todas as variáveis, a velocidade de nossos feixes de partículas, ou seja, a nossa "energia", não é suficiente para produzir a quantidade de matéria que estamos medindo. De alguma forma, temos mais matéria no final do que quando começamos.

Fin parou por um momento, em silêncio, apreciando sua explicação para os colegas cientistas, combinada à de Edvard e de improviso. Nunca se preocupara em demonstrar a sua capacidade intelectual para aqueles seus autoproclamados iguais. Era uma das coisas que Rachel achava mais atraentes nele... autoconfiança sem arrogância.

— Embora isso não seja o que esperávamos encontrar, é certamente uma descoberta que merece muito mais avaliação. Pode abrir novas possibilidades para uma teoria unificada. — Fin caminhou de volta ao seu lugar, saboreando os olhares de entusiasmo ao redor da sala.

— Como, em parte, foram as teorias do doutor Canty que nos ajudaram a fazer essa descoberta aqui no CERN, eu gostaria de requisitar a sua presença durante esse período inicial de descobertas. — Edvard fez uma pausa, ciente de que, sendo comum a todos ali presentes o conhecimento da recente perda de Fin, isso também pesaria na decisão de lhe concederem uma licença remunerada.

Purcell olhou para Fin, em busca de uma posição.

— Como você se sente em relação a essa proposta?

— Acho que a minha presença lá seria útil. Sem contar que tudo isso é muito emocionante e seria uma boa para a imagem pública dos departamentos de ciência da universidade, especialmente à luz dos últimos meses.

— Penso que, para podermos ter certeza de que não estamos deixando escapar coisa alguma aqui em Genebra, precisamos ter nossa equipe completa para analisar os números. — O marketing estava completo; o vendedor tinha usado seu aluno como um inocente participante no fechamento do negócio. Com o reforço do pedido final de Edvard, a operação foi finalizada.

— Faça as malas — acrescentou Purcell. — Com o período de festas chegando, você terá até o primeiro dia do ano de licença. Farei com que o secretário departamental providencie suas passagens aéreas. Se o tempo e o orçamento permitirem, você embarca depois de amanhã, se estiver tudo bem para você.

Fin sentiu pela primeira vez em meses que estava recebendo o que merecia. Um dos físicos mais importantes do mundo estava requisitando a sua presença como membro daquele corpo de elite de cientistas do CERN novamente. Era bem possível que suas descobertas pudessem ajudar a expandir a compreensão humana do mundo físico, o maior salto desde a virada do século 20.

— Com certeza, está ótimo para mim, Jim. Obrigado pela compreensão. — Ele se levantou de seu assento e agradeceu a todos os presentes e, com ênfase especial, a Edvard. Caminhando pelo corredor até seu escritório, Fin estava tão atordoado que nem se lembrava de como saíra da sala de reuniões. Vinte e quatro horas antes, estava sufocado pela culpa e tristeza, fisicamente incapaz de prever qualquer futuro alternativo para eles. Era realmente incrível que em um único dia sua perspectiva houvesse mudado totalmente. Sentia-se como se tivesse acabado de perder a virgindade, embora, muito provavelmente, fosse guardar essa analogia para si mesmo quando visitasse o padre Moriel naquela tarde.

Capítulo 10

Depois de deixar acertado com sua secretária para onde as passagens aéreas deveriam ser enviadas por e-mail, Fin deixou o *campus*, encerrando o dia. Sem a menor intenção de retornar ao prédio no dia seguinte, despediu-se de todos no trabalho de quem ele sentiria falta nas festas de fim de ano e partiu. Queria buscar Eva e começar cedo sua longa viagem para encontrar o padre Moriel, a fim de não pegar trânsito. O ar de outono estava carregado com o cheiro de chuva, e ele esperava que o céu não desabasse até que voltassem para casa mais tarde, naquela noite. Dirigindo a caminho da creche que ficava a poucos quilômetros do *campus*, sua mente corria com todos os preparativos que tinha de fazer antes de sair do país e ficar fora por tantos meses. Precisaria deixar alguém responsável pela casa e também por seu carro. A última coisa de que precisava era de uma bateria descarregada e dez semanas de taxa de estacionamento de longa duração quando voltassem para os Estados Unidos. Estava quase alegre com a ideia de rever os campos de Genebra e desfrutar a companhia de amigos da família.

O processo de levar e buscar Eva na creche tinha adquirido rituais próprios. Depois da morte da mãe, ela começara novamente a se recusar a sair e a chorar todas as manhãs. Aquele era um hábito que Fin pensava que haviam derrotado meses antes. Apesar de sua pouca idade, tanto seus professores como o padre Moriel sentiam que essa era uma reação à ausência da mãe. A vontade de Fin era acompanhá-la até a sala e ficar por mais tempo, mas os cuidadores de Eva insistiam em afirmar que ela ficaria melhor se aprendesse por si mesma através da repetição, ao se conscientizar de que ele sempre voltaria para buscá-la. Levou algumas semanas, e isso só contribuiu ainda mais para a culpa de Fin, mas ela finalmente percebeu que seu pai jamais a deixaria. O esquema para apanhá-la no horário de saída da creche, entretanto, havia se tornado muito específico. Ele tinha de estar recostado na parede oposta à sala de aula dela e agachado, não sentado, para receber o abraço que ela vinha correndo lhe dar. Depois disso, ele a erguia e a carregava até o carro. Nas poucas ocasiões em que Fin havia se esquecido disso, ou, que Deus o perdoasse, tivesse se sentado no chão, recebera uma bela bronca da menininha de 3 anos de idade. Naquele dia, entretanto, ele estava bem atento àqueles rituais. Fin informou aos cuidadores de Eva que ficariam ausentes por alguns meses e que eles a veriam novamente depois do feriado de ano-novo. Caminhando em direção ao carro, ele mal podia se conter.

— Querida, o que acha de sair em uma grande aventura com o papai?

Como estavam adiantados em relação ao horário e ao trânsito, Fin decidiu pegar o caminho preferido deles até Chula Vista. Abriu as janelas para que pudessem sentir a brisa salgada e ouvir os pássaros. Eva riu ao ver os pelicanos sobrevoando a água, próximos à ponte, surfando nas correntes de ar que subiam por debaixo da estrutura. Fin havia colocado um CD infantil para tocar e Eva cantava junto as suas musiquinhas. Ele lançou um longo olhar para a água lá embaixo. Não havia os costumeiros barcos e as águas pareciam excepcionalmente agitadas.

Fin estava imerso em seus pensamentos sobre os acontecimentos dos últimos meses. Em meados de março de 2008, no Havaí, um pequeno grupo de cidadãos preocupados — autodenominados de "Ativistas em repreensão ao CERN por sua heresia", ou ARCH — ingressou com uma ação no tribunal distrital daquele estado com um pedido de liminar contra as operações do CERN em Genebra. Eles esperavam impedir o pleno funcionamento do Grande Colisor de Hádrons por pelo menos um ano, para que fossem realizadas provas experimentais e fizessem exames críticos. O objetivo disso seria testar tanto o hardware como o software do instrumento, bem como produzir uma avaliação ambiental completa. O ARCH alegava que a própria existência do planeta poderia estar em perigo se esses experimentos fossem autorizados a continuar. Seus advogados, nomeados para eles sem nenhum custo pela American Family Christian Association, defenderam em seu discurso de abertura que "os pequenos buracos negros, aquelas mesmas entidades que esses físicos retrataram no Discovery Channel como monstros devoradores de galáxias, estão para ser conjurados bem aqui, na Terra. Todo esse tempo e dinheiro foram gastos, e continuarão sendo gastos, apenas para afogar ainda mais o criacionismo num mar de confusão científica". Na esteira desses processos, Fin havia sido escolhido pelo CERN para liderar um pequeno grupo de cientistas para refutar tais alegações. E, ao fazer isso, ele praticamente havia salvado sozinho a agência.

Enquanto Fin estava mergulhado em seu transe, começou a chover, e ele foi trazido violentamente de volta ao presente por gritos de alegria vindos do banco de trás. Eva estava se molhando, e adorando.

— Que droga! — Fin murmurou, enquanto sua mão disparou para os botões de controle das janelas. — Desculpe, querida, papai não notou que estava chovendo tanto. — Ele ligou os limpadores de para-brisa. Estavam agora apenas a poucos quilômetros da igreja, e ele iria cuidar de suas roupas molhadas quando chegassem.

— Papai? Já chegamos? Essa é a nossa viagem?

— Não, querida, nós estamos apenas indo ver o padre. Você gostaria de acender algumas velas para a mamãe esta noite? — Preocupado, Fin não via a hora de chegarem logo à igreja, para trocar-lhe as roupas molhadas. — Vamos ver o que o padre está fazendo — disse ele, enquanto parava cuidadosamente o carro no estacionamento. Agora a chuva caía pesadamente, levando embora aos poucos a luz do dia. Fin apanhou a valise com as mudas de roupa de Eva e, então, soltou-a de sua cadeirinha. Ele correu, cobrindo-a com seu casaco, para a porta do transepto sul. O cheiro de incenso enchia a igreja, provavelmente, remanescente da missa que o padre rezara mais cedo. Estava tranquila e silenciosa, exatamente como Fin gostava de pensar naquele santuário. Encontraram o padre Moriel ocupado em seu escritório.

Moriel levantou-se de sua mesa, lançando-lhes seu costumeiro e caloroso sorriso ao entrarem.

— Meu Deus, vocês estão ensopados! — ele exclamou impulsivamente. — Oi, Eva! Eu não tinha percebido como o tempo mudou. Será que vai continuar assim?

— Eu não sei. Nem sabia que ia chover hoje — disse Fin, colocando Eva no chão para dar um abraço no padre.

— Tenho que fazer a minha peregrinação mensal ao México, esta semana. Detesto dirigir com tempo ruim, especialmente com aquele carro. Não estou certo de que me sobraram pernas para tanto, Fin. — Ele retirou uma toalha da gaveta de cima de sua mesa e entregou-a a Fin.

— Esperamos que a tempestade não dure muito tempo. Estamos saindo de viagem também, depois de amanhã. — Fin pegou a toalha que o amigo lhe oferecia. — Tem havido um avanço emocionante em nossa pesquisa no CERN, e a universidade me permitiu uma curta licença.

Moriel virou-se com um ar de surpresa no rosto. Não ouvia aquele tom de voz em Fin, naquele lugar de oração, desde antes da morte de Rachel.

— Fin, é melhor ter cuidado, meu amigo, pelo seu jeito de falar, está até parecendo que você encontrou esperança em alguma coisa. — Ele sentou-se de volta à sua mesa, enquanto Fin terminava de vestir Eva com roupas secas.

— Sabe, padre, não sei se quero entrar em muitos detalhes agora. Sinto-me contente pela primeira vez em muito tempo, como se tivesse voltado à ativa, e estou um pouco com medo de perturbar esse equilíbrio delicado. Eu gostaria de guardar esse sentimento para mim por um tempo. — Fin sentou-se diante do padre. — Vamos falar sobre você, para variar. — Eva havia se aproximado do padre e oferecia-lhe algo com que ela estivera brincando.

— O que é isso, querida? — Ele pegou o pequeno objeto de metal brilhante da mão dela e o ergueu para Fin ver. — O que é isso? — ele repetiu para Fin.

— Hum. Não vejo isso há anos. — Fin havia se inclinado para a frente em sua cadeira para apanhar o objeto que Moriel agora lhe passava. Ele ergueu-o para a luz a fim de analisá-lo melhor. — É um broche, na verdade, um prêmio, que eu ganhei na minha bolsa de doutorado, chamado "Menção de Singularidade".

Eva voltou-se para o pai, estendendo a mão.

— Me dá, por favor — foi tudo o que disse.

Fin devolveu-lhe o broche. Era de bronze, achatado e oval, e quase do tamanho da palma da mão dela. Tinha um único raio gravado em seu centro projetando-se para cima, na direção da parte superior do broche.

— Eu o recebi do diretor do CERN, pelo emprego de meu trabalho em seus detectores.

— Obrigado mais uma vez, querida. — Moriel expressou sua gratidão a Eva com um sorriso e uma leve risada quando ela lhe entregou novamente o seu tesouro.

— Bem, parece que ela quer que você fique com isso, padre. — Eva tinha voltado para Fin e começado a comer o sanduíche de manteiga de amendoim com geleia que ele embalara para o seu jantar. Tinham passado um bom tempo no carro para chegar até lá, e Fin vinha tentando lhe dar um pouco de comida antes que ficasse muito cansada para comer. — Qual é o problema com o seu carro? — Fin perguntou, enquanto ajeitava sua princesinha no colo.

— Oh, ele só está ficando velho. A Igreja me nomeia como se eu fosse um "elo" com aquelas pessoas, mas, depois, espera que eu opere um milagre com essa máquina velha para chegar lá todos os meses. Já está mais do que na hora de conseguir algo mais confiável, mas eu simplesmente não consigo imaginar de onde ele virá. — O padre estava mais intrigado em saber como a notícia daquela descoberta do CERN havia mudado a perspectiva de Fin. Queria desesperadamente explorar aquele seu interesse renovado pela vida, mas sabia que era melhor deixá-lo em paz por enquanto. Se Fin estava feliz, isso era o bastante. — Quem cuidará de suas coisas aqui, Fin?

— Esperava que pudesse ser você, padre. Quero dizer, se não for problema. Não vejo razão alguma para não trocarmos os veículos também. Meu carro iria ficar parado mesmo no estacionamento pago durante esse tempo todo, e seria melhor ter alguém o ligando diariamente. — Eva terminara de comer e já começava a cair no sono nos braços de Fin. O brilho suave das luzes do escritório refletindo em seus olhos azuis evocava a beleza de sua mãe. Fin sentia-se abençoado por tê-la com ele. Eva havia se tornado tudo para ele, sua única razão de viver. — Você pode levá-lo amanhã em sua viagem e, aí, não terá que se preocupar com problemas mecânicos — disse ele, enquanto continuava a observar Eva. — Vou levar o seu e simplesmente deixá-lo no estacionamento. Pensaremos em alguma coisa quando eu voltar. — Suas palavras diminuíram de volume quando ambos perceberam que Eva estava dormindo. Ele concluiu com um sussurro: — Só preciso retirar a cadeirinha dela, antes de irmos.

O padre rendeu-se à sua curiosidade.

— Posso não ter a chance de conversar direito com você durante um bom tempo. Não tenho tido mais muitas oportunidades de conversar a fundo sobre ciência com colegas, você é o último vestígio do meu passado científico. Pelo menos, me dê alguma indicação sobre o que descobriram.

Fin hesitou.

— Tudo que posso dizer, padre, é que nossa procura por respostas na mente de Deus revelou, à primeira vista, apenas mais mistérios e dúvidas... do tipo que abrem vias de pensamento que ninguém havia explorado no passado. — Ele fez uma pausa, olhando novamente para Eva, adormecida. Abaixando a voz alguns decibéis, ele continuou: — Para ser franco com você, tenho um pouco de receio em acreditar na boa notícia.

Moriel lançou-lhe um olhar perplexo.

— Mas o que é que você está querendo dizer, afinal de contas?

— Bem, e se formos até o final e descobrirmos algo de errado com a minha matemática... ou com as máquinas que foram construídas utilizando os meus cálculos e as minhas teorias? — Fin fechou os olhos e respirou fundo. Ele continuou, com voz hesitante: — Estou preocupado com a possibilidade de que essa boa notícia possa ser apenas uma ilusão, e que quando essas nuvens mudarem, elas tragam apenas mais chuva. Não sei se conseguirei lidar com mais uma decepção.

O padre se levantou e perambulou pela sala para se sentar outra vez em frente à sua mesa.

— Fin, desde que eu conheci você, tenho me admirado ao ver como é forte a sua fé em si mesmo e em sua família. Só vi você fraquejar depois da morte de Rachel, e, pela primeira vez desde então, vejo essa fé novamente. O que há de errado não é a esperança renovada que essa boa notícia lhe traz; o que está errado é essa descrença em si mesmo. Jamais tenha medo de sua fé... especialmente em si mesmo.

Fin começou a sentir aquela ardência em seus olhos novamente, só que, dessa vez, por uma razão positiva.

— Acho melhor irmos andando para que eu possa colocá-la na cama.

Correndo para fora, na chuva, Fin constatou na pele a piora do aguaceiro. Ele moveu rapidamente a cadeirinha de Eva de seu carro para o do padre. Logo estariam em casa e ele a colocaria direto na cama... ela estava caindo de sono. Fin agradeceu a Moriel e entregou-lhe as chaves de casa, também.

O padre os escoltou de volta para o carro com o seu guarda-chuva.

— Vá com Deus, e, dentro de uma semana, aguardo um telefonema seu. Estou ansioso para ouvir as novidades sobre o andamento da pesquisa. Espero que os próximos meses o ajudem não apenas a seguir em frente com a sua família, mas, também, com a sua fé.

Afastando-se, Fin viu pelo espelho retrovisor o padre Moriel e a paróquia São Pio XI encharcados pela chuva. Sentiu uma pontinha de desespero enquanto prosseguia dirigindo. A amizade do padre adquirira um significado tão grande para ele e Eva... Concentrando-se na estrada em virtude da intensidade crescente da chuva, uma luz vermelha piscando na borda inferior do para-brisa capturou-lhe a atenção.

— Droga — ele murmurou para si mesmo. Com toda aquela pressa, eles haviam se esquecido de transferir o dispositivo eletrônico de pedágio do carro do padre. Sem o dispositivo, a passagem pela fronteira do país seria dolorosamente prolongada. Fin já estava preso no tráfego atolado que aquela noite escura e chuvosa promovera, mas sabia que seria mais fácil resolver a questão naquela noite mesmo. Acionando a seta para virar, ele começou a buscar uma chance de entrar na faixa da esquerda. Teria de fazer o retorno na próxima oportunidade.

Capítulo II

Aquele lugar não era tão sinistro durante o dia, mas, à medida que a luz do sol ia declinando, ele assumia uma atmosfera completamente diferente. Havia pouquíssimos carros no canal, o que deixou Sal um tantinho ansioso. Com um bom comparecimento da gangue naqueles encontros vespertinos, muitas vezes era difícil mobilizar todos de uma forma organizada. Entretanto, grupos pequenos e ávidos geralmente significavam uma missão, uma espécie de caos motorizado.

    A inquietação de Sal quanto à MS-13 residia justamente naquelas pequenas excursões que Azazel e o bando tanto gostavam de planejar, e ele estava começando a pensar que eles sabiam disso. Apesar da luz do dia, as cercanias rapidamente mergulharam na escuridão quando ele atravessou o túnel em direção ao buraco. O odor das atrocidades que eram celebradas naquelas entranhas ali embaixo jamais desaparecia — ele só parecia depositar-se numa espécie de sedimento aural. Todos os gritos e o choro, todos os estupros e espancamentos agora eram indistinguíveis uns dos outros. Sal estivera entorpecido por tanto tempo que se perguntava se algum dia teria forças para erguer totalmente aquela cruz de suas costas. Ele prosseguiu pelo túnel em direção ao seu insondável fundo. Sabia que havia outros ali, embora nenhuma luz saísse do buraco. Sal navegou até a sala com seus sentidos restantes, as mãos recordando-o do entorno que ele se recusava a guardar na memória. Podia sentir alguém ou alguma outra coisa no recinto e ouvir sua respiração. Era lenta e curta e parecia estar se aproximando dele diretamente na escuridão. Parecia haver mais de um.

— Você veio, e no horário combinado — disse uma voz feminina suave. Ele congelou, sentindo um calafrio de medo em seu peito. Incapaz de enxergar, deixou que seu temor da onipotência da facção lhe roubasse a coragem. Queria correr, mas a familiaridade da voz o deixou em dúvida.

— Claro que cheguei no horário combinado. Quem diabos é você e onde está Azazel? — Com sua bravata pouco convicta ainda ressoando na escuridão, Sal esperava estar errado em suas suposições a respeito daquela familiar voz feminina. Seus olhos estavam começando a se acostumar. Com eles, também havia várias outras pessoas ali. Ele fez uma careta de dor quando a luz repentinamente extinguiu a escuridão. — O que diabos vocês todos estão fazendo aqui... e quem é o gringo? — No canto dos fundos do buraco, Azazel estava de pé, com Maria ajoelhada ao seu lado. Havia alguns outros membros da MS-13 presentes, assim como um homem que Sal nunca tinha visto antes.

— Nós estávamos desfrutando a ausência de luz, apreciando a escuridão, como Azazel colocou. Nós... — Azazel colocou a mão no ombro de Maria, impedindo-a de concluir seu pensamento.

Sal achou que ela tinha uma voz muito gentil, que não condizia com a sua reputação. Enervantemente familiar, também, e parecia que Azazel havia notado isso.

— Nós estávamos esperando nosso último convidado, e agora que você chegou, podemos continuar com as festividades. — Dando alguns passos à frente, para o brilho direto da luz, Azazel gesticulou em direção ao homem desconhecido. — Este é John, ele quer entrar para a Mara Salvatrucha, e eu decidi testá-lo como aspirante a membro de nossa crescente fraternidade. Ele escolheu "cruzar a linha". Hoje à noite, veremos do que ele é capaz.

— Espere um minuto, nós deveríamos votar nesta merda! — Sal caminhou em direção ao líder deles. — Desde quando você está tomando todas as decisões importantes por conta própria? E desde quando estamos admitindo caras brancos, especialmente da idade dele? — Sal apontou em direção ao convidado. — Porra, ele não é nenhuma criança, Espíritu!

— Maria e eu tomamos essa decisão juntos. Sentimos que era o melhor para o grupo. — Azazel virou-se para Sal, porém, manteve-se estranhamente calmo. — Os eventos de hoje à noite não são apenas para acolher um novo membro, mas para reacender o espírito de outro: você, *hermano*.

— Eu não preciso de reacendimento, mas obrigado. Quem é esse? E de onde diabos ele veio?

Azazel colocou a mão no braço de Sal.

— Relaxe, *vato*, ele é um amigo da causa.

— Que causa? Isso está ficando estranho pra cacete, cara. Não me lembro de termos alguma vez discutido sobre novos membros ou também o fato de que a sua nova companheira aí ia ajudar a dar as ordens por aqui! — Sal retirou seu braço do aperto de Azazel.

A mandíbula de Azazel se contraiu.

— Nós nos afastamos muito de nossas raízes, cara, é hora de incutir o medo de volta em seus corações! — A pequena sala estava começando a ser preenchida por sua energia à medida que ele injetava sua fúria crescente em seu mais novo sacrifício. — Precisamos mostrar a eles e a nós mesmos que não podem se meter mais com a gente, que se queremos alguma coisa nós a tomamos! Nosso *pequeño guerrero* vai nos levar até lá. — Azazel fechou os punhos e bateu-os com firmeza contra os do novato. Ele voltou sua atenção para Sal. — Você tem que estar nessa conosco, Vira-Lata.

Sal sentiu como se estivesse sendo encurralado pelo valentão da escola. Sua lealdade estava sendo questionada diretamente e ele tinha somente duas opções: ou abrir a boca e revelar a sua fraqueza ou mantê-la fechada e dançar conforme a música. Ele não tinha escolha.

— Quando começamos?

Subindo o túnel em direção aos carros que aguardavam, Sal não podia deixar de se perguntar se sobreviveria àquela noite. A tensão entre os dois era mais palpável do que nunca, mas Azazel se mantivera estranhamente calmo, apesar de ter sua autoridade questionada diretamente na frente do grupo. Azazel era seu confidente mais antigo no bando, um fato que estava começando a deixar Sal bastante desconfortável.

— Qual é o plano? Quantos carros vamos levar?

O sol estava se pondo quando os membros saíram do túnel e chegaram à superfície.

— Levaremos dois — disse Azazel, apontando para dois outros membros do grupo.

— Eu vou no carro de Maria — Sal se ofereceu.

— Não. Esses caras vão no da Maria, e nós cinco iremos no meu. — O Lexus 470 de Azazel acomodava confortavelmente oito passageiros sem problema algum.

— Bem, e quanto ao novato? — Sal indagou.

— John vai sentado na frente, comigo. — Azazel caminhou até o lado do motorista do veículo.

Ingressando na fileira de assentos do meio, Sal viu-se ao lado de um integrante mais jovem do que ele, e Maria sentou-se atrás de ambos, na terceira fileira. Azazel permaneceu do lado de fora do carro com a porta aberta.

Com crescente ansiedade, Sal perguntou:

— Qual é o plano, Espíritu?

Antes que Azazel pudesse entrar no carro, seu celular tocou. Depois de conversar alguns instantes no aparelho, ele e John trocaram um olhar de cumplicidade. Com uma inclinação sutil de cabeça, Azazel chamou seu novo recruta, e os dois homens se afastaram de seus passageiros.

Com quem diabos ele estava falando?, pensou Sal. Todos os seus contatos já estavam ali. A noite já havia começado mal, e ele tinha cada vez mais certeza de que não sairia vivo daquela sem uma boa luta. O sol já tinha baixado no horizonte urbano e os olhos de Salvador ainda estavam se adaptando à escuridão no interior do veículo.

Enquanto estavam lá embaixo, nuvens ameaçadoras haviam se reunido e suas crias já começavam a cair de leve. Azazel tinha andado rapidamente até o carro de Maria, enquanto estava ao telefone, e o aspirante permanecera lealmente ao seu lado.

John era alto, com cerca de 1,88 metro de altura, conforme Sal calculara, e de compleição magra. Seus cabelos louros claros estavam em absoluto contraste com todos os outros no encontro daquela noite. Aquela nova "aquisição" realmente abalara Sal. Não apenas declarações como aquelas eram bastante surpreendentes, como permitir que caras além dos anos da adolescência se candidatassem a membros da gangue era algo inédito... quanto mais homens-feitos, com quase 30 anos! Sal observou-os através da janela traseira de vidro fumê do Lexus. Azazel parecia estar principalmente ouvindo, o que não era comum acontecer em suas conversas telefônicas. Com um movimento esquisito, Azazel entregou brevemente o telefone para o gringo, que concluiu a conversa depois de alguns instantes e entregou o telefone fechado a Azazel.

Quando eles voltaram para o carro, Azazel tinha algo maior do que o seu telefone nas mãos. Ele se aproximou do Lexus pela parte traseira e abriu o porta-malas. Sal fez o que pôde para ficar de olho nele, mas não conseguiu enxergar pela janela molhada pela chuva o que ele estava colocando dentro do porta-malas. Fosse o que fosse, causou muito pouco impacto no grande veículo. Caminhando para o lado do motorista, Azazel entrou e fechou a porta, enquanto o candidato entrava pelo outro lado.

— Nosso jovem esperançoso aqui vai encontrar a sua presa em nossas estradas hoje à noite — Azazel anunciou. — Nós estamos indo agora achar um motorista.

Sal sabia que Azazel gostava da espontaneidade proporcionada por um roubo de carro. Era a seleção aleatória de suas vítimas, a violência crua envolvida, bem como as decisões em frações de segundo necessárias para sair da perseguição ileso que o deixavam fascinado. O plano de costume era circular pelas ruas, às vezes por horas, procurando por uma vítima que "parecesse" a certa. Eles piscariam os faróis altos repetidamente para irritar o motorista ou, então, apenas bateriam com o para-choque dianteiro no veículo da vítima, em um sinal fechado. Fosse como fosse, quando o condutor ou passageiro saísse do carro, a matança tinha início. O novo membro era responsável por despachar os inocentes — se fosse realmente corajoso, encarregava-se também dos ocupantes remanescentes do veículo. Nada era levado das vítimas, jamais; não se tratava de um assalto. Era uma ferramenta para incutir o terror na população. Servia tanto para recepcionar como para incriminar o recruta. Entretanto aquela noite seria diferente.

— Temos alguma área básica que iremos vasculhar esta noite? Quero dizer, quem está seguindo quem e para onde estamos indo? — Enquanto falava, Sal ouviu um som que lhe trouxe tanto clareza como terror.

Do escuro, e da terceira fileira atrás dele, surgiu a voz suave e calma de Maria.

— Acho que devemos estabelecer algumas regras básicas antes de qualquer coisa.

Capítulo 12

Os pensamentos de Sal estavam sendo continuamente descarrilados pelo seu medo. Merda! Fora marcado para morrer e lá estava ele, simplesmente sentado ali, esperando por isso. Como ele pôde não ter reconhecido a voz dela? Aquele tom inquisitivo tranquilo e sensual... ou não era a mesma voz? Calma, ele precisava se recompor. Ainda era possível que ele continuasse a ser o único conspirador. Não havia meios de ter certeza. Como eles poderiam ter descoberto? Sal tentou descerrar os punhos e voltar a inspirar profundamente mais algumas vezes. A escuridão dava-lhe a proteção de que precisava para pensar. Se ele demonstrasse muita angústia, provavelmente estragaria tudo e acabaria morto do mesmo jeito. Ele jogaria aquele jogo o máximo que pudesse, ignorando suas emoções e reagindo somente se precisasse.

As palavras seguintes de Azazel forneceram apoio para sustentar a crença de Sal.

— Primeiro, vamos para a região dos riquinhos, aí começamos a procurar nosso alvo. — Ele lançou um rápido olhar para John antes de virar para a 5 South para deixar a cidade. — Lembre-se, seja rápido, mas cuidadoso. Nosso sucesso hoje depende do medo deles. — Seu candidato concordou em silêncio, olhando para a frente enquanto o mentor falava. — Eles são uns covardes de merda, e quase não vão acreditar no que estão vendo. Vão fugir apavorados e, no momento em que a polícia chegar lá, já estaremos longe.

Azazel tinha um olhar desvairado naquela noite. Isso normalmente significava que ele estava muito a fim de curtir e coitado do filho da mãe que não entrasse na brincadeira junto com ele.

— Tive outro sonho ontem à noite — ele disse a seus passageiros. — A noite de hoje vai colocar tudo em movimento. Ela trará o começo.

Houve um longo silêncio depois que ele terminou de falar.

— O começo de quê? — perguntou o recruta.

— O início da minha parte em Seu plano.

John ainda parecia não entender. Sal descansou a cabeça contra a janela e fechou os olhos. Ele também não entendera, mas já não se importava mais; ele só queria sair. Havia anos ele ouvia que as ações de Azazel eram orquestradas por um obscuro demônio. O novato parecia nervoso e Sal esperava que ele parasse de fazer perguntas, para o seu próprio bem.

Sal só tinha visto um aspirante perder a calma nessa abordagem final uma única vez, e Azazel precisou terminar o trabalho para ele. Todos voltaram para o carro, mas, no caminho para casa, fizeram um desvio. Azazel parou o veículo num parque local, onde o novato foi forçado a descer. Espíritu então lhe disse que, como ele falhara em executar sua tarefa, teria que enfrentar uma sessão de "bateção" se ainda quisesses ser um Maratrucha. Os onze membros da gangue presentes surraram o rapaz por quase dez minutos e, quando acabaram, o recruta estava morto. Na reunião seguinte, Azazel concentrou-se no fracasso do garoto e disse à gangue que uma fraqueza assim só servia para criar desgraça. Deixou bem claro que não toleraria mais isso e, ao longo dos meses seguintes, houve várias mortes purgativas, como ele gostava de se referir a elas. De tais atos resultou uma gangue menor, porém mais perversa.

Naquela noite, a chuva castigava as ruas, formando halos ao redor dos faróis dos carros que vinham em sentido contrário.

— Essa tempestade deve nos ajudar esta noite. Vai proporcionar uma grande cobertura. — A tentativa de Sal de soar entusiasmado causou-lhe náuseas. Não conseguia se resignar com o fato de permitir a morte de uma pessoa inocente apenas para manter sua fachada. Uma fachada que ele nem ao menos tinha certeza de que ainda estivesse de pé.

— Ali! — John gritou sorridente, quando eles saíram da 5 South. — É o carro que estamos procurando!

Sal inclinou-se entre os dois bancos da frente.

— O que quer dizer "É o carro que estamos procurando"? O que é? Vamos bater em um carro em movimento? Não se cruza a linha com uma batida. Que diabos está acontecendo? — Sal girou em seu assento à procura de algum esclarecimento no semblante dos outros.

Vários carros à frente deles, havia um pequeno Ford vermelho. Azazel virou o volante violentamente, fazendo o carro dar uma guinada e quase atingindo outros dois carros ao atravessar as pistas para se aproximar de seu alvo. Ainda havia vários carros entre eles, e Azazel teria de ser criativo para conseguir alcançá-lo.

— Porra! Assim você vai nos matar... veja a merda que você está fazendo! — A ansiedade de Sal estava fervendo. O filho da puta estava fazendo aquilo só para forçá-lo a se revelar. — Desde quando os não iniciados escolhem qual veículo devemos perseguir?

— Ele não podia deixar aquilo acontecer, não importava o que isso significaria para ele. Inclinando-se para a frente, ele colocou uma mão firmemente no ombro direito de Azazel, e, então, todo o seu mundo foi sacudido. O carro ficou cheio de brilhantes airbags cor de laranja e da poeira de sua deflagração. Azazel chocara-se contra a janela lateral, o que fez com que os minúsculos caquinhos do vidro estilhaçado penetrassem com força em sua pele e também se espalhassem do lado de fora, na chuva. Sal foi jogado contra o seu "irmão" caçula e contra a porta oposta. O carro girou descontroladamente em direção ao cruzamento e aterrissou no meio do tráfego. Algo pesado voou para a frente, atingiu Sal na cabeça e depois caiu aos seus pés. Olhando para baixo, Sal sentiu seu coração descompassado. Do chão, o Homem-Morcego o encarava. Era a sua mochila da escola primária! Ele empurrou a mochila com o pé para debaixo de seu assento rapidamente.

— O que nos atingiu? — perguntou Maria, em tom sussurrante. Ela tinha sido atirada para a frente e estava se levantando do chão diante de seu assento. — O que nos atingiu? — ela perguntou novamente. — Você avançou o sinal só para alcançar aquele maldito carro? Seu louco filho da mãe, você quase nos matou!

O corpo sem cinto de Azazel estava caído sobre o volante, imóvel, enquanto o seu passageiro da frente tentava em vão abrir a porta.

Olhando pela janela, Sal mal conseguia distinguir um caminhão de lixo em meio à chuva. Estava posicionado meio de lado debaixo do semáforo. O tráfego passava zunindo em volta deles.

O lado do passageiro do carro havia sido esmagado, empurrando a porta traseira para dentro e tornando-a inútil. O membro mais jovem sentado ao lado de Sal estava quieto, ainda ereto, preso pelo cinto. Com o corpo assim imobilizado, sua cabeça fora torcida de forma grotesca e antinatural, o pescoço e o crânio estavam obviamente quebrados.

Antes que Sal tivesse a chance de reagir, o veículo alvo havia retornado e parou ao lado deles, a poucos metros de distância, de frente para a lateral do carro em que estavam. O motorista saiu do carro, deixando os faróis acesos para iluminar a sua abordagem na chuva. Ele correu até a janela quebrada.

— Tem alguém ferido aí dentro?

Azazel permanecia caído sobre o volante, com a camisa ensanguentada e rasgada nas costas pelo vidro quebrado. Sob as luzes cambiantes entre o vermelho e o verde do semáforo, Sal se inclinou para a frente tentando verificar seu pulso. Estava fraco, mas presente. Ele se virou para responder à voz na janela, mas uma explosão ensurdecedora por cima de seu ombro direito atirou-o instintivamente para trás em seu banco. Com seu ouvido direito zumbindo, Sal arregalou os olhos em um esforço para superar o ofuscamento causado pelo clarão repentino. O homem na janela desabara ao lado do Lexus. O passageiro do banco da frente havia completado sua tarefa inaugural, sem se preocupar com a fuga do grupo e, por um momento, todos os ocupantes do veículo ficaram sem ação. Forçando-se a se concentrar, Sal agiu rápido. Apanhou sua mochila debaixo do assento, abriu a porta e passou por cima do corpo ao lado do veículo. A vítima estava deitada de barriga para cima, com os olhos arregalados e a poça escura na qual jazia continuava a aumentar. Uma aba generosa do crânio do homem encontrava-se dependurada do lado da cabeça por onde a bala havia saído. Sal congelou e, por um instante, jurou que tinha feito contato visual com o homem. Um arrepio percorreu-lhe a espinha antes que prosseguisse apressadamente. Correndo em meio à chuva, Sal rezou para que nenhum tiro mais fosse disparado enquanto ele fugia. Deslizou por trás do volante do carro vazio, fechou a porta e misturou-se a toda velocidade com o tráfego.

Em meio à chuva, Sal foi capaz de divisar a placa verde e branca para a 5 South. Virando o volante com força para a direita, ele dominou o pequeno carro que rabeava e cruzou várias pistas laterais para pegar a autoestrada e seguir para o México.

— Caramba, caramba, caramba... — Ele continuava resmungando baixinho. *Eles estavam com a minha mochila... eles sabiam o tempo todo.* O pequeno carro puxou para a direita, atravessando uma poça profunda. *Era Maria na van duas noites atrás. Eles estiveram me observando... Eu sou o próximo a ser morto.* Sal tinha que se concentrar. Estava a cerca de quinze minutos da fronteira, mas não tinha ideia de como a atravessaria sem ser parado. Se ele conseguisse, poderia continuar rumando pelo sul pela Mexico Route 1 em direção à Península da Baixa Califórnia. Ele tinha uns terreninhos contíguos em Todos Santos que fora comprando ao longo dos anos com o dinheiro da gangue, mas seria preciso conseguir chegar lá. A terra era um dos bens que fora juntando secretamente para o caso de precisar fugir, mas nunca imaginou que o faria em circunstâncias tão dramáticas.

Uma onda de luz dourada brilhou sobre o painel do carro quando ele passou por um dos sinais de alerta AMBER* da Califórnia. *O sistema estava funcionando e ativo.* Com o sangue drenado para fora das juntas de seus dedos pela força com que agarrava o volante, Sal precisou se esforçar para manter o foco.

Aproximando-se do próximo sinal, ele aumentou a velocidade dos limpadores de para-brisas para obter uma visão mais clara do anúncio. Esticando o pescoço para a frente sobre o volante, foi capaz de ler a mensagem enquanto passava por baixo dela. Estavam à procura de um sedã prata quatro portas, não do pequeno Ford Fiesta vermelho no qual estava fugindo. Ele soltou um pequeno suspiro de alívio. Finalmente sentira um alívio, mas como diabos ele iria fazer a travessia da fronteira? Tinha menos de dez minutos para pensar em alguma coisa.

Sal começou a rezar, algo que ele não fazia havia muito tempo. Pediu aquele favor e em troca prometeu penitência completa. Nunca mais fugiria às suas responsabilidades, e jurou enfrentar as adversidades da forma que seus falecidos pais teriam esperado... se ele pudesse passar por aquele obstáculo intransponível. O tráfego engrossou e a praça de pedágio se agigantou em seu minúsculo para-brisas. Sal continuou a rezar.

À medida que Sal se aproximava do cruzamento, ele foi conduzido para a extrema direita por uma figura encharcada vestindo um poncho amarelo vivo. Através da cascata de chuva que cobria seu vidro, ele foi seguindo a ondulante lagarta do tráfego, enquanto ela se arrastava em direção aos portões. Passando lentamente sob os altos postes de iluminação da estrada, Sal entrava e saía das faixas escuras e iluminadas que iam se alternando sobre o pavimento. Ele atravessou diagonalmente em direção a uma pista desprezada na extremidade da barreira. Sal continuou a rezar para ser salvo daquela armadilha, enquanto seguia obedientemente a fila cada vez menor de veículos. Totalmente à espera de ser retirado do seu carro a qualquer momento pela polícia, ele não

---

* Acrônimo para "America's Missing Broadcasting Emergency Response", sinais eletrônicos nas estradas com alertas sobre crianças raptadas.

pôde deixar de se perguntar se era possível ter chegado tão perto da liberdade e morrer na praia. Sal engoliu em seco. Ele se aproximava da fronteira do estado da Califórnia, observando outra figura trajando um poncho amarelo interrogar os ocupantes do veículo à sua frente.

O pequeno carro estremeceu quando ele soltou a embreagem e se arrastou para a frente, em direção ao portão. Exausto e sucumbindo aos próprios medos, Sal segurou a manivela da janela e baixou o vidro sob a sombra do pedágio. Com uma batida firme na capota e uma breve piscada de luz vermelha no painel, acenaram-lhe para passar com firmeza e sem sombra de dúvida. Quase deixando o carro afogar ao entrar no México, ele mal podia acreditar no que havia acontecido. Olhando para trás pelo espelho retrovisor, ao sair do pedágio, Sal soltou uma risada exagerada. Suas preces haviam sido atendidas.

Quando foi embora, um pequeno ruído chamou sua atenção. Escutou por um momento de silêncio e depois o ouviu novamente. Sal acendeu a luz do teto, enquanto espiava o reflexo do banco de trás através do espelho. Ele foi atraído para um pequeno par de olhos que o fitavam no canto esquerdo. Em sua surpresa, Sal quase saiu da estrada. Durante aquele tempo todo, ele não estivera sozinho.

— Qual é o seu nome, querida? — perguntou.

Sobrepujando o som da estrada e da chuva veio uma resposta suave, mas confiante.

— Eva.

Capítulo 13

A última coisa da qual se lembrava era um clarão seguido de dor. Depois disso, houve um breve momento de angústia. O que ela pensaria? Quem iria cuidar dela? Então... uma paz sobre a qual tinha lido uma vez.

Azul era a sua cor favorita. Houve uma época em sua adolescência que ele decidira que era verde e depois laranja... mas, na verdade, sempre fora azul-escuro. Ele estava à deriva em um mar dessa tonalidade. Flutuando lentamente, sem o perigo de cair e cercado por uma calma extracorpórea que era como o limiar do sono, Fin podia sentir a calidez de assistir ao cobertor frio de neve cair e abafar o seu dia de aula por vir. Os beijos molhados de seu avô e o peso de seu cão em suas pernas pela manhã. O toque da mão de sua mãe depois que ele chorava e o calor de seu amor nas palavras que se seguiam. O cheiro de colônia nos abraços apertados de seu pai.

Tudo isso corria para ele suavemente, preenchendo sua consciência com uma tranquilidade que o atraía para dentro. De forma constante, seu movimento singular desacelerou para um fluxo e refluxo, para a frente e para trás, como se estivesse se aproximando de águas rasas. Para a frente e para trás, isso se repetiu até que o seu peso retornou a ele por meio de uma opressão em seu peito e em suas costas.

Fin abriu os olhos. Estava muito escuro para ver o seu entorno no início, mas ele podia ouvir os sons do bater das ondas e do grito dos mergulhões. Através de sua visão turva, era difícil divisar qualquer coisa com clareza. Inclinando a cabeça para trás, viu a silhueta invertida das árvores que revestiam a margem por trás dele entrando lentamente em foco. Olhando para cima, viu que o céu negro estava cheio de estrelas. Elas lhe pareciam fora do lugar, sem constelações reconhecíveis ou padrões familiares. Fin rolou para o lado e colocou um joelho na água fria. Devagar, ele se levantou.

Como era possível?, pensou. Fin olhou para o lago onde sua família costumava passar as férias quando ele era criança. A paisagem noturna era justamente como ele se lembrava.

Aqueles 31 acres no Maine haviam sido comprados em estado selvagem, ao sabor da natureza. Fin tinha apenas 6 anos quando ele e seu irmão mais novo ajudaram o pai e o avô a construir o chalé que serviria como refúgio da tecnologia e de sua consequente e crescente monotonia. Naquele primeiro verão, eles dividiram a estrutura em quartos no andar de cima e uma grande sala de estar embaixo. Coletaram granito para construir a lareira e a cornija, com uma chaminé que saía pelo telhado, no centro da sala. Determinadas árvores foram escolhidas e assinaladas para serem derrubadas, e depois deixadas para os homens que faziam pesca no gelo no inverno cortarem-nas e usá-las como lenha. A família enviou o que não foi queimado para ser trabalhado e usado para fazer o piso e os armários.

Fin subiu a margem caminhando por entre as samambaias finas. O terreno inclinava-se suavemente ao longo dos primeiros 75 metros a partir da água e, depois, subia radicalmente até a borda da montanha de granito malhado. As árvores eram grossas e imponentes. Apenas a madeira que era ou velha ou podre ou que estava no meio do caminho havia sido marcada para remoção antes de começarem a construção. Na base da subida, a família havia construído sua cabana de pesca. Era uma estrutura com um único aposento e um sótão, construído sobre palafitas para protegê-lo das placas de gelo no inverno. Tinha espaço para todos se aquecerem depois da pesca no gelo e para passar a noite, se desejassem. O sótão permitia que todos pudessem compartilhar um espaço comum, algo que seu pai adorava. Atrás da cabana havia uma clareira entre a fundação do abrigo e a base da montanha, deixada para a neve deslizar durante os meses mais frios. Enquanto passava por ela, Fin pôde ver as cicatrizes e marcas de afundado na chapa de lata que revestia a base da cabana, em consequência das rochas e árvores que haviam caído contra ela ao longo dos anos. A passagem do tempo só servira para dar mais charme ao lugar.

Seguindo reto, ficava o antigo e gasto caminho que levava até o morro. No topo, empoleirava-se o chalé com vista para o lago. Subindo em direção ao ponto onde o deque de madeira começava, Fin podia ouvir a algazarra dos mergulhões. Ele parou e olhou para a primeira tábua. Sobre ela estavam gravados os nomes de todos os membros da família que tornaram realidade aquele idílico refúgio. Ele se perguntou como era possível que tudo parecesse estar exatamente como ele se lembrava.

O deque de madeira fora um trabalho de amor: ele e seu irmão o haviam construído para facilitar a caminhada até a água para os pais idosos. Demorara três temporadas para ser concluído e eles tiveram o cuidado de tentar usar apenas as árvores derrubadas para abrir espaço para a base. A fundação, especialmente alguns dos segmentos originais, estava ancorada em intervalos regulares nos afloramentos graníticos.

Fin olhou para a frente, em direção à floresta escura. Fazia anos desde que haviam substituído as tábuas, mas elas pareciam tão novas agora como no dia em que tinham sido colocadas. Aquele retiro estava na família havia quase trinta anos, mas, depois que seus pais morreram, ele e seu irmão decidiram vender a propriedade. Eles estavam vivendo em costas opostas, ambos com obrigações que lhes impediam de cuidar do lugar da maneira como costumavam. Foi uma decisão da qual ele se arrependera desde então.

Fin caminhou pelo deque, espiando através dos espaços entre os gigantescos pinheiros e freixos, tentando vislumbrar o que ele sabia estar acima do cume. Inicialmente, apenas a luz das estrelas iluminou o seu caminho. Na brisa fresca da noite, as copas das árvores balançavam, seduzindo-o ainda mais com seus estalos e rangidos, os mesmos que o assustavam quando era criança. Fin começou a ver luzes por entre as árvores do aclive. Movendo-se rapidamente, saltou as samambaias escuras e a vegetação rasteira entre as curvas do caminho onde não havia tábuas. Dobrou o ritmo, esperando que uma resposta para aquele mistério pudesse estar esperando por ele no cume. Fin emergiu da floresta para a clareira. Ele se virou e olhou para trás, para o caminho sinuoso. Parado em silêncio na borda sul dos sete acres do topo, Fin ficou maravilhado com a beleza do lago e do vale que ele preenchia quase duzentos metros abaixo. A água refletia o luar como um espelho perfeitamente liso, sem imperfeições. Fin olhou para o céu escuro, mais uma vez impressionado com quão diferente parecia naquela noite.

Atrás dele, a casa principal estava exatamente como ele se lembrava, com grandes portas de vidro deslizantes em ambos os andares, com vista para a água. As luzes estavam acesas no andar de cima, projetando a sombra escura do parapeito da varanda sobre o gramado bem cuidado sob os seus pés. A fumaça de lenha queimada cujo cheiro ele vinha seguindo serpenteava da chaminé de pedra acima dele. Aproximando-se da casa, dava para ver que a maior parte das luzes estava acesa, e, em seguida, inesperadamente, uma das luzes do andar de baixo foi apagada. Pela primeira vez, uma sensação de medo varreu-o antes que ele cautelosamente caminhasse em direção ao terraço de trás. Quando estendeu a mão em direção à maçaneta da porta de vidro deslizante, Fin pensou ter sentido um leve cheiro de colônia Old Spice. O som de um galho estalando voltou sua atenção imediatamente para a sua esquerda. Fin congelou quando uma longa sombra estendeu-se sobre o gramado em torno da lateral do chalé. À medida que o indivíduo contornava a esquina da construção, Fin podia sentir seu sangue gelar. Parado a menos de três metros de distância estava um homem que Fin não via por quase quinze anos.

— Fin — disse seu pai, entre lágrimas —, eu senti a sua falta, filho.

Capítulo 14

O cheiro da colônia de seu pai, entranhado na força de seu abraço, deu a Fin uma sensação de segurança que ele não sentia desde que Rachel falecera. Estava chorando como um bebê, e quanto mais ele tentava parar, mais catártico aquilo se tornava. As emoções de meses despejadas sobre o ombro amigo da pessoa que Fin mais desejaria que estivesse lá com ele.

Incapaz de envolver sua mente no que estava acontecendo, Fin balbuciava palavras entre os seus soluços:

— O que você está fazendo aqui, pai? Como você está... como é possível? — Ele afrouxou um pouco o abraço, mas só um pouco. Procurando por respostas no rosto do pai, Fin recusava-se a deixar seus braços.

— Fin, é você quem finalmente está aqui, eu só estava esperando.

Jack Canty era um homem magro, mais alto do que Fin, mas com uma constituição física similar. Em seus derradeiros anos, sua determinação não havia diminuído. Era o tipo de homem que insistia em fazer ele mesmo todas as melhorias na casa, não importava quanto tempo levasse. Não foram poucas as tardes nas quais, já no fim da vida, ele se esgueirou para a garagem a fim de trabalhar, apenas para ser repreendido por sua esposa, quando ela o encontrava no telhado fazendo reparos ou cortando a grama. Jack tinha envelhecido bem. O porte atlético que ostentava após a faculdade nunca o deixara totalmente, e ele deslizou graciosamente para o papel de um distinto cavalheiro de cabelos grisalhos. Era assim que Fin o via agora.

Os lábios de Fin moveram-se em sincronia com as rugas que se formaram na testa.

— O quê? Espere um pouco, eu não entendo. — Seus soluços diminuíram, permitindo que formulasse frases inteiras. — Você ficou aqui no chalé todos esses anos? Cara, a mamãe vai ficar uma onça — acrescentou com uma risada de autossatisfação, enxugando uma lágrima do rosto.

Jack sorriu, olhando nos olhos de Fin.

— O que está acontecendo, pai? Onde estou, realmente?

— Isso é difícil para a maioria das pessoas da primeira vez que ouvem, filho. Vai parecer ser a explicação menos provável... mas é a verdade, Fin. — Jack fez uma pausa, sabendo que a paixão de seu filho por fatos ofuscaria sua aceitação, tornando difícil sua transição. — Você morreu, meu filho.

Fin olhou para o pai inexpressivamente, enquanto pensamentos e perguntas giravam em sua cabeça.

— Eu morri? Quando? Como? — Fin deixou cair as mãos. Seu olhar vagava, enquanto tentava recuperar as memórias que antecederam aquele momento. — Isso não pode ser, eu não me lembro de nada... e eu não me sinto mais iluminado. Quero dizer, onde estão todas as respostas, os segredos da vida que supostamente devemos aprender? Eu tinha todas essas perguntas... sobre o sentido da vida, o universo. E quanto a todas as questões não respondidas sobre Astronomia e Física que eu tenho? — Seu olhar baixou para o chão novamente, enquanto tentava se lembrar de qualquer coisa que pudesse adicionar realidade àquela nova dimensão.

— É assim que é para a maioria de nós — disse o pai, baixando a cabeça para recuperar o contato visual com Fin. — Você vai entender, filho, só tem que ser paciente e dar tempo ao tempo.

— Quando? Quanto tempo?

— Não obtemos as respostas quando chegamos aqui, Fin, não é assim que funciona. Este lugar é o próximo passo, não o destino final. Na verdade, não tenho certeza de que haja um destino final.

Fin parou estupefato, ainda atordoado pelos acontecimentos da noite.

Jack fez um gesto em direção ao lago.

— Olhe como é tranquilo aqui. Quem diria que eu realmente estava comprando um pedacinho do céu tantos anos atrás? — Ele riu alto. — Sua mãe diz que eu tenho que parar de usar essa piada. — Com o braço em torno do ombro de Fin, ele gesticulou para que entrassem.

O chalé estava exatamente como Fin se lembrava dele de quando era pequeno, bem iluminado, com belas madeiras e toques de decoração apalachiana* em toda a volta. Por entre os tapetes de colorido intricado, o piso de madeira de faia cor de mel refletia a luz emitida pelos candeeiros a óleo. A sala principal fundia-se suavemente com a área da cozinha, separada apenas por um balcão revestido de teca que seu pai passara incontáveis horas trabalhando para aperfeiçoar. Fin sentou-se em um banquinho bem antigo, percorrendo o aposento com os olhos e tentando assimilar aquilo tudo.

Jack sentou-se na cozinha, de frente para o filho, do outro lado do balcão. Os dois haviam tido muitas conversas filosóficas ao longo dos anos, ali mesmo, naquele exato lugar.

— A morte não nos concede onisciência... pelo menos, não aparentemente.

— Isso é para todos, ou apenas o que você testemunhou?

— Sempre o cientista... do lado de cá não existe essa história de basear-se em evidências, Fin. Mas, depois de um tempo aqui, aprende-se... bem, aprende-se a sentir como são as coisas.

— Eu não entendo. — Os ombros de Fin desabaram. — Nunca fui bom em sentir as coisas.

---

* Referente a uma parte geográfica e culturalmente definida do leste dos Estados Unidos, que corresponde aproximadamente à região das Montanhas Apalaches, e é reconhecida oficialmente pelo governo dos Estados Unidos como composta de treze estados: Alabama, Geórgia, Kentucky, Maryland, Mississippi, Carolina do Norte, Nova York, Ohio, Virgínia Ocidental, Pensilvânia, Carolina do Sul, Tennessee e Virgínia.

— Assim como na vida anterior, as coisas aqui são obtidas por meio do esforço, embora nossa profundidade de descoberta e de compreensão pareça existir em um plano superior. — Fin reorientou a sua atenção para o que o pai falava. — Parece que faz parte de nossa essência entender o que não podemos ver ou sentir só depois de passarmos para a próxima fase.

— E esta é a próxima fase? — perguntou Fin, bruscamente.

— Às vezes, você tem que perder o que tinha para entender o que ganhou — Jack continuou, correndo o risco de sobrecarregar o filho. — O senso de sua própria perfeição, a liberdade que tinha na vida antes do casamento, que se perdem depois que você constitui família. Mas só então, após o vazio em sua vida ser preenchido, é que você se dá conta do vazio que existia. Foi necessário o amor de sua filha para revelar o "buraco" em sua alma que ele preencheu.

Fin cerrou os olhos e os esfregou vigorosamente por um momento.

Jack fez uma pausa e segurou a mão de Fin.

— O amor dela ajudou a completar uma imagem que nunca lhe pareceu imperfeita até ela aparecer.

Novamente, Fin esfregou os olhos. Um vago sentimento de inquietação apoderou-se dele antes que desaparecesse sem deixar qualquer resíduo emocional.

— *Nesta* vida lhe são dados um ponto de vista privilegiado e as ferramentas para ir além das restrições do mundo físico da vida anterior. O que nos trouxe até aqui, bem como o que trazemos conosco, fornece a base para as respostas que todos procuramos. Jack parou por um momento, observando o ar de perplexidade de Fin. — Olhe, todas as partes de nossa vida com as quais perdemos tempo, as coisas que eram triviais para cada um de nós, não fazem mais parte da nossa existência. Aqui, temos a capacidade de nos concentrarmos nas coisas que mais importam para nós, as coisas que realmente nos levam para a frente, mas só foram obscurecidas pelo... trivial — disse ele, revirando a mão no ar enquanto finalizava a frase. — Imagine o que você vai realizar aqui, sabendo que não está sozinho e que, à medida que avançarmos, nós sempre estaremos juntos.

— *Estamos* sozinhos aqui? — perguntou Fin, olhando ao redor da sala.

— Quando você acordou perto do lago, você não notou nada... hum... de errado? — perguntou Jack, redirecionando a conversa.

Fin teve que pensar por um minuto.

— Você quer dizer, além de acordar na água em um lugar ao qual eu não vinha havia quase quinze anos? — disse ele sarcasticamente, tornando-se um pouco mais ansioso. — Bem, minha visão estava embaçada. Eu mal conseguia distinguir o que me rodeava, para começo de conversa. As árvores não estavam claras e eu não conseguia enxergar o outro lado do lago... mas isso pareceu durar apenas uns poucos minutos.

— Todos nós temos um período de adaptação quando chegamos. Ele é diferente para cada um de nós.

— Como assim? Você sentiu isso também?

— Para mim, foram minhas mãos. Não tive nenhuma dificuldade em ver as coisas com clareza, porém não conseguia sentir nada pelo tato. Levou uma eternidade para eu ser capaz de fazê-lo. Só então pude sentir o toque das mãos de sua mãe na minha. Somos todos diferentes, e todos nós levamos nosso próprio tempo antes de aceitar plenamente este lugar. Pode demorar algum tempo até que você seja capaz de ver o que você precisa ver.

— O que quer dizer, o que eu "preciso" ver?

— Estamos todos em busca de algo maior, algo maior que nós mesmos ao qual pertencer, para o qual existir. Mas, para a maioria de nós, esse algo maior está um pouco além de nossa percepção, fora do alcance por causa das nossas próprias dúvidas ou imperfeições. Esse algo maior é o que é mais importante para nós, mesmo que você não se tenha dado conta disso plenamente antes. Este lugar parece destacar seja lá o que for esse algo maior para você, não importa quanto você o tenha evitado antes. Com o tempo, você também irá reconhecer o que é ele para você.

— Como é que nós dois acabamos no mesmo lugar? Quero dizer, quais são as chances? Será que todo mundo acaba onde os seus entes queridos estão? — O ceticismo de Fin estava recuperando o seu foco.

Jack sorriu.

— Não, filho, nem todos, entretanto, onde mais você poderia ter acabado?

Fin apenas olhou por cima do balcão para o pai, incapaz de chegar a uma alternativa razoável.

— Raramente você vai encontrar uma força na natureza que rivalize com a vontade humana, e ela é mais forte em uns do que em outros. Sua capacidade de criar é inigualável, e temos sorte nesse aspecto... toda a nossa família tem, Fin.

Fin lembrou-se da pergunta que tinha feito antes de seu pai desviar o rumo da conversa.

— Pai, estamos sozinhos aqui?

Jack apoiou os cotovelos no balcão.

— Eu nunca falei com Deus, se é isso que você está perguntando, Fin. Não tenho certeza de onde ele está, ou tampouco do que ele é. Tudo o que sei é que nós não acabamos aqui juntos por acaso.

— Não foi bem isso o que eu quis dizer.

Jack hesitou brevemente, levantando os olhos para encarar o filho.

— Não, Fin, não estamos sozinhos. Todo mundo está aqui.

Capítulo 15

O cheiro de formol até que não era desagradável, mas pensar no que ele estava preservando era o que incomodava o padre Moriel. Tudo ali o fazia lembrar da fábrica de empacotamento de carne em que seu pai costumava trabalhar em Minnesota, quando o padre era criança. As gavetas de aço inoxidável de aparência asséptica que cobriam as paredes encontravam-se no chão com o piso de mármore cinzento, com cerca de oitenta anos, do necrotério municipal. Juntos, eles tornavam o lugar muito duro e frio para se ver velhos amigos pela última vez.

O detetive Tom Graves quebrou o silêncio constrangedor:

— Sinto muito, padre, depois que localizamos o carro, o carro do doutor Canty, o senhor foi a escolha óbvia para identificar o corpo. — Os dois ficaram parados sem falar nada olhando para o saco plástico verde-oliva que continha os restos mortais da vítima daquela noite. — Só leva um minuto, mas fique à vontade para se demorar mais tempo, se o senhor quiser. — O som do pesado zíper deslizando no grosso saco plástico ressoou pelas superfícies duras da sala, dando ao ato um sentido ainda maior de finalização.

O padre só ficou ali olhando, incrédulo, sua respiração tornando-se visível no ar frio. Vivendo em áreas infestadas de gangues, e estando envolvido com o norte do México, ele já fora convidado a identificar corpos no passado, mas nunca os de amigos íntimos.

— É ele. Este é Fin Canty. — Graves deu-lhe um tempo para fazer uma oração antes de fechar o saco e empurrar a gaveta.

Respirando fundo e resolutamente, o padre continuou.

— Ok, estou pronto. — Ele olhou para o detetive, tentando sufocar as lágrimas provocadas pela próxima etapa.

— Receio que eu não tenha compreendido, padre. Pronto para o quê? — Ele não tinha certeza de qual ritual católico ele havia se esquecido desde o colegial. Tom Graves tinha sido criado em um lar no qual fora ensinado a respeitar as crenças religiosas dos outros, mesmo que não fossem as mesmas que as suas. Ele entendia quão difícil era aquele momento para os entes queridos. A polícia, sempre com pressa para prender os responsáveis, podia por vezes parecer insensível à família enlutada e aos amigos da vítima. Era uma situação verdadeiramente desafiadora, mas que ele tinha começado a dominar.

— Estou pronto para vê-la, também — o padre disse, sentindo suas emoções dando-lhe um nó na garganta, o peso de sua tristeza quase insuportável.

— Senhor, eu não sei o que lhe foi dito, mas não há mais ninguém. — O incidente havia acontecido um pouco mais de duas horas antes, e muita coisa ainda não tinha sido esclarecida.

— A filha de Fin, Eva. Ela tem 3 anos de idade. — O padre estava começando a ficar agitado.

— Estamos cientes disso, senhor, mas não sabemos o paradeiro da criança neste momento. Não havia mais ninguém no local.

O conteúdo da carteira de Fin havia fornecido à polícia as informações sobre o automóvel que eles pensavam que deveriam estar procurando, seu Volvo prata. Só depois que um carro de patrulha descobriu-o por acaso no estacionamento da igreja é que as implicações dos eventos daquela noite começaram a se revelar. O sistema de alerta AMBER tinha acabado de ser atualizado, avisando os motoristas quanto ao veículo correto, o pequeno Ford vermelho do padre Moriel, fazia uns vinte minutos, e até agora não havia pistas.

— Você tem certeza, padre?

— Eu tinha acabado de vê-los, duas horas atrás. Ela definitivamente estava com ele no carro... Eu o ajudei a colocar a cadeirinha dentro.

— Suas emoções conflitantes estavam chegando rapidamente a um ponto crítico. Ao mesmo tempo que Moriel estava satisfeito por não haver corpo para identificar, o sumiço da criança desencadeava todo tipo de temores sobre seu paradeiro e sua segurança.

— Como é que você não sabe onde ela está?

Ignorando essa última pergunta, Graves virou-se para sair.

— Siga-me, padre. — Os dois homens atravessaram as portas vaivém, passaram pela sala de espera e continuaram andando até chegarem ao lado de fora, sob a iluminação da calçada em frente ao prédio. Graves puxou o celular do bolso do casaco e ligou para a delegacia.

O padre podia ouvir o telefone tocando através do receptor, e depois de apenas dois toques ele abruptamente agarrou o pulso do detetive.

— O que foi, padre?

— Desligue por um minuto, filho. Quem você disse que seu pessoal achava que eram os responsáveis por esse crime? — O padre havia se recolhido cedo, pois iria viajar para o México no dia seguinte, quando a polícia bateu na porta de seus aposentos. A aniquiladora notícia do assassinato de seu amigo, recebida ao mesmo tempo que, inicialmente, o interrogavam em tom acusatório, o fizera esquecer todos os detalhes do evento.

— Os observadores disseram que parecia um ato de violência aleatório, do tipo que sempre associamos com iniciações de gangues. O carro envolvido tinha sido visto correndo de forma imprudente em meio ao tráfego, pouco antes de ser atingido pelo caminhão de lixo. Por quê? — O detetive ainda segurava o telefone colado ao ouvido.

— Provavelmente um grupo hispânico, sem dúvida. Não é isso?

— Sim, as probabilidades disso são grandes. Mais uma vez, padre, por quê?

— Meu carro era equipado com um daqueles dispositivos automáticos de pedágio — disse ele, girando freneticamente as mãos no ar. — Sabe? Para cruzar a fronteira! — O padre subitamente foi tomado por uma certeza inegável de que Eva havia sido levada. Ele podia ouvir a voz que atendeu do outro lado da linha. — Detetive, eu acho que sei para onde eles foram.

Fazia mais de uma hora desde que eles haviam se apresentado um ao outro. Sal dissera que ela podia chamá-lo de tio Sal, e Eva ficara em silêncio desde então. Haviam viajado cerca de cinquenta quilômetros pela Península da Baixa Califórnia, pela México 1, em direção a Ensenada. El Banco de México e El Primero Banco, dois dos maiores bancos da América Central, possuíam agências lá, e Sal tinha forjado contas para a gangue em ambos. Já havia algum tempo que ele punha em prática o expediente de abrir contas separadas, contas secretas que só ele conhecia, na mesma cidade ou na mesma agência, como contas de lavagem de dinheiro da facção. Naquele local em particular, ele tinha feito as duas coisas. Havia escolhido dividir seu estoque secreto por ambas as instituições, afora o dinheiro da facção. Nos últimos anos, a maioria das corporações bancárias de propriedade mexicana havia sido comprada ou tomada de forma agressiva pela fusão de bancos predadores de países industrializados mais ricos. Isso havia incentivado o desenvolvimento da *Baja Peninsula* em um mercado industrial altamente competitivo — uma mudança que permitiu que o dinheiro ilícito de Sal crescesse de forma mais segura. Isso também fez com que seus fundos fossem ainda mais lavados, já que os depósitos iniciais haviam sido feitos em pequenos bancos de propriedade local. A transição de seus fundos para corporações bancárias internacionais legítimas só aumentara a credibilidade das identidades falsas que ele usara para seus depósitos. Agora, tudo o que ele precisava fazer era apresentar-se com a identificação e assinaturas corretas e retirar o dinheiro... assim esperava. Percebeu que era apenas uma questão de tempo antes que começassem a procurar o veículo correto e rastreá-

-lo do outro lado da fronteira com o México. Ainda era improvável que soubessem quem ele era, a menos que tivessem pegado Azazel e o restante dos membros da van. Conhecendo a resiliência da MS-13, presumiu que, se ainda fosse possível rodar com o carro, eles já não estavam mais lá quando a polícia chegou. Isso poderia causar-lhe problemas no futuro, mas, por enquanto, iria ajudá-lo.

Olhava pelo espelho retrovisor a todo instante para ver o que a sua pequena clandestina estava fazendo. Eva tinha ficado de olho nele, vigilante, e para sua surpresa não parecia assustada.

— Onde está o meu pai? — ela finalmente perguntou, sem nunca ter tirado os olhos de Sal.

Sal tinha pouca experiência com crianças, especialmente tão pequenas e inocentes, por isso não fazia ideia de como responder àquela pergunta. Sentia-se como o Grinch tentando arranjar uma mentira convincente para a pequena Cindy Lou Who. Escondendo-se atrás da morte de seus pais todos aqueles anos, Sal tinha evitado conscientemente encarar a destruição que a violência das gangues causava às pessoas. Sempre dissera a si mesmo que eram apenas membros de outras gangues que haviam sido feridos, mas a gritante disparidade entre isso e ver Eva ali no carro com ele era medonha.

— Ele está com a minha mamãe? — ela perguntou antes que Sal pudesse inventar uma resposta.

— Onde está a sua mamãe, querida? — Sua consciência estava começando a pulsar.

— Ela está com Deus — disse Eva com alegre ingenuidade.

— Oh, Cristo — Sal murmurou para si mesmo, fechando os olhos por alguns instantes. — Sim, Eva, é onde ele está. Ele está com Deus e sua mamãe agora. E — ele acrescentou — tenho certeza de que ele estará sempre cuidando de você.

Tal resposta pareceu ser bem aceita por ela.

— Vou vê-los em breve? — ela perguntou. — Eu quero ver a mamãe em nossa viagem também.

Ela sorriu enquanto olhava pela janela.

Sal não sabia do que ela estava falando. Imaginou que eram apenas coisas de crianças de 3 anos de idade. Estava, no entanto, aliviado por não haver nenhum choro, pelo menos não até ali.

— Que viagem é essa, querida?

— Papai e eu, a gente ia numa viagem amanhã. É esta? — Ela parecia confortável com o plano da maneira como entendia, e Sal achou melhor para ele mesmo não contrariá-la.

— Sim, querida, agora é só relaxar e eu vou lhe contar mais sobre a nossa viagem quando chegarmos lá. — O movimento do carro, o zumbido do motor e o barulho da estrada a embalaram e ela voltou a dormir. Sal não parava de olhar para ela. Parecia tão calma e inocente... Não sabia como diabos aquilo tinha acontecido, mas tinha. Prometeu a si mesmo que, independentemente do que acontecesse, sempre faria o que fosse certo por aquela menina, seja lá o que isso representasse. O destino, ou Deus, tinha colocado Eva em seu caminho por alguma razão. Agira contra a própria consciência durante tanto tempo, era reconfortante tomar uma decisão difícil em benefício de outra pessoa. Ele não a deixaria. Já dava para ver as luzes da manhã de Ensenada se aproximando. O ferro-velho abriria logo.

Cerca de cem quilômetros ao norte, na fronteira, passavam o pente-fino no filme granulado da câmera de segurança. Uma caçada humana em grande escala estava prestes a começar.

Capítulo 16

Moriel acordou. O padrão *pied de poule* do teto do Volvo pregava peças em seus olhos cansados, momentaneamente parecendo adquirir dimensões extras. Ele esfregou os olhos com força para eliminar a ilusão. Estivera dormindo durante as últimas horas no banco do motorista do carro, e sua dor nas costas o despertara a tempo. Jim Purcell chegava cedo no trabalho e estava andando pelo estacionamento com determinação quando Moriel colocou seu assento na posição vertical. Ele abriu a porta revestida de couro e colocou as pernas para fora, enquanto suas costas de 52 anos não o deixavam esquecer de onde dormira na noite anterior. Ele ainda não havia começado a se ajustar a um mundo sem Fin Canty, mas o restante dos amigos próximos de Fin ainda não estavam cientes de sua ausência.

— Doutor Purcell, eu preciso falar com o senhor — Moriel o chamou enquanto ele cruzava o estacionamento principal em direção ao prédio de Física Aplicada e Matemática. O padre Moriel não era um homem que gostava de dar más notícias, porém, quando isso precisava ser feito, ele achava que, se possível, a única maneira de fazê-lo era cara a cara. — Senhor, desculpe-me incomodá-lo, mas eu tenho uma notícia, uma notícia terrível.

Jim Purcell era normalmente uma pessoa fechada, e aquela manhã não era exceção para ele. Continuou a caminhar rapidamente em direção à porta da frente do prédio de ciências, mal tomando conhecimento de Moriel.

— Certamente, padre, mas eu não vou à missa há algum tempo, por isso todas as questões referentes à salvação provavelmente devem ser dirigidas à minha esposa — ele respondeu com um pouco de autossatisfação.

— Fin Canty foi assassinado ontem à noite. — As palavras do padre fizeram Purcell parar subitamente.

— O que o senhor disse? — A voz de Purcell agora revelava um tom oscilante de raiva, e seu comportamento em relação àquele estranho mudou com o novo grau de intimidade entre os dois. Virou-se para encará-lo diretamente. — Padre, por favor, o que o senhor disse?

— Doutor Purcell, sinto muito por ter de lhe dar essa notícia. Fin também era um amigo muito próximo meu, e eu não queria que o senhor viesse a saber pela polícia. Ontem à noite, por volta das dez horas, ele estava... — A voz do padre começou a tremer. Até esse momento, ele não tinha falado sobre o assunto com ninguém que já não soubesse do acontecido, e ouvir agora as palavras saírem de sua própria boca parecia cimentar os acontecimentos da noite anterior. Projetando sua mandíbula inferior para a frente, ele expirou com força através dos lábios trêmulos e começou de novo. — Ele foi morto com um tiro, no que a polícia acredita ser um assassinato de gangue. Eva está desaparecida.

Purcell olhou para o padre em choque.

— Falei com ele ontem à tarde mesmo. Tivemos uma reunião, que foi o começo de algo grandioso para ele. Era para ele embarcar esta manhã para Genebra com Eva. — Sua relutância em acreditar no que acabara de ser dito crescia a cada palavra. — Padre, o senhor tem certeza de que estamos falando do mesmo homem?

— Jim, nós nos encontramos em dezembro passado na festa de Natal de Fin e Rachel. Você e eu conversamos por pouco tempo. Falamos sobre suas crenças em relação ao darwinismo *versus* o criacionismo. — O padre colocou a mão gentilmente no antebraço de Purcell. — Quem me dera houvesse um equívoco a respeito disso, mas eu mesmo identifiquei o corpo algumas horas atrás. Tenho certeza de que era... é Fin.

— Isso é surreal. — Purcell parecia que ia vomitar. Seu rosto estava completamente lívido no brilhante sol da manhã. — Acho que preciso me sentar. Podemos ir ao meu escritório para conversarmos?

Purcell liderou o caminho para dentro do prédio e pelos lances de escada até o terceiro andar. Nada foi dito. Ele estava passando pelo mesmo processo que Moriel havia atravessado menos de dez horas antes. Destrancando a porta, ele cruzou a sala de espera do departamento com Moriel e entrou em seu escritório. Purcell gesticulou, indicando uma confortável cadeira no gabinete bem mobiliado e equipado.

— Por favor, padre, sente-se. — Sem olhar para trás, ele deixou cair o casaco no chão, perto do cabide, e caminhou até o pequeno bar próximo da janela com vista para o pátio de ciências. — Posso lhe oferecer algo para beber?

— Sim. Normalmente eu não bebo, mas, esta manhã, acho que vou aceitar um *bourbon*, se você tiver. — O padre ficou ali sentado em silêncio por outros cinco minutos mais ou menos, enquanto Purcell preparava as bebidas e sentava-se atrás da grande mesa revestida de couro gravado entre eles. Aceitando a bebida, o padre disse: — Diga-me como você conheceu Fin.

— Nós nos conhecemos na faculdade, eu conhecia ele e sua esposa fazia anos. Minha nossa... eu os conheci quando ainda estavam namorando. Fui eu que ajudei Rachel a colocar Fin na cama, bêbado, em seu 21º aniversário... depois que ele vomitou em cima de seus sapatos novos. — Ele fez uma pausa. — Meu Deus, eu não posso acreditar nisso. Onde é que a polícia acha que Eva está? Eles acham que ela está... — Ele hesitou novamente, não tendo certeza de que poderia tolerar a palavra mais apropriada para a questão. — Está... viva? — Ele terminou sua bebida de um gole só.

— Parece haver evidências de que ela foi levada no meu carro para o México. A polícia está...

— Seu carro? O que eles estavam fazendo no seu carro? — Purcell interrompeu o padre bruscamente, num tom quase desaforado.

O padre pôde perceber que o doutor Purcell estava acostumado a sempre culpar alguém pelas coisas que deram errado em sua vida. Ele aceitou o tom como uma expressão de seu sentimento de impotência, do qual compartilhava.

— Ele foi com Eva até minha paróquia, a São Pio, ontem à noite, para me dar a boa notícia e falar da viagem. Seus últimos meses foram um inferno, como você bem sabe. Essa virada nos acontecimentos parecia ser uma verdadeira bênção para ele... para os dois, na verdade. Realmente pareceu mudar sua perspectiva. Ele estava deixando o seu carro comigo para eu tomar conta e, no lugar dele, levou meu velho calhambeque para o breve trajeto até o aeroporto.

— Sinto muito, padre. Eu simplesmente não posso acreditar que isso esteja acontecendo. — Purcell fez uma pausa, olhando para o copo vazio. Virou-se e caminhou até o bar para se servir de outra bebida. — Outra dose? — perguntou ao padre. Purcell voltou para sua mesa e entregou o copo ao padre. Olhou para o relógio; já eram oito horas. — Droga — murmurou baixinho. — Eu vou ter que telefonar para o contato de Fin, em Genebra.

— Você quer dizer, o doutor Krunowski?

— Sim. — Purcell olhou para Moriel um pouco admirado, antes de continuar. — Já são cinco da tarde lá. — Purcell de repente pareceu exausto ao padre Moriel. — Eu deveria tentar encontrá-lo antes de ele deixar o instituto. — Quando Purcell sentou-se novamente, o telefone começou a tocar. Esperando que não fosse ninguém com quem precisasse compartilhar a notícia, Purcell atendeu. — Alô. — Uma voz potente o fez estremecer incontrolavelmente. — Não, Edvard, Fin não partiu. Edvard, Ed...

Purcell inicialmente mantivera contato visual com Moriel, mas, agora, ele fechara os olhos para responder a Edvard.

— Ed, eu tenho uma notícia muito ruim.

O padre aproveitou a oportunidade para explorar o grande escritório de Purcell. Havia inúmeros títulos acadêmicos e prêmios exibidos por toda a parte, mas o que lhe chamou a atenção foram as fotografias que se misturavam com eles. Muitas eram de Purcell e Fin, obviamente remontando aos tempos de faculdade, como colegas no curso de Física. Enquanto tomava seu drinque, o padre não pôde deixar de se perguntar quão profundamente a morte de Fin afetaria não só os seus amigos, mas o cada vez mais complexo campo da Física. Ele não estava escutando a conversa de Purcell atentamente, mas ouvira o próprio nome mencionado várias vezes. Agora, uma pausa incomum na conversa chamou a sua atenção de volta para a mesa.

— Por favor, padre, sirva-se de outra bebida, se quiser. Edvard me colocou em espera, alguma chamada de emergência que precisou atender, creio eu. Alô, sim, estou aqui... não, continue. — Purcell fez sinal com os olhos indicando a garrafa para o padre Moriel se servir.

Enquanto o padre tomava sua terceira dose, o telefone celular no bolso de seu casaco começou a vibrar insistentemente. Ele pediu licença, permitindo a Purcell um pouco de privacidade para terminar a fúnebre conversa. Ele foi para a sala de espera do escritório para atender a chamada. Não reconheceu o número que aparecia no visor do telefone.

— Alô, padre Moriel falando.

— Padre, aqui é a agente Rivera. Sou uma agente do FBI local, trabalhando em muitos dos crimes violentos relacionados com gangues na área da SoCal*. Eu esperava poder falar com o senhor. — A voz dela era muito reconfortante. — Sinto muito pela sua perda recente, e entendo que a polícia local já interrogou o senhor, isso está correto?

Ele podia ouvir outras conversas paralelas ao fundo.

---

* Southern California.

— Minha querida, parece que você está falando de uma caverna. Receio que esta não seja uma boa hora, podemos conversar em outro momento? — Ele quase não dormira na noite anterior, e o sono que conseguira certamente não fora reparador.

— Eu compreendo, padre, mas, muitas vezes, agir rápido, mesmo durante essas horas difíceis logo após um crime, nos propicia a informação de que precisamos tão desesperadamente. Há algum horário conveniente para o senhor em que possamos nos encontrar?

Ela parecia genuinamente interessada em obter as informações, algo que o padre sabia não ser comum em casos "rotineiros". Por lealdade ao seu amigo, e por seu desejo de encontrar Eva viva, ele concordou.

— É claro, qualquer horário amanhã ou depois está ótimo. Tenho assuntos a tratar para a família do falecido. Tenho certeza de que você compreende.

Após o corpo de Fin ter sido reconhecido, a polícia notificara seu único parente imediato vivo, seu irmão, Liam, na costa leste. O padre ficou chateado por não ter podido falar com ele na ocasião. Ele telefonou para Liam pouco depois, consolando-o e oferecendo-se para ajudar de qualquer maneira que pudesse.

— Estou fechando outro caso que pode estar relacionado, e eu esperava poder passar na sua igreja amanhã de manhã. Tudo bem para o senhor? — perguntou a agente Rivera.

— Para mim está ótimo, minha querida. Espero você por volta das dez horas. Nossa primeira missa da manhã é às oito e meia, mas eu tenho outra às onze — o padre acrescentou.

— Não se preocupe, padre. Não vamos tomar muito de seu tempo. Obrigada, veremos o senhor amanhã. — Ela desligou antes que ele pudesse acrescentar qualquer coisa.

Colocando o telefone de volta no bolso, o padre escutou perto da porta, mas não ouviu nada. Então, abriu-a e viu Purcell segurando o telefone no ouvido com uma mão e a cabeça com a outra. Purcell ergueu a vista rapidamente e fez um gesto para ele entrar.

— Ed, espere um minuto, há alguém aqui que eu quero lhe apresentar. — Purcell fez outro gesto para o padre retomar sua cadeira perto da mesa. Purcell apertou um botão no telefone e, em seguida, colocou-o de volta na base. — Ed, você ainda está aí?

— Sim, eu estou aqui. Você disse que queria me apresentar a alguém? — A voz que saía no viva-voz era vagamente familiar para Moriel, embora ele não estivesse conseguindo identificá-la.

Purcell interrompeu.

— Padre, por favor, diga olá ao doutor Edvard Krunowski, ex-orientador de Fin e...

— ... o atual diretor do CERN. Olá, senhor, sou o padre Moriel. Eu era um bom amigo de Fin Canty... e de sua família. Sinto muito por sua perda. Sua voz me soa familiar, gostaria de saber se já nos encontramos em alguma ocasião.

— Talvez, padre. Fin me contou que vocês conversavam frequentemente desde a morte de Rachel. Ele era um homem dinâmico e fará muita falta para seus irmãos além-mar. Realmente não tenho palavras para expressar o choque e a tristeza que estou sentindo com a morte dele. Esta instalação só está em operação graças à defesa do doutor Canty. Como vocês dois estão cientes, Fin foi fundamental para a coleta de provas para a causa do CERN. Seu trabalho como porta-voz dos nossos cientistas e do CERN nas audiências mostrou que as reações que estamos provocando agora ocorrem dezenas de milhares, senão milhões de vezes por dia dentro da atmosfera superior da Terra, e até agora não houve nenhum efeito nocivo para o planeta. Graças ao Fin, o pedido de liminar foi rejeitado pelo Tribunal Distrital dos Estados Unidos da América em Honolulu, e as ações para levar adiante o caso na esfera federal foram negadas com base nas evidências esmagadoras que ele apresentou. Fin tornou-se, simultaneamente, um herói para seus colegas e o inimigo público número um para aqueles que acham que nossa busca pela verdade científica seja o equivalente moderno das heresias.

— Todos nós reconhecemos a grande contribuição de Fin, Ed — Purcell acrescentou, enquanto esfregava os olhos.

— Nós passaríamos as festas de fim de ano juntos, aqui com Eva. Pelo que entendi, há poucas pistas quanto ao seu paradeiro. Isso é verdade?

— Sim, acredito que sim. Na verdade — o padre acrescentou, fazendo contato visual com Purcell enquanto falava —, eu acabei de ser contatado pelo FBI a respeito de tudo isso. Vou me encontrar com um de seus agentes de campo amanhã de manhã.

— Graças a Deus — acrescentou Edvard, distante. — Podemos apenas rezar para que eles a encontrem a salvo. Eu estava perguntando para o Jim quando isso ocorreu. Você sabe que horas tudo isso aconteceu, padre? Estou perguntando porque temos tido alguns estranhos progressos nas últimas 24 horas, também.

— Creio que tenha sido por volta das dez da noite passada. — Estava se tornando mais fácil conversar a respeito, algo que entristeceu o padre ainda mais. — Quais progressos vocês já tiveram?

— Não sei quanto Fin lhe contou, padre, mas a pesquisa que estamos realizando aqui está produzindo resultados muito interessantes para o campo da Física. A princípio, nosso colisor estava apenas gerando partículas de maior massa, múons simples e neutrinos acoplados com fótons. Ficou evidente, no entanto, que estávamos acabando com mais matéria do que quando começamos, matéria extra, como já discutimos antes, Jim. Agora, com a máquina em funcionamento há mais tempo, nós estamos começando a observar compostos mais complexos.

— Há quanto tempo a máquina está em funcionamento? — perguntou Purcell.

— No total? Há mais ou menos três dias. — Edvard fez uma pausa, esperando por uma contestação que nunca veio. — Percebemos que, pelos nossos projetos, a máquina jamais esteve programada para funcionar por tanto tempo assim no início, mas os dados foram se modificando. A princípio, a matéria apenas se manifestou na forma de uma sobrecarga para os detectores. Tivemos que reprogramar os computadores dos níveis Tier 1 e Tier 2 para aceitar e analisar os fragmentos maiores. Então, ontem à noite, por volta das quatro da madrugada, curiosamente em torno das dez da noite no horário de vocês, o software reconfigurado começou a identificar esses novos compostos. Entre os núcleos de hélio que foram monitorados com o Atlas e o CMS, encontramos outra coisa.

— Atlas? — O padre estava fazendo o melhor que podia para acompanhar a conversa.

— Perdão, o Atlas é um dos principais detectores de partículas do Grande Colisor de Hádrons aqui no CERN. É a nossa principal ferramenta na busca de novas partículas provenientes das colisões de prótons de alta energia. — Ed fez uma pausa antes de continuar. — Essa outra coisa que detectamos, embora em pouquíssima quantidade, é carbono! — A voz de Ed estava subindo oitavas, sua empolgação contrastava estranhamente com a notícia da morte de Fin.

— Eu não entendo. Qual é a importância de tudo isso? — Entre a falta de sono e o estresse emocional das últimas doze horas, Moriel estava começando a ter dificuldade para se concentrar.

— Bem, padre, em uma estrela, os átomos de hidrogênio são lançados uns contra os outros em um ambiente muito quente e denso. Durante essa sequência principal, seus núcleos se fundem para formar hélio. Esse processo produz a luz e o calor que sentimos aqui na Terra. Conforme a estrela ou o sol envelhece, ficam sem esse combustível para queimar. O que resta é um corpo celeste que agora contém apenas átomos de hélio, e a estrela se torna cada vez menor e mais densa sob o peso de seu próprio colapso gravitacional. O aumento da densidade faz com que essa estrela comece a consumir o único combustível que lhe restou... o hélio. Ao fazer isso, à medida que a estrela se expande novamente, esses átomos de hélio começam a se fundir e, portanto, fornecem mais luz e calor, só que, dessa vez, eles resultam na produção de átomos de carbono. Não passa de um simples processo de adição, na verdade.

— Então, está dizendo que vocês criaram um centro sustentável de fusão a frio? — Purcell perguntou com incredulidade.

— Essa também foi a nossa primeira suposição. Mas, veja bem, não estávamos detectando calor algum; nem houve qualquer alteração adicional na energia do sistema. Não sabemos como ou por que isso está acontecendo, mas, definitivamente, está acontecendo. Entretanto, esse fenômeno não é o mais estranho nisso tudo. — Ele parou, deixando seu público momentaneamente incerto quanto a ter perdido a conexão. A linha chiou e Ed continuou: — Eu sinto muito. Só queria que Fin estivesse aqui para ver isso.

O padre interveio:

— Eu entendo um pouco de assuntos científicos como este e tenho que perguntar: alguém já tentou datar esse carbono? — O padre estava começando a compreender as implicações que seu amigo físico estava sugerindo.

— Não neste caso, padre — acrescentou Purcell. — Não tenho certeza de que a idade do carbono sequer seria relevante. É uma longa história, mas, de qualquer forma, a natureza recém-formada desse carbono impede o uso desse teste.

Edvard riu vigorosamente.

— Muito bem, a ideia ocorreu-nos também... e, normalmente, eu concordaria com você, Jim. Mas, veja bem, o verdadeiro enigma aqui tem a ver justamente com essa questão. Não gira em torno do fato de estarmos produzindo carbono, embora isso seja estranho por si só. Pelo contrário, o mistério aqui é o fato de o carbono que estamos encontrando *poder* ser datado.

Capítulo 17

— Onde está a garota? — Job estava chateado. A irritação em sua voz podia ser ouvida em todo o quarto através do pequeno alto-falante do telefone celular. — Eu lhes dei instruções muito específicas sobre onde o alvo estaria e o que deveriam fazer... dizer que estou decepcionado seria um eufemismo. Isso não era para acontecer. — Maria estava sobre a cama, onde Azazel estava deitado, ainda se recuperando do acidente que ocorrera duas noites antes. Ela não estava acostumada a lidar com o seu mais recente financiador. — Sua ausência de resposta, coisa tão estranha em você, me leva a crer que está surpresa com o fato de eu já saber do fracasso do plano.

— Sinto muito, senhor, fizemos o melhor que podíamos, dadas as circunstâncias. — Sua resposta foi inconsistente, outra coisa muito estranha em se tratando de Maria. Ela estava ciente das grandes somas de dinheiro em jogo e também do fato de que o plano de Job, qualquer que fosse, tinha sido comprometido. Azazel havia dito a ela sobre a importância de consertar as coisas. — Isso significa a diferença entre nós continuarmos a ser apenas mais uma facção Salvatrucha ou ascender ao topo como o centro do nosso universo. Temos uma chance de comandar tudo — disse ele. O pagamento por aquele trabalho era suficiente para garantir-lhes a longevidade, sem mencionar a possibilidade de fazerem outros serviços para Job. Depois de uma longa pausa, ela continuou. — Nós temos uma vantagem, e já providenciamos o nosso próximo passo.

— Minha doce vadia, talvez você não entenda o poder daqueles que eu represento. Sua riqueza é imensa, e a profundidade de sua influência estende-se por séculos. Falhar nessa tarefa é tornar-se obsoleto. Eu certamente espero que isso não aconteça, para o seu próprio bem. — Essas palavras pressagiavam um destino ainda pior do que Maria já supunha.

Dentro de certos círculos, a desconfiança da comunidade científica tinha crescido ao longo dos anos, e o trabalho que estava sendo feito no CERN só a ampliara. Pequenos grupos de astrônomos diletantes e também de fanáticos religiosos marginais tinham alimentado a preocupação pública sobre as possibilidades catastróficas e apocalípticas, ainda que fictícias, que, segundo afirmavam, poderiam emergir do trabalho do CERN. Termos como "Partícula de Deus" e a "mente de Deus" haviam sido jogados na imprensa com o propósito de fomentar dúvidas e alarme na psique pública. Pouco a pouco, o assunto ganhou forma e força. A mídia que inicialmente tinha anunciado o projeto como o domínio humano sobre os mistérios do universo mudou o tom, uma vez que os ricos grupos cristãos de direita começaram a ameaçar retirar o seu financiamento. As agências de notícias que já tinham elogiado o talento científico dos responsáveis pelas realizações do CERN estavam veiculando matérias afirmando que a comunidade científica queria criar buracos negros e rasgos no *continuum* espaço-tempo. Haviam começado a retratar os esforços do CERN como um meio de descobrir o funcionamento interno do universo com uma total falta de preocupação com as consequências físicas e religiosas. Querendo se promover, essas comunidades haviam plantado as sementes da desconfiança que tinha degenerado para ataques diretos, questionando os motivos de qualquer cientista envolvido em tais projetos. O medo infundado em relação ao desvendamento da arquitetura de Deus tinha ganhado a atenção de alguns grupos muito poderosos... e era aí que Job entrava.

— Minha querida, meu desagrado é compartilhado por todos os envolvidos, eu lhe garanto... — Job hesitou, como um pai irado escolhendo as palavras com cuidado. — Azazel não deve fazer essa jogada sem a minha autorização. Sugiro seriamente que você a encontre e conclua o negócio antes que eu mesmo o faça por outros meios. Por favor, repasse as minhas preocupações ao seu parceiro, eu quero que a encontrem — disse ele com elegância oriunda da riqueza e da educação. — Se os seus comparsas não puderem me convencer de sua competência em relação a este assunto, vocês serão removidos de nossos planos... não podemos tolerar mais erros. Entrarei em contato com vocês novamente em breve. — A linha ficou muda.

Maria fechou seu telefone e o depositou em silêncio na mesa de cabeceira ao lado da cama onde Azazel ainda dormia. Sua condição estava melhorando aos poucos, ainda que respirar profundamente oferecesse alguma dificuldade. A MS-13 era um monte de coisas, entre as quais uma organização de traficantes de drogas profissionais. Sua circulação de analgésicos controlados era a segunda maior em volume em todo o país, ficando atrás apenas da FDA. A rede corporativa que as facções haviam criado dava-lhes acesso a uma farmácia virtual. Nos últimos dias, o uso de Percocet, bem como o de Valium, havia aliviado bastante a dor de Azazel e permitira-lhe dormir mais confortavelmente. Em seu estupor narcótico, sua percepção fluía sem fronteiras para dentro e para fora do estado consciente. Seus sonhos tornaram-se mais vívidos e, como quando ele usava drogas, seu profeta o havia visitado muitas vezes.

— Isso ainda pode ser salvo. Encontre a pequena e envie-a para mim. Então, você se unirá a mim, e juntos iremos subjugar sua inocência para a nossa causa e devorar aquele que procura por ela. — À luz vermelha e dourada que brilhava em meio ao turbilhão de poeira, a imagem de seu oráculo ergueu-se além de sua capacidade de focar. Cambaleando sob a figura que se ampliava sem parar, desvanecendo-se na poeira acima, Azazel acordou suando frio e com gana renovada para completar sua missão. Maria ainda estava sentada ao seu lado. Estremecendo, Azazel respirou lenta e decididamente.

— Refresque-me a memória novamente sobre o nosso plano de amanhã com o padre.

Capítulo 18

— Conservei o telescópio montado exatamente do jeito como você o deixou. — Jack havia seguido o filho pela escada em espiral até o seu lugar favorito no andar de cima. — As coisas certamente são diferentes aqui, embora eu não possa explicar por que ou como, para falar a verdade. Não me lembro de todos os nomes, mas nunca vejo as constelações que eu costumava ver. — Ele continuou, enquanto entregava ao filho uma xícara de café.

— Eu reparei. — Fin acrescentou com um ar distraído, enquanto olhava novamente para o céu através de seu brinquedo recém-redescoberto. — Do nosso ponto de vista, localizados no Braço de Órion*, temos uma visão desobstruída do universo. Em uma noite clara, sem qualquer fonte de luz para interferir em nossa observação, deste telhado pode-se ver milhares de milhões de estrelas no céu. — Naquela noite, no entanto, algo estava diferente. — Não parece haver menos estrelas. O que acontece é que elas estão todas... diferentes. — Suas primeiras recordações de momentos passados com o pai eram aqueles em que os dois, deitados no quintal, ficavam olhando a grande tapeçaria de luz do céu estrelado. Jack Canty ensinara os nomes de todas as principais constelações ao filho. Ele até comprou para Fin o seu primeiro telescópio, embora Papai Noel tenha levado o crédito por isso.

---

* O braço de Órion (também chamado de Braço Local) é o menor braço espiral da Via Láctea. É neste braço que se encontra o nosso Sistema Solar. O braço de Órion é assim chamado por causa de sua aparente proximidade com a constelação de Órion.

O que atravessava o centro da força vital da mais antiga conexão entre pai e filho era uma faixa cintilante de luz distorcida que se estendia de horizonte a horizonte. Os gregos davam o nome de Galacos a essa faixa leitosa que enche o céu noturno. Em uma daquelas noites, deitados na grama, olhando para o céu, Jack lhe ensinara que a porção da Via Láctea que vemos é o braço espiral de nossa galáxia que se encontra a poucos mil anos-luz de distância de seu núcleo.

Fin foi fisgado. Na noite em que soube que aquele objeto maciço girava no espaço conosco foi a noite em que ele decidiu que, seja lá o que fosse que acabasse fazendo na vida, iria ter algo a ver com as estrelas. Ficara chocado ao descobrir que nós, como passageiros desta humilde espaçonave chamada Terra, passamos a vida a viajar a milhares de quilômetros por hora circulando a dezenas de anos-luz do seu centro protuberante. O padrão daquelas descobertas celestes havia permanecido inalterado durante um milênio, exatamente como quando os gregos as batizaram pela primeira vez. No entanto o céu que Fin estava olhando naquela noite não era o de que ele se lembrava com tanta intimidade.

De pé na plataforma de observação que ele e seu pai tinham construído havia muitos anos, ficou maravilhado com o padrão de estrelas que brilhavam naquela noite.

— Não consigo localizar uma única constelação que pareça familiar, e o Braço de Sagitário da Via Láctea nem ao menos está lá. *Nada* parece familiar aqui. — Ele vasculhou o límpido céu noturno com determinação e lentamente, assim como seu pai lhe ensinara quando ele era pequeno, parando a cada poucos graus para reavaliar o que estava examinando. A luminescência daquelas estrelas simples partilhava a mesma estrutura com nebulosas e supernovas, que se encontravam muito mais próximas do que ele estava acostumado. Perto o suficiente para capturar os detalhes com aquele telescópio de refração simples.

— É como se estivéssemos flutuando dentro de uma galáxia inteiramente diferente.

— Eu trouxe um cobertor para o caso de vocês dois sentirem frio. Divirta-se aqui em cima. — Antes que Fin pudesse questionar sua declaração, Jack pediu licença e desceu para o andar de baixo.

Fin continuou tomando seu café enquanto observava aquela paisagem alienígena. Desejava desesperadamente encontrar uma pista de onde estava e entender aquele novo céu. Por que Deus faria o céu diferente? Aquilo não fazia o menor sentido, pois de que adiantaria perder tempo para mudar algo tão básico quando a maioria das pessoas sequer notaria? Se aquilo era o céu, deveria ser familiar e reconfortante.

Curvado sobre o telescópio, Fin de repente se deu conta de que havia alguém no telhado com ele. Sentiu o calor de dedos familiares em seu cabelo. Levantando-se rapidamente e se virando para aquela nova aparição, sentiu o cheiro de um perfume que adorava. Encontrou-se olhando para os profundos olhos azuis de que nunca se esquecera. A pele de Rachel conservava a aparência macia e sem imperfeições de que ele se lembrava, e seu sorriso era mais brilhante do que qualquer coisa que seu telescópio poderia lhe mostrar. O calor do amor que existia entre os dois fluiu através de Fin novamente com a união de seus lábios, o corpo dela pressionado firmemente contra o seu. Colocando uma mão aberta sobre a delicada base das costas da esposa, Fin aproximou a feminilidade de Rachel para ele. A pele macia e cheirosa de seu pescoço esguio ainda era a mesma zona erógena que tinha aprendido a apreciar em seus anos de faculdade. Rachel fechou os olhos e inclinou a cabeça para o céu noturno. Estava uma noite quente e os dois deslizaram para o cobertor deixado para eles. Naquela primeira hora, nada foi dito, houve somente a troca física de seu amor sob as estrelas.

— Onde você estava esse tempo todo? — Fin perguntou, quando estavam abraçadinhos depois. — Não me lembro sequer de ter perguntado por que eu não tinha visto você.

— Eu estava bem aqui, só que você não estava pronto para me ver ainda. — Ela descansou a cabeça em seu peito, deitando o braço sobre ele enquanto brincava com seu cabelo.

— Eu não entendo essa coisa toda. Quero dizer, por que Deus nos impediria de ver as coisas que são mais importantes para nós? — acrescentou com um certo grau de frustração, enquanto corria os dedos para cima e para baixo no meio das costas dela. Continuavam deitados, embrulhados no cobertor quente, com as pernas entrelaçadas.

— Por que acha que é Deus quem toma essas decisões?

— Quem mais seria?

— Talvez sejamos nós que façamos dessa forma. Com o que você estava tão encantado quando eu entrei aqui?

Levando um minuto para absorver a última frase de Rachel, Fin respondeu:

— O céu, bem, na verdade, o padrão das estrelas. Não é como eu costumava ver... Qual foi a última coisa que você disse?

— Buraco errado?

— Muito engraçada. Não, a outra coisa.

— Oh, sim. Talvez sejamos nós que façamos dessa forma...

Fin levantou-se, interrompendo-a. Ainda nu, ele voltou para o seu telescópio.

— Bem que você podia cobrir essa coisa antes de ferir alguém... ou a si mesmo, do jeito como estão as coisas.

— Aham. — A atenção de Fin estava concentrada novamente nas estrelas.

Depois de alguns segundos de espera por uma resposta, Rachel continuou:

— Posso perguntar o que foi que eu disse de tão importante a ponto de lhe dar o desejo tão urgente de deixar uma bela mulher nua deitada aqui sozinha?

— Hum? Oh, desculpe, querida. "Nós, talvez sejamos nós"... foi o que você disse. Desde que cheguei aqui, ou morri, ou seja lá como quiser colocar, fui percebendo que as coisas são exatamente como eu esperava, ou talvez precisava que fossem.

— É assim que elas sempre foram para nós. É assim que sempre tentamos fazê-las.

— Não, quero dizer que as coisas não são como se um ser onipotente as tivesse designado. — Ele estava observando o céu noturno mais uma vez através do telescópio, dessa vez, com renovado vigor.

— Somos pessoas de grande força de vontade, sempre tivemos o luxo de virar as coisas a nosso favor — acrescentou Rachel.

— Eu sempre lamentei perder este lugar, o chalé, a conexão com a família, mas aqui estamos nós. Foi onde eu, em última análise, acabei vindo parar... assim como meu pai e você. Este telescópio foi o mais avançado que o meu pai comprou para mim, um refletor newtoniano montado sobre um telescópio dobsoniano. Foi o único em que eu podia fazer medições de verdade, e, por acaso, ele está aqui. Entretanto não parece haver nada de mágico neste lugar. Se eu cair, dói. Se eu deixo cair alguma coisa, ela quebra. Quando estou cansado, eu durmo. Tudo parece seguir as mesmas leis gerais da Física com que estamos acostumados. O vento sopra, o som viaja, a água é molhada e eu não posso respirar embaixo dela. E até agora eu não vi ninguém voar! Então, por que é que o céu noturno é tão completamente diferente? — Ele estava falando em um tom quase febril, que Rachel já conhecia de longa data. Muitas vezes, aquilo acontecia quando Fin estava à beira de uma descoberta ou, pelo menos, quando sentia que a próxima peça do quebra-cabeça estava pertinho de seu alcance. — Talvez Deus tenha menos a ver com tudo isso do que pensávamos.

— O que você está dizendo?

— Bem, talvez tudo isso seja provocado por nós?

Às vezes, a sua participação naquelas discussões de Física eram fingidas, mas, desta vez, a curiosidade de Rachel foi despertada.

— Ok, estou ouvindo. Vá em frente.

— E se a gente tem mais a ver com a criação de nossa realidade do que nos damos crédito? E se a nossa realidade se curva para estar de acordo com a *nossa* vontade, em vez de nós nos conformarmos com a realidade que nos é imposta? Pense nisso. Nós, como espécie, parecemos estar constantemente descobrindo uma nova regra ou brecha no mundo físico para alcançarmos a nossa próxima meta e superar o próximo obstáculo. O *laser*, o voo motorizado, transplante de órgãos, engenharia genética, tratamentos contra o HIV... Há sempre uma solução... sempre. Talvez o poder da oração não consista tanto em nossas preces serem ouvidas e atendidas por Deus, porém mais na força da vontade coletiva engajada em alterar a nossa realidade.

Rachel permanecia deitada de costas, olhando para as estrelas, enquanto ele falava.

— Eu preciso trabalhar nisso um pouco, fazer algumas medições e calcular algumas coisas aqui. Você se lembra de como eu queria chamar o nosso primeiro filho, se tivéssemos um menino?

— Claro que sim, o nome seria Edwin. Graças a Deus que isso nunca chegou a acontecer. — Rachel tinha se apoiado em seu cotovelo naquele momento e ainda esperava atrair seu marido de volta para uma segunda rodada de sua reunião.

— Bem, escolhi o nome por causa do astrônomo Edwin Hubble. Uma de suas maiores contribuições para a Física foi determinar que o universo estava realmente em expansão. Para fazer isso, ele usou o que chamou de "desvio para o vermelho". — Fin virou-se para olhar para o seu público-alvo. Rachel ainda estava olhando para as estrelas e as curvas suaves de seus seios nus eram destacadas pelo sutil brilho azulado que vinha do alto. As palavras de Fin foram interrompidas enquanto ele olhava para aquele corpo sublime ali na sua frente e se perguntava como conseguira seguir em frente sem ela. As longas pernas bem torneadas estendiam-se até os dedos dos pés descalços. Seu ventre plano e firme tornava quase impossível para ele se concentrar no que tinha capturado sua atenção anteriormente. A pausa crescente em sua explicação arrastou o foco de Rachel de volta para o marido.

— O quê? Vá em frente, estava ouvindo, e você simplesmente... parou.

Rachel percebeu o que tinha descarrilado sua linha de pensamento e sorriu.

— Eu prometo que vamos voltar a isso. Só termine o seu pensamento antes de me deixar doida de prazer.

— Desculpe, querida. — Fin voltou a olhar através do telescópio. — Usando sua teoria sobre as ondas de luz, Hubble foi capaz de calcular que os objetos estavam se afastando de nós e não estáticos, como Einstein havia sugerido. Ele fez uma pausa, olhando para o lago que ficava centenas de metros abaixo. — Eu me pergunto qual seria o valor da constante aqui.

— Quanto tempo levaria? Você sabe, para descobrir esse número? — Rachel jogou a cabeça para trás, os longos cabelos negros derramando-se sobre os ombros e o piso da plataforma.

Fin atingira seu objetivo. Observando Rachel a olhar para o céu estrelado, ele sentiu-se livre novamente, e aceito. Foi a mesma sensação que tivera quando eles estavam namorando, se apaixonando. Ela era a mulher mais linda que ele já conhecera, e a primeira a achar o seu intelecto e a sua paixão pela ciência atraentes. Ser chamado por apelidos e ridicularizado quando era criança, com suas pernas magras e seus joelhos ossudos, com óculos grandes demais para o seu rosto, todos aqueles anos de colégio sentindo-se um pária, suas teorias e seus sonhos muitas vezes levando-o aos limites de sua disciplina, tudo isso se dissipava quando estava com ela. Rachel fora o ponto de virada para Fin, a fonte de sua confiança, e a musa para a sua criatividade científica. Ainda assim, ele não podia deixar de sentir que havia um buraco significativo naquela realidade. Algo lhe atormentava a alma com sua ausência, embora não pudesse definir o quê.

O olho direito de Fin começou a contorcer-se ligeiramente; ele piscou rapidamente antes de fechá-lo com força e esfregá-lo. Naquele momento, ele escolheu aceitar aquela realidade da maneira como lhe era servida. Pela primeira vez, ele iria desfrutar de onde estava, e a companhia da qual sentira tanta falta por tanto tempo.

Todas aquelas ideias e os cálculos podiam esperar. Afinal de contas, aquilo ali era a eternidade... certo?

Capítulo 19

O pequeno Ford vermelho provavelmente já tinha sido filmado por meio das câmeras de segurança da fronteira. Os policiais levariam apenas algumas horas para descobrir o que aconteceu e qual carro de fato eles deveriam estar procurando. Azazel e seu pupilo pareciam saber exatamente que veículo o alvo deles dirigia e onde estaria precisamente. Sal não engolira aquela história. Até o momento, ele dera sorte por não ter tido nenhum desentendimento com os habitantes locais, mas sabia que era apenas uma questão de tempo antes que tudo mudasse. Logo teria que abandonar aquela rota por outra, se quisesse ter sucesso em sua fuga.

O caso agora provavelmente estava sendo considerado pelas autoridades como um homicídio seguido de sequestro e, por isso, era apenas uma questão de tempo até que o FBI estivesse envolvido, e Sal estava metido naquele rolo até o pescoço. Estariam procurando por aquele carro e, por essa razão, ele teria que escondê-lo muito bem para evitar a sua descoberta, independentemente do que fizesse com ele. O sol estava quase nascendo sobre a cidade costeira de Ensenada quando ele avistou uma loja de autopeças locais abrindo logo à sua frente. Aquela seria sua primeira parada a caminho de casa.

—⊖—

A abordagem monótona e institucional habitual dos escritórios dos funcionários municipais havia sido abandonada na delegacia da

31st Street. No interior da repartição havia uma enorme sala circular inclinada em direção ao centro a partir da borda externa, como um jardim escalonado. Todas as mesas e os escritórios encontravam-se posicionados em torno daquela depressão central, onde ficavam a expedição e a cabine de controle. Os escritórios dos membros mais antigos, incluindo o do detetive Tom Graves, haviam sido colocados no perímetro externo daquele "estádio" da Justiça feito todo em vidro temperado.

Em qualquer dia normal, Graves espiaria de dentro de seu escritório de vidro as formigas operárias lá embaixo, enquanto elas digeriam todas as informações que ajudavam nas investigações. Naquela noite, porém, ele estava trabalhando tresnoitado, tendo dormido ao todo apenas seis horas nos últimos dois dias, e isso só servia para alimentar o seu vício em cafeína. Muitas vezes elogiado por seu excelente trabalho na polícia e repreendido por subutilizar seus subordinados, Graves não se sentia confortável com outras pessoas fazendo o seu trabalho por ele.

Após o engano na identificação do veículo ser descoberto, a informação correta fora enviada para o sistema de alerta Amber. Desde então, houvera a enxurrada habitual de telefonemas, só que, dessa vez, muitos deles apontavam para o cenário coerente de uma fuga para o México.

Como a maioria dos policiais, Graves odiava entregar sua investigação para forasteiros, mas, no caso de uma perseguição que atravessava as fronteiras internacionais, ele não tinha escolha. Teria que partilhar a sua jurisdição naquele caso com o FBI.

— Eu não dou a mínima para onde eles foram. Eu só quero ter certeza de que estou no controle dessa investigação! — Graves podia sentir sua hostilidade crescente para com a agente do FBI do outro lado da linha. — Dana, se este caso nos arrastar para o México, então, que assim seja. Eu só preciso de você e de sua equipe como mão de obra. Não posso reunir o pessoal ou recursos internacionais para levar a cabo essa caçada humana em outro país neste momento.

— Eu compreendo isso, tenente, mas o seu tom de voz não vai alterar o fato de que agora essa investigação está em meu comando. Sugiro que você se controle e pegue leve, se ainda quiser ser incluído nela. — Sua colega do FBI não ignorava como policiais competentes se sentiam nesses casos, e tampouco estava cega para a tensão que o agora extinto relacionamento amoroso entre eles acrescentava à situação.

— Pare de me chamar de "tenente", caramba. Meus homens analisaram aquela fita na fronteira e enviaram fotos às delegacias ao norte e ao sul da fronteira horas atrás e até agora não temos nada. — O relacionamento deles havia se tornado sério durante os três anos em que ficaram juntos, mas, no fim, o trabalho criara um abismo entre os dois que era impossível de transpor. Estavam retomando contato pela primeira vez com aquela conversa, que se mostrava muito dolorosa e difícil para ambos. Graves esperou a voz suave do outro lado terminar o que estava dizendo antes de prosseguir com suas demandas.

— Tenente... Tom, eu compreendo perfeitamente a sua frustração, mas, se você me deixar continuar, acho que terei condições de compartilhar algumas informações novas com você sobre a busca. — A agente Dana Pinon era uma policial muito respeitada, que havia trabalhado em muitos casos de pessoas desaparecidas na área de SoCal anteriormente. — Sua postagem das imagens já produziu um suspeito. Tenho alguns agentes na área de Ensenada que parecem ter perdido o nosso suspeito apenas por algumas horas.

— Maldição! Você está brincando comigo? Como diabos isso aconteceu? — Graves estava de pé agora, cada vez mais impaciente enquanto andava de um lado para o outro atrás de sua mesa.

— Eu não sei, mas isso não significa que a trilha já esfriou.

Sua voz permanecia calma apesar do crescente nervosismo de Graves.

— Estamos correndo contra o tempo aqui, Dana. Aquela menina pode já estar morta, ter sido vendida, ou pior! — Ele sabia que, quanto mais tempo aquela perseguição se arrastasse, menor seria a probabilidade de encontrar Eva viva. Não era só o tráfico de drogas que florescia no México, o de seres humanos também. Graves inspirou lenta e profundamente e, em seguida, resignou-se a ouvir o resto da história. — Desculpe-me. Por favor, continue. — Sentou-se em sua mesa e descansou a cabeça no espaldar alto da sua cadeira de couro preto.

— Obrigada. — Dana sabia que esses casos raramente tinham um final feliz se não fossem resolvidos nos primeiros dias. — Parece que o nosso membro da gangue tem algumas habilidades. O carro foi encontrado em uma pilha num ferro-velho, mas só depois de ter sido ignorado várias vezes tanto pelos policiais locais mexicanos como por nossos próprios homens. O Ford vermelho que estávamos procurando não era exatamente o mesmo carro que encontramos.

— O que você quer dizer? — Graves estava confuso.

— Bem, para começar, foi um inferno para o FBI localizar o carro. Não havia testemunhas oculares e, inicialmente, parecia que o suspeito e o carro haviam simplesmente desaparecido. Há pouquíssimas câmeras de vigilância nessa área do México, mas as poucas que foram encontradas não nos forneceram nada... até que uma varredura mais detalhada da área deu-nos alguns minutos de uma câmera dentro de uma oficina... nosso criminoso tem um pendor para as artes. O carro tinha sido pintado às pressas com tinta spray laranja para parecer oxidado. O suspeito havia pintado as bordas de cima e de baixo da porta, e também a tampa do porta-malas. Ele aplicou ainda filme adesivo escuro nas janelas traseiras, removeu as calotas e cobriu o para-choque traseiro com adesivos. As calotas das rodas, ele também pintou de laranja. As impressões digitais colhidas até agora revelaram vários conjuntos de adultos e um único conjunto de impressões de uma criança pequena. Não foi achado sangue até agora, e o dono do ferro-velho diz que o carro foi vendido a ele por um homem que se encaixa na descrição do suspeito. As placas do carro estavam faltando, mas o número do chassi batia com a documentação. O dono também disse que havia uma menina com o homem e que ela parecia bem... isso aconteceu há cerca de cinco ou seis horas.

— Então, em que ponto estamos agora? — Graves tinha se desconcentrado por um segundo. Fazia quase um ano que ele não ouvia a voz de Dana, e isso estava lhe trazendo de volta emoções que ele não esperava sentir naquele dia. Forçando-se de volta para o presente, conseguiu reunir as peças mais importantes... menina viva... ocorreu há cerca de cinco horas... e toda aquela merda estava acontecendo em algum lugar no México.

— O proprietário do ferro-velho disse que o suspeito pediu para usar o telefone e, quinze minutos depois, ele e a menina foram embora em um táxi. Ele acrescentou que o homem fez questão de transferir a cadeirinha da menina para o táxi antes de partir. — Ela fez uma pausa enquanto deixava o seu interlocutor digerir aquela informação.

— Este caso está ficando estranho, Dana. Ainda há o outro veículo que estava envolvido, o SUV que escapou. Então, por que esse cara pegou o carro da vítima e fugiu?

— Eu sei, nada aqui faz muito sentido. Certamente, não segue os padrões de nenhum crime de gangue que já investiguei. — Sua voz soava triste.

— É a motivação para isso tudo que ainda me escapa. Se esse fosse apenas mais um caso de violência de gangues, ou de ritual de iniciação, ou seja lá o que for, por que esse cara estaria cuidando dessa menina? — Os dois ficaram alguns segundos em silêncio. — Entretanto, agora eu me sinto um pouco mais otimista quanto à segurança da menina — disse Graves, com uma ligeira melhora em seu humor. — Então, o que mais descobrimos depois disso?

— Não muito. Estamos rastreando o telefonema feito da oficina, mas, como é o México, pode demorar um pouco. Estamos tentando descobrir qual empresa de táxi ele chamou e, então, saberemos onde ele foi levado. Tenho vários agentes na oficina agora à espera de mais notícias da companhia telefônica. Eles estão solicitando reforço policial local para cobrir um perímetro razoável ao redor da cidade. Olhe, por que não vai dormir um pouco e eu ligo para você quando souber de mais alguma coisa?

Graves respirou fundo. A voz de Dana era muito reconfortante.

— Obrigado, Dana. Aguardarei ansiosamente o seu telefonema.

Mais de 160 quilômetros de distância dali, em um bairro de Ensenada normalmente reservado para os turistas, um homem vestindo um terno novo deixava uma loja de departamentos local e saía no brilhante sol da tarde.

Estava de mãos dadas com uma menininha trajando um novo vestido cor-de-rosa e branco com babados. Ambos usavam sapatos novos e tinham um ar de endinheirados. Também carregavam duas grandes sacolas de compras, uma para cada um deles, cheias de itens de vestuário básicos, mas novos.

Sua passada no banco local havia sido adiada para um pouco mais tarde do que Sal gostaria, mas ambos tiveram de parar para comprar algo para Eva comer. Ele também tinha negligenciado as idas ao banheiro, coisa que por pouco não se mostrara catastrófica. A dancinha no táxi que fora acompanhada pela queixa meio cantarolada "Eu preciso fazer cocô, eu preciso fazer cocô" de repente abrira os olhos para as novas questões das quais ele, agora como o tio Sal, teria de estar ciente dali em diante.

No banco, sua papelada e as assinaturas haviam combinado com aquelas que mantinham no registro. A identificação falsa que ele usara funcionou sem problema, e Sal retirou cada centavo dos 25 mil dólares que ele havia escondido naquela agência.

Saíram para o estacionamento, e na sequência de alguns audíveis bips eletrônicos, eles guardaram seus pertences e entraram no recém-adquirido Chevy prata. A principal estrada para fora de Ensenada permitia uma visão do alto da estrada por onde haviam chegado. O fim da tarde se aproximava e o trânsito começava a engrossar com aqueles que saíam do trabalho.

— Eeeeee! Olhe aquelas luzes bonitas, tio Sal! — Eva apontava energicamente enquanto olhava pela janela para o leste, em direção à estrada que os trouxera à cidade. Ao longe, num pequeno estacionamento na periferia da cidade, havia vários carros da polícia com suas luzes piscando. O estacionamento ficava na frente de um restaurante local bem conhecido, mas a polícia provavelmente não queria saber de culinária. Em vez disso, seu interesse se concentrava no carro para o qual Sal havia transferido suas antigas placas apenas algumas horas antes.

— Só mais algumas horas, mocinha, e chegaremos lá — Sal anunciou com satisfação. Afivelada seguramente em sua cadeirinha, Eva continuava a comer seus biscoitos e a olhar para o Pacífico que brilhava ao sol da tarde. Quatro horas e meia após a sua parada não programada, tendo se livrado do carro velho, mantido a polícia ocupada temporariamente, enchido a carteira e comprado as roupas novas que estavam agora no porta-malas do veículo, Sal, na companhia de Eva, rumava para o sul novamente, a caminho de Todos Santos.

Capítulo 20

A jovem com quem tinha falado ao telefone no dia anterior era mais nova do que o padre Moriel havia imaginado que fosse, mas ela era muito profissional e segura de si. A agente Rivera, como Maria havia se apresentado, estava vestindo um terno preto com uma saia que batia abaixo dos joelhos. Tinha um sotaque hispânico, que era mais evidente pessoalmente do que havia se mostrado por telefone durante a conversa anterior.

— Obrigada pelo chá, padre. Agora, então, se o senhor não se importa, eu tenho algumas perguntas sobre o falecido, bem como sobre a menina desaparecida. O senhor poderia me dar algumas informações sobre o seu relacionamento com eles? — Eles se sentaram no primeiro banco à esquerda do altar, com o sol da manhã brilhando através do grande vitral sobre o balcão, lançando um halo de luz colorida em torno deles. O padre colocou o braço direito por cima da parte de trás do banco quando se virou em direção à sua entrevistadora.

— Bem, o doutor Canty e sua família eram meus amigos. Eu o conheço... Conhecia a ele e Rachel havia muitos anos, e, mais tarde, conheci também a filha deles, Eva.

— Quanto tempo faz isso, senhor?

— Acho que cerca de oito ou dez anos. Recentemente, ele vinha conversar comigo com mais frequência, devido à morte prematura da esposa, entre outras questões. — Ele olhou para cima, em direção ao Cristo do vitral, ao pronunciar a última frase.

— Como ele estava lidando com a perda?

— Estava tendo muita dificuldade para se conformar com a morte de Rachel, bem como com a sua recente notoriedade. Mas se você está perguntando se ele era um suicida, isso está simplesmente fora de questão. Ele amava a menina e, além disso, ele foi assassinado.

— Como ela morreu... a esposa dele? — Ela não tinha tirado os olhos do sacerdote desde o primeiro minuto. Azazel a advertira para não confiar em um homem de Deus em sua própria casa. Os sonhos de Azazel lhe vinham com mais frequência agora, e ele parecia a Maria um homem possuído. Estava convencido de que a sincronia entre as instruções terrenas de Job e suas próprias visões, como ele chamava seus sonhos, não era mera coincidência. Desde a noite da iniciação de Maria, o comportamento de Azazel tinha se tornado mais heterodoxo e misteriosamente ritualístico. Ele passava muito mais tempo "orando" no escuro. Ele ficava acordado a noite toda e dormia durante o dia. Sua recente obsessão em encontrar aquela menina e levá-la para o mestre havia superado até mesmo as instruções de Job. Em meio a tudo isso, Maria estava achando cada vez mais difícil segui-lo. Ela estava começando a entender por que Salvador havia fugido. Devia tudo o que tinha a Azazel, e isso era apenas parte da razão de ainda estar lá. Acima de tudo, ela estava com medo do que poderia lhe acontecer se ela o traísse.

— Ela teve câncer, minha querida. Faz quase cinco meses que Rachel morreu, o que torna todo esse acontecimento muito mais trágico. Aquela pobre menina, lá fora, em algum lugar, sem sua mãe ou seu pai para cuidar dela... — O padre tirou os óculos e esfregou os olhos. — Tenho estado doente de preocupação, e tido muita dificuldade para dormir estas últimas noites. Fin estava à beira de mais uma de suas descobertas científicas junto ao CERN.

— Eu sinto muito, padre, isso deve ser muito difícil para o senhor. — Ela achou que o padre mostrou um toque de frustração em sua voz.

— Não sei se você está a par, mas houve um bocado de controvérsia envolvendo o trabalho dele lá. Fin teve grande participação tanto nas pesquisas da organização como na defesa legal de seus propósitos, porém tinha a convicção de estar fazendo a obra de Deus.

— Padre, estou curiosa para saber a sua teoria em relação ao motivo, ou melhor, de como o doutor Canty foi morto. O senhor acredita que tenha sido apenas violência aleatória de gangues, ou algo mais?

— Fin não era pessoa de sair por aí fazendo inimigos por ele mesmo. Ele e Rachel eram pessoas muito pacíficas. Os poderosos por trás do CERN o usaram para dar um rosto ao trabalho desenvolvido ali, um rosto para as más intenções assinadas em conjunto.

Maria encarou Moriel.

— O senhor parece ter um pouco de raiva por esse CERN. O senhor acha que o trabalho que desenvolvem é maléfico e que estavam usando Fin para apresentar um rosto mais agradável para o mundo?

— Não, mas acho que o público em geral achava o trabalho com o colisor pernicioso, e aqueles no CERN que queriam salvaguardar as suas carreiras foram muito felizes em atribuir a Fin a tarefa de mudar essa percepção. No entanto, após a morte de Rachel, todas essas questões ficaram em segundo plano. Eva se tornou sua primeira prioridade.

— O senhor acha que isso teve algo a ver com a morte dele? — Ela não tinha bem certeza de quem ou o que estava sondando. Toda a questão aguçava sua curiosidade. — Parece que o doutor Canty, um pai viúvo recentemente, não era um homem que teria inimigos suficientes para fazer algo assim com ele. — Maria estava interessada em saber por que haviam contratado o assassinato de um homem de ciência inofensivo.

— Custou a carreira de Fin e seu envolvimento com o projeto do CERN para descobrir seus inimigos. — O padre virou-se e sentou-se no banco de frente para o altar. — Poucos meses antes do diagnóstico de Rachel, Fin tornou-se parte de uma ação internacional contra o CERN. A universidade tinha lhe dado uma licença para viajar para o exterior para atuar como porta-voz dos cientistas e seus esforços.

— Eu não estou entendendo direito, padre. Como isso faria inimigos?

— Esse foi um caso divisor de águas de grande visibilidade, com religião *versus* ciência em seu centro. Aqueles que levantaram as questões argumentavam que os outros eram ímpios homens da ciência com o objetivo de assassinar Deus e provar que a Matemática e a Física governam o nosso universo. A doença de Rachel veio na esteira dessa nova e indesejada fama. A pressão sobre Fin era imensa, e sua notoriedade crescente só fez intensificá-la. A imprensa retratou-o como o cientista zangado e sem Deus. De repente, ele era o porta-voz do que até então tinha sido uma ameaça sem rosto para o público. — Moriel fez uma pausa. — Eu não acredito em coincidências, minha querida. Tudo acontece por uma razão. Todos nós temos objetivos maiores na vida. — Moriel lançou um persistente, quase significativo, olhar em direção a Maria. — Às vezes, esse propósito maior não é facilmente perceptível, mas quando o Senhor faz com que seja conhecido, a pessoa tem a obrigação de cumprir a sua obra.

Maria observou-o atentamente. Ele não parecia tão abatido quanto ela achava que deveria estar um homem com tão pouco sono, especialmente absorvido por tão profunda preocupação.

— Para onde o senhor acha que o nosso criminoso levou... Eva, certo? Esse é o nome dela?

— Isso tudo deveria ser notícia velha para você, agente Rivera. O seu chefe ou seus chefes já não a colocaram a par de tudo? Eu já passei por tudo isso com o Bureau. Aliás, foi o seu pessoal que me disse que o carro deles, ou melhor, o meu carro foi encontrado abandonado no México. Ensenada, eu acho. — O padre observou a jovem anotar esses fatos rapidamente. — É imperativo que nós a encontremos, minha querida. — A última declaração do padre chamou a atenção de Maria, e ela ergueu a vista do que escrevia para fazer um breve contato visual com ele. O padre estava prestes a falar novamente quando seu telefone do escritório tocou. — Por favor, dê-me licença um instante enquanto eu atendo o telefone. — Moriel levantou-se e retirou-se para o escritório.

Enquanto Maria o via afastar-se, seu corpanzil bamboleando para a frente e para trás sobre as pernas atarracadas, ela enfiou a mão na bolsa e correu os dedos pelo cano de sua arma até o punho. Ela não sabia se eram as palavras de Azazel que lhe davam uma falsa sensação de suspeita ali ou se era algo mais naquele sacerdote que a fazia se sentir desconfortável. O velho não era tão distraído quanto ela esperava que fosse.

— Alô, padre Moriel falando. — Ele estava de pé diante da mesa, de costas para a porta aberta e sua convidada. — Pois não, na verdade, um de seus agentes já está aqui fazendo exatamente isso agora.

Maria foi capaz de ouvir o início da conversa antes que houvesse uma longa pausa.

— Entendo. O que você quer que eu faça, então, agente Pinon? — O padre segurou o fone no ouvido por alguns momentos após a linha ter ficado em silêncio. Colocando o telefone de volta na base, ele ouviu a porta do transepto sul se fechar. Voltando à nave principal, ele descobriu que a igreja estava vazia.

O sol do meio-dia ainda estava brilhando através do grande vitral circular da igreja. Os raios de luz que atravessavam a imagem de Cristo destacavam as partículas de poeira em suspensão enquanto elas desciam até o chão de granito. Os tons de roxo e verde davam ao recinto uma atmosfera de paz. Moriel voltou para o primeiro banco e sentou-se calmamente para refletir. Ele ponderou qual deveria ser seu próximo passo enquanto aguardava a chegada do FBI.

A quase dez mil quilômetros de distância dali, Edvard Krunowski sentou-se à mesa mal iluminada analisando os recentes relatórios das varreduras espectrais do colisor principal. Ele mal podia acreditar no sucesso que tinha conseguido até ali, mas aquela imagem estava longe de poder ser considerada plenamente desenvolvida. Ele se arrependeu de não ter sido honesto com Fin antes de sua morte. Se ele lhe tivesse informado a natureza completa do que eles estavam encontrando, Fin nunca o teria deixado se mover tão rápido tão cedo... e de forma tão descuidada. Os resultados recentes com o carbono tinham sido observados antes, mas não daquele jeito. Aquelas quantidades eram muito maiores do que as que eles tinham encontrado em seus testes preliminares. E mesmo que o conceito da crescente complexidade da matéria não fosse inteiramente novo, nunca tinha resultado em isótopo de carbono-14 antes. O aumento da própria matéria tinha sido repentino, também, e muito contemporâneo para não ser significativo. A conversa do dia anterior com Jim Purcell tinha sido decepcionante e frustrante, e Edvard já começava a sentir falta das animadas discussões que tinha com Fin. Seus pontos de vista semelhantes na Física e entrelaçados com a crença no criacionismo compartilhada por ambos haviam fornecido a faísca que forjara a amizade dos dois cientistas. E afora o conhecimento intelectual de Fin, essas crenças também serviram como a base primária para o seu envolvimento com o Colisor de Hádrons do CERN. Edvard sabia que ele precisava se cercar de pessoas com pensamento semelhante ao dele se quisesse alcançar a realização de suas teorias e seus objetivos extraordinários. Mesmo depois de ter explicado o significado do carbono datável para Jim Purcell, Jim ainda não compreendia totalmente a monumental importância disso.

— Você ainda não está me escutando, meu amigo — ele dissera várias vezes durante a conversa telefônica de longa distância. — As datas do carbono-14 não têm nada de monumental. Elas são da ordem das últimas centenas de anos apenas. No mundo da datação radioativa, esse número está bem dentro da faixa aceitável de erro. A verdadeira relevância aqui é que *há* carbono-14, e que o carbono-14 só é capaz de ser datado se ele for proveniente de uma fonte que previamente estivesse viva. Não pode ser apenas o resultado final de uma fusão atômica que ocorreu no interior de alguma panela de pressão multibilionária. A fonte precisa ter existido dentro do ciclo de vida de todas as coisas.

Todos esses resultados estavam começando a confirmar a noção que sempre acompanhara Edvard de que a vida após a morte poderia guardar os elos perdidos para uma "teoria unificada" da Física. As recentes descobertas o estavam encorajando a seguir em frente com ímpeto maior, para o que ele sabia ser necessário a seguir.

O divino plano do Senhor estava nos detalhes, e Edvard tornava-se cada vez mais convencido de que tais detalhes estavam começando a se revelar para ele.

Capítulo 21

O apartamento era desconhecido... talvez fosse o de sua avó, muito tempo atrás. Fin estava deitado de costas sobre o tapete cor de ouro, toda a série de eventos desfilando de forma agradavelmente desconexa. A luz do sol quente da tarde brilhava através da janela da frente, onde uma árvore de Natal pequena erguia-se em seu suporte. Da arcada aberta que dava para a sala, veio o som da gargalhada de uma criança pequena. Fin se virou para ver Eva correndo em sua direção com os braços estendidos e sorrindo. Ela saltou a apenas alguns centímetros antes de chegar a ele e aterrissou em seus braços, quase quicando para longe quando caiu sobre seu peito. Ele rolou, fixando-a no chão e fazendo cócegas em seu pescoço vibrando os lábios. Para Fin aquele cenário inocente parecia irreal. Raramente, ou nunca, ele tinha sido capaz de discernir um sonho enquanto estava no meio de um, mas daquela vez foi diferente. Com todo o medo de um homem prestes a ser arrancado de seus entes queridos para a execução, ele agarrou Eva e se sentou.

— Isto é um sonho! Rápido, bebê, dê beijos no papai! — Em meio à sua frenética tentativa de acumular o máximo de carinho que podia antes que acordasse, ele de repente se deu conta de que aquele doce encontro com sua filha estava terminando. Como era possível que não houvesse sentido a falta dela até agora? Ele beijou suas bochechas macias vezes seguidas para tentar aproveitar ao máximo aquele frágil momento. Ela ria de forma contínua, contorcendo-se sob o peso de sua afeição. Com um último beijo suave nos lábios, ele acordou, chamando em voz alta por ela.

— Eva!

Deitado na cama ao lado de Rachel, ele ainda podia sentir o calor dos pequeninos lábios de Eva nos dele. Olhando para o teto branco, o coração de Fin palpitava enquanto uma súbita sensação de desespero tomou conta dele.

— Querido, o que foi? Você teve um pesadelo? — Rachel havia acordado ao ouvir o nome da filha em voz alta.

— Onde está a nossa filhinha? O que aconteceu com ela? — Todas as suas lembranças dela estavam voltando para ele, tanto visceral como emocionalmente. — Como diabos eu não senti esse... esse abismo antes? — Fin já estava fora da cama, procurando por suas calças no quarto. — Ela está aqui, também? Onde está Eva? — Ele sentou-se e começou a se vestir.

— Fin! Estamos no meio da noite, querido.

— Onde está a nossa menina? Ela está aqui com a gente? — Sua busca frenética recomeçou.

— Ela não está aqui, Fin, ela ainda está... lá. Querido, sente-se, *por favor*. Vamos conversar, não temos nada além de tempo.

— O que há para falar, eu tenho que... me lembrar. — As palavras de Fin sumiram enquanto sua silhueta meio vestida se destacava contra a luz da noite que brilhava através da janela.

— O que foi, Fin?

Congelado e olhando para o lago, Fin verbalizou as imagens à medida que atravessavam a sua memória.

— Havia um homem com... com um olho azul e outro castanho. Oh, Cristo, eu fui baleado e ela estava comigo! — Sentando-se de volta na cama, ele começou a chorar.

— Não é culpa sua, querido. Não há nada que pudesse ter feito para mudar isso. — Seu corpo balançava ritmicamente enquanto ele soluçava. Rachel pressionou o corpo contra as suas costas nuas, descansando a lateral da cabeça contra o pescoço dele enquanto o segurava.

— Como é que eu não a senti todo esse tempo? — A dor da ausência de Eva o inundava em ondas de crescente desespero.

— Nós não temos controle sobre quando partimos, ou quem deixamos para trás. Você não fez nada de errado, e tampouco poderia ter feito algo diferente. — Ela podia sentir o corpo dele estremecer vez após vez enquanto ele finalmente sentia o que por muito tempo tinha sido incapaz de ver.

Desprendendo-se irritado de seu abraço, ele se levantou rapidamente.

— Como diabos você pode viver bem consigo mesma sem saber onde ela está ou se está bem? Ela é a nossa filha! — Sua tristeza e seu desespero tinham rompido novamente a crisálida.

— Isso não é justo. Você não faz ideia de como eu me sinto!

Aquelas últimas horas estavam retornando para ele agora. Lembrou-se de deixar a igreja e até mesmo do planejamento para a viagem iminente. Ele se lembrou de correr na chuva em direção ao acidente e de deixar Eva sozinha no carro.

— Eu a deixei, eu disse a ela que nunca iria deixá-la e eu a deixei. — Ele estava enlouquecido, andando em círculos em seu pequeno quarto.

— Todo mundo vem quando chega a sua hora, e não há nada que possamos fazer sobre isso. — Rachel estava tentando acalmá-lo. — Você está começando a ver tudo, Fin, mas isso não significa que você já esteja pronto para entender isso.

— Está me dizendo que você entende tudo isso? — Ele estava girando lentamente com os braços estendidos. — Estive aqui por Deus sabe quanto tempo e só agora percebo que nosso bem mais precioso está só. Que eu abandonei Eva no meio de um cruzamento com um assassino, em uma tempestade, sozinha! — Ele continuou a se vestir. — Eu tenho que entender como funciona este lugar abandonado por

Deus. Eu tenho que saber, compreender. Eu não posso simplesmente sentar-me aqui feliz e entorpecido como todos os outros, esperando para ver como tudo isso acaba. — O mal-estar que ele estivera sentindo o tempo todo agora tinha um nome, e Fin finalmente sentiu que tinha um propósito. — O céu é o lugar para onde você vai a fim de encontrar paz e felicidade, não para ser confundido e separado daqueles que você jurou que cuidaria para sempre. Isto não é o céu. — Fin saiu do quarto. Indo para o telhado, ele disparou sua última expressão de revolta. — Isto aqui está apenas a um passo do inferno.

Rachel sentou-se com o olhar fixo na porta aberta. A cada dia que passava, Fin vinha gastando mais e mais tempo pensando no céu noturno. Sua vida voltava a ser como era antes, quando Fin estava obcecado com a execução de cálculos e medições celestes. Era isso que Rachel tinha pela frente: observar Fin sendo consumido pelo desejo de entender que lugar era aquele.

Não havia sentido em tentar voltar a dormir. Com o sol da manhã prestes a surgir, Rachel lentamente se vestiu e desceu as escadas.

Jack já estava acordado e fazendo café.

— A mãe dele reagiu da mesma forma, sabe? Ficou frenética quando percebeu que nós estávamos aqui sozinhos. Espere até ele vê-la pela primeira vez. — Ele revirou os olhos e continuou a moer o café.

— Estou preocupada com ele, Jack. Ele está mais ansioso a cada dia que passa.

— Ele também nunca esteve morto antes — acrescentou com uma risada. — Ele não é como eu e você, querida. Ele precisa saber o porquê — disse Jack, arregalando os olhos com as sobrancelhas levantadas. — Ele precisa entender tudo. Ele sempre foi assim, e morte não significa necessariamente mudar o que somos. Depois de um tempo, ele vai se acalmar, quando for capaz de sentir o que todos nós sentimos. Ainda assim — ele continuou —, não posso dizer que esteja totalmente em desacordo com ele. Para mim, algo não está certo nisso tudo.

Rachel confiava na opinião de Jack como se ele fosse seu próprio pai.

— O que quer dizer com "algo não está certo"?

— Eu não sei. Quando cheguei, houve um período de adaptação, como eu disse a Fin. Então, depois de um tempo, eu era capaz de sentir tudo de novo, o amor, o calor. Mas, acima de tudo, eu era capaz de sentir *cada um*, não importava onde estivessem. Como eu disse — ele parou de novo, olhando para Rachel —, há alguma coisa diferente aqui...

— Eu tenho algumas novidades! Acho que descobri algo importante! — Fin proclamou ao irromper na cozinha. O sol começava a subir sobre o lago e a última das estrelas havia desaparecido na luz fraca da manhã. — Tudo está se expandindo no mesmo ritmo também. — Ele estava sem fôlego e ainda de pijama.

— Querido, do que você está falando?

— As estrelas... as supernovas... tudo! Está tudo se afastando de nós com a mesma taxa de aceleração como no nosso próprio universo, ou no último, de onde viemos, seja como for que o chamarmos! Vocês sabem do que eu estou falando. — Estavam ambos olhando para ele. — Antes, estávamos todos mortos! Vamos lá, vocês sabem o que quero dizer!

— Não sabemos, querido, de verdade. Acalme-se e...

— Não me diga para eu me acalmar. Ouçam! — Fin estava elétrico, quase incapaz de ficar parado.

— Ao longo das últimas semanas, tenho medido a taxa de expansão da concha de gás em torno de uma supernova no céu noturno oriental. Eu também andei medindo as estrelas que parecem se mover junto com a gente na nossa galáxia aqui. Usando o seu desvio para o vermelho, eu fui capaz de calcular mais ou menos a velocidade com que esses objetos se moviam... isto é, em relação a nós. Tudo em nossos arredores é constante, assim como eu esperava, porém a coisa mais alarmante é que os objetos fora desta galáxia estão acelerando para longe de onde estamos. E aqui está o detalhe que muda tudo...

Seu olho direito estava começando a se contrair novamente, algo de que Rachel estava se tornando cada vez mais consciente.

— A taxa de expansão aqui é a mesma, todos os objetos fora desta galáxia parecem estar se afastando de nós, e uns dos outros, com a mesma taxa que faziam na galáxia anterior! — Fin estava emocionado consigo mesmo por deduzir isso e estava esperando muito mais retorno do que apenas olhares inexpressivos. — A constante cosmológica de Einstein mantém o seu valor aqui também. O que estou dizendo é que o "céu" parece estar seguindo as mesmas regras astrofísicas que sabemos que o nosso próprio universo segue, e, provavelmente, pelas mesmas indescritíveis razões!

— Então, você está dizendo que ainda estamos no mesmo... universo? — Rachel não sabia mais do que chamá-lo. — Poderíamos ir para casa, se pudéssemos encontrar uma nave espacial ultrarrápida?

Fin ignorou seu comentário perspicaz.

— Eu não creio que fosse possível, não. Nada lá fora parece familiar, nada. Mesmo que estivéssemos no lado mais distante do universo conhecido, deveria haver algumas constelações sutilmente familiares, independentemente do ângulo de visão, mas não há. É tudo diferente.

— Talvez estejamos em um buraco negro e ele apenas pareça assim. — Sem olhar para cima, seu pai ofereceu um sorriso fraco e ergueu as sobrancelhas, na esperança de que o que ele disse fosse de alguma forma intelectualmente relevante.

— Eu pensei nisso também, pai. — Jack levantou o queixo e estufou o peito para fora um pouco, satisfeito com a sua contribuição para a conversa da manhã. — Mas não estamos.

— Droga. — Jack murmurou quando voltou a se concentrar no café da manhã.

— Se estivéssemos em um buraco negro, ou em sua singularidade... um lugar no espaço-tempo onde a matéria é infinitamente densa, nós não veríamos o céu noturno como vemos. Seria uma linha fina de luz, que provavelmente teria desaparecido quando passamos do horizonte de eventos.

— Isso é tudo teoria, certo? — Rachel sempre bancara o advogado do diabo para as teorias de Fin. Ele apreciava isso, e essa era a principal razão de ele despejar todas as suas ideias sobre ela. — Ninguém jamais testemunhou o interior de um buraco negro nem nunca irá testemunhar.

— Exatamente! Todas essas diferenças só seriam possíveis se tivéssemos alguma forma de conseguir evitar sermos dilacerados pelas forças de maré maciças. Ou se, uma vez em seu centro, que sobrevivêssemos a uma esmagadora gravidade e níveis astronômicos de radiação. — Fin sentou-se no balcão. Estava inquieto desde que entrou na sala. Ele tentou firmar as mãos, mas só foi capaz de ocupá-las, continuando a batucar os dedos na madeira. — Nós não estamos em um buraco negro, disso eu tenho certeza.

— Bem, é tudo muito interessante, filho, mas o que isso quer dizer?

— Bem — disse Fin com cautela —, eu tenho uma teoria...

—⊖—

As autoridades nunca foram capazes de estabelecer a identidade do homem que dirigiu o Ford vermelho pela fronteira mexicana. Portanto não houve interesse na propriedade que ele havia deixado para trás. Azazel esperou alguns meses para deixar desaparecer qualquer interesse que pudesse existir antes de ordenar a vários de seus membros mais jovens que vasculhassem a casa de Sal em busca de quaisquer indícios do paradeiro da menina. Eles se mudaram para a casa dele como ratos que infestam um prédio abandonado. Como se tornara habitual na maioria de suas atividades, Azazel entrou na casa à noite. Chegando no *hall*, ele se agachou, colocando a palma da mão sobre o altar familiar que ele havia deixado para trás anos antes. Ele proclamou o lar abandonado como seu próprio e violou o computador de Salvador atrás de qualquer informação que pudesse ajudar a localizá-lo.

— Azazel, nós precisamos conversar. — John tornara-se uma proeminente figura na facção, principalmente devido a seus fortes laços com Job, que o havia designado como intermediário em todos os esforços relativos a corrigir o serviço que dera errado. Job forçou essa mudança goela abaixo em Azazel, como punição por arruinar tão profundamente o serviço encomendado, para começo de conversa. Job também havia deixado claro que todas as transações seriam realizadas entre ele e John, sem interferência da gangue, se desejassem continuidade no apoio financeiro.

— O quê? — Azazel estava sentado em sua escrivaninha, de costas para a porta. Ele havia se mudado para o maior quarto, aquele que pertencia aos pais de Sal. Suas roupas e todos os outros pertences foram jogados no porão logo depois que ele se mudou para lá. A aparência de Azazel havia se alterado ao longo dos últimos meses. Tinha perdido uma grande quantidade de peso e parecia macilento, quase morto. Sua pele estava pálida e ele agora usava a cabeça raspada.

— Nós quase terminamos de apurar a informação que conseguimos obter na casa. Não há muita coisa.

— Você me perturbou por isso? — Azazel ainda estava no comando e era tão temido como sempre fora. Desde o desaparecimento de Sal e da menina, sua raiva tinha se tornado mais explosiva.

— Eu disse que não há muito. Não disse que não havia nada. — John aproximou-se um pouco mais no quarto escuro, tomando o cuidado de não invadir o espaço de Azazel. — Parece que houve alguns e-mails que foram excluídos, mas eu consegui recuperá-los a partir de uma seção do disco rígido que só foi parcialmente reescrita. As mensagens foram trocadas com algumas instituições bancárias no México. Espíritu, havia algumas que não estavam no registro que encontramos em sua mochila. — John estendeu a prova impressa.

Um sorriso foi crescendo no rosto de Azazel.

— Isso sim é algo que vale o meu tempo. Continue...

Capítulo 22

— O que você está dizendo, Fin? Que isto aqui não é o céu? — Jack parou o que estava fazendo, sua frustração com a conversa crescia agora.

— Não, pai, eu só estou dizendo que talvez o céu não seja o que nós pensávamos que fosse. — Fin podia sentir a desaprovação católica vinda do outro lado do balcão. Seu pai não gostava que sua fé fosse adulterada.

— Bem, o que é então? — Rachel acrescentou, enquanto caminhava até as grandes portas corrediças de vidro para observar o tempo em todo o vale. Estava agindo de modo muito distante toda a manhã, especialmente agora que ficara de costas para os homens.

Apoiado sobre a bancada com os braços estendidos, Jack encorajou-o novamente:

— Não nos mantenha em suspense, filho. Qual é a sua teoria? — Ele estava olhando por cima do balcão para os outros dois, parados na sala e visivelmente separados.

Olhando fixamente para Rachel, Fin se perguntou se a discussão deles no quarto, mais cedo, estava começando a mostrar suas consequências.

— Ok, ouça. — Ele sentou-se e voltou sua atenção para o pai. — Vamos começar com o que há de mais próximo de casa. A nossa galáxia, que gira como um cata-vento, não se expande. Dentro dessas galáxias, a matéria nas bordas mais distantes gira com a mesma velocidade que a matéria próxima do centro. Pelo padrão, essa taxa deveria ser mais lenta em direção às bordas por causa da diminuição da tração sentida mais longe do buraco negro supermassivo que reside no centro desses cata-ventos. Não há suficiente matéria visível nesses corpos monstruosos para dar conta da gravidade que os mantêm tão juntos. A única explicação para isso é que há matéria adicional, matéria escura, que não podemos ver.

— Como você pode ao menos afirmar que essa coisa invisível existe? Se você não pode vê-la, como pode dizer que ela está lá?

— Bem, podemos ver seus efeitos, pai. Quando a massa de um corpo é grande o suficiente, ela pode dobrar a única coisa que escapa de tudo mais: a luz. Isso é chamado de lente gravitacional, e isso nos diz que essa matéria está lá. Quando a luz de uma fonte distante encontra objetos maciços, ela se curva em torno de seu campo gravitacional, um pouco como uma bola de tênis rolando sobre um lençol suspenso que está segurando uma bola de basquete em seu centro. Essa bola de tênis pode ter velocidade para passar a bola maior, mas só depois que seu trajeto se ajusta à depressão no lençol que a bola de basquete produziu. Em torno dessas galáxias, podemos observar a natureza desse evento, e o grau da lente que vemos também permitiu o mapeamento dessa matéria, que é, de outro modo, invisível.

Fin toma um gole de seu café da manhã antes de continuar.

— Agora, há quase um século, nós sabemos que todas as galáxias estão se afastando umas das outras, mas não sabemos por quê. As próprias galáxias permanecem entidades constantes, mas a distância entre todas as outras galáxias no universo está aumentando, como pontos desenhados na superfície de um balão de aniversário quando é soprado. Quando toda a matéria e energia são somadas, não há o suficiente por um fator de dez para dar conta dessa expansão. Em algum lugar, de alguma forma, há uma força repulsiva no universo que está forçando todas essas galáxias a se distanciarem umas das outras em um ritmo cada vez maior. A ideia de Einstein de uma constante cosmológica fornecia energia suficiente para evitar que toda a matéria desabasse sob si mesma com a força da gravidade. Na realidade, essa força é realmente maior do que o previsto e está afastando todas as coisas. Ninguém sabia o que esse número representava. Assim, supôs-se que a *energia* escura forneceria essa força repulsiva. — O olho direito de Fin continuava a se contorcer. Ele o esfregou vigorosamente.

— O que tem sido feito para procurar essa coisa?

— Muito, pai. As tentativas, no passado, variaram de tolas a monumentais. O esforço mais recente foi o Grande Colisor de Hádrons, em Genebra. — Fin sutilmente inclinou a cabeça para o lado quando olhou para Rachel. — Na verdade — acrescentou, fazendo uma pausa —, na noite antes de eu chegar aqui, recebi um telefonema de Edvard Krunowski.

— Eu nunca gostei desse homem. — Rachel virou-se da janela para encará-lo. — Eu sei que ele era um amigo seu, mas eu nunca confiei nele. — Fin tinha chegado a considerar a sua impressão inicial sobre as pessoas como uma doutrina, porque ela raramente estava errada. — O que ele queria?

— Ele queria que Eva e eu o visitássemos. Por causa dos novos desenvolvimentos lá com a máquina. — Fin havia parado de falar e olhava em direção ao lago. Havia geado sobre a terra naquela manhã, e o sol nascente começava a obter sucesso em seu esforço para derretê-la. Seus olhos se encheram lágrimas novamente ao pensar na filha lá sem eles. Fin procuro de u se controlar e continuou, apesar do tremor em sua mandíbula. — Ed disse algo sobre aumento da matéria no colisor. Eles têm registrado a produção de matéria no lugar de destruição ou conservação. Ele se referiu às suas teorias e disse algo sobre nós dois sermos capazes de ver no plano de Deus como nunca imaginamos. — Ele afastou as imagens de Eva que estavam tentando roubar sua visão de vigília.

— Então, o que você está dizendo é que o homem que jogou você aos lobos, o homem responsável por crucificar a sua carreira em nome do CERN, que não tinha contato com você desde o julgamento, no Havaí, de repente o chama do nada com notícias de abalar a Terra que só são boas para a carreira dele? Isso antes de você ser atacado aleatoriamente? — Rachel tinha dado mais alguns passos em direção a ele, encarando-o agora com os braços cruzados.

— O que você está dizendo? Que Ed teve algo a ver com a minha morte?

— Eu só estou dizendo que nunca gostei desse homem. Sempre tive uma sensação estranha com relação a seus motivos. É só isso.

— Há uma grande diferença entre ser um canalha e um chefão da máfia. — Fin concluiu com sarcasmo. — Enfim, pai, temos este número, a constante cosmológica, e nós o mantemos em nossa equação não só para sustentar o universo, mas também para lhe dar a energia de que necessita para afetar o movimento e a velocidade de galáxias inteiras, enquanto elas se afastam umas das outras. Ao longo dos séculos, esse número parece estar ficando cada vez maior, ainda que por quantidades minúsculas, mas continua ficando maior, mesmo assim. Nós sempre presumimos que era uma função do nosso aumento da precisão matemática e não um aumento real na constante cosmológica... mas eu nunca estive convencido disso. — Com seus dedos batucando, Fin parou para tomar um gole de seu café.

— Por que ela está aumentando, a constante *cosmopolita*, ou seja lá como você a chama? Qual é o significado disso, filho?

— Bem, pai, eu não tenho certeza. Ninguém tem, de fato. Em termos de quantidade, a energia escura responde por cerca de setenta por cento do Universo. O maior erro de Einstein, ao que parece, acabou por ser a força mais dominante no cosmos. E está ficando mais forte com o passar do tempo.

Fin vinha piscando profundamente para tentar parar as contrações musculares que estavam se acelerando. Entre a falta de sono na noite anterior e sua crescente ansiedade em relação à filha, estava tendo dificuldade para se concentrar. Uma enorme sensação de culpa enevoava seus pensamentos.

— Onde é que isto nos deixa, literalmente? — perguntou Rachel, mais uma vez, envolvendo-se no assunto.

— Bem, se seguirmos o que se pode ver e medir, podemos presumir que não estamos no mesmo universo em que vivíamos, mas em outro, completamente diferente. Um lugar que cada um de nós orou para ir quando morresse, uma nova e completamente separada realidade, o céu.

— Então você acha *realmente* que isto aqui é o céu, é isso?

— Bem, sim, pai, mas deixe-me terminar. — Fin estava ficando animado novamente. — Se este novo universo tem a mesma taxa de aceleração, junto com a mesma constante cosmológica, pode-se supor que este lugar está sendo afetado pelas mesmas energia e matéria escuras.

— Talvez Deus tivesse acabado de encontrar uma fórmula que funcionava bem e pensado: "Por que não usá-la aqui também?" — Jack ainda estava olhando para ele da cozinha.

— Possivelmente, pai, mas isso não é tudo. E se essa matéria escura realmente não for tão escura? — Ele parou de fazer contato visual com os dois. — E se fosse tudo o que estamos vendo?

— Querido, você já disse que não podemos vê-la, só medi-la.

— Eu sei, mas e se tudo o que vemos aqui servir como a matéria escura para tudo o que estávamos vendo lá? — Suas palavras tornaram a sala silenciosa por um momento.

— Você está se referindo ao céu. — Jack ficou subitamente fascinado com o que Fin estava sugerindo. — Você está dizendo que...

— Estou dizendo que este lugar e tudo o que podemos ver *é* a matéria escura. — A sala ficou em silêncio, enquanto todos os três contemplavam essa possibilidade. Os espasmos de Fin estavam vindo sutilmente mais rápido agora. — É muito simples, na verdade. Vivemos em quatro dimensões normalmente. Temos as três direções pelas quais, vamos supor, um pássaro se desloca. Para cima, para o lado e depois para a frente. Fora essas, X, Y e Z, há a quarta dimensão, o tempo. Essas quatro são as únicas que registramos em nossa vida diária. Dentro dessas quatro dimensões existe tudo o que vemos e conhecemos. Mas, agora, temos um lugar totalmente novo, este lugar, para adicionarmos ao "tudo" que conhecemos. E se o céu for uma dimensão alternativa? E se essa realidade existe e é sobreposta à nossa anterior? E se essas duas dimensões tocam-se através de barreiras, mas sem qualquer outro tipo de interação física, exatamente como a teoria da matéria escura? Cada uma, então, serviria como "matéria escura" para a outra, mantendo todo o sistema sob controle.

Fin esticou o pescoço. Uma pequena dor incômoda havia surgido atrás de seu ombro esquerdo.

— Sutil é o Senhor, mas malicioso ele não é — acrescentou ele, em voz baixa.

— O que você disse, filho?

— É apenas algo que Einstein declarou uma vez. Talvez os detalhes não sejam intencionalmente escondidos de nós, afinal. Einstein acreditava que o Senhor providenciava tudo o que era preciso para entendermos o nosso universo. Pai, você me disse, quando eu cheguei aqui, que pode estar em nossa natureza ver ou sentir o que não podemos apreciar inteiramente até que mudemos para a próxima fase na vida. Talvez esta seja apenas a próxima fase e só precisemos ser pacientes o suficiente para chegarmos até aqui e descobrir o restante dos fatos sobre os nossos mistérios duradouros.

Rachel afastou-se de repente da janela pela qual contemplava o exterior.

— Eu realmente penso nela, sabe? — A súbita mudança de assunto pegou os dois homens de surpresa. Eles ficaram ali sentados observando com os olhos arregalados enquanto ela continuava.

— Não é como se eu simplesmente a tivesse riscado da minha vida. Eu sabia que ela estava com você. — Aquela conversa, obviamente, nascera em sua cabeça a partir da discussão, mais cedo. — Ela é a minha menininha também, e eu sinto falta dela todos os dias. — Com sua última declaração, lágrimas de pesar começaram a encher-lhe os olhos. — Eu nunca continuaria sem ela! Eu morri, Fin. O que eu deveria fazer?

— Eu sinto muito. Sei que você ainda a ama. Só não sei o que fazer com tudo isso — disse Fin, gesticulando ao redor da sala. — Só não entendo como você pode ser tão feliz sem ela, tão aparentemente alheia... — Essa última declaração foi dura e ele tentou colocar os braços em volta dela, mas Rachel deu um passo para trás.

— Depois que eu cheguei aqui, não conseguia perceber movimento. Os dias pareciam ter parado, e as pessoas desapareciam e reapareciam para mim, sem explicação. Estava perdida, sem noção de tempo e de onde os meus entes queridos estavam, e isso incluía você. Não estava pronta para deixá-lo, nenhum de vocês, Fin, e pelo que pareceu uma eternidade eu esperei você chegar... da mesma forma que estamos agora à espera de Eva.

— Eu sinto falta dela, e eu não tenho sido capaz de pensar em outra coisa desde o sonho. — Sua contração havia cessado, assim como sua agitação. — Prometi estar sempre lá para ela. Ela é a coisinha mais forte e mais esperta que já conheci. Toda vez que fecho meus olhos agora, vejo seu sorriso e seus grandes olhos azuis. Não entendo, nem me preocupo em entender, por que demorei tanto tempo para ver isso. Mas agora eu realmente vejo e sinto a sua ausência, e algo não está certo. — Rachel podia enxergar a dor por trás dos olhos dele. — Ela é tão inocente e tão feliz... Ela não sabia o que significava ficar sozinha até que você se foi. Ela se tornou tudo para mim depois que você partiu. — Ele olhou para o pai. — Tudo. — Rachel começou a chorar baixinho.

Jack colocou a mão sobre a de Fin, que ele descansava em cima do balcão.

— Pare, filho, já chega. — Ele encarou o filho. Jack fez uma pausa enquanto estabelecia contato visual com ambos os pais de Eva. — Não sei por que sei disso, mas sei. Eva não está aqui, filho.

— Sei disso, pai, o que estou dizendo é...

— Não, Fin. O que estou dizendo é que ela nunca virá para cá... Jamais.

Capítulo 23

Oito meses depois...

Os dias eram longos e, na maioria das vezes, quentes. Colinas suavemente ondulantes, cobertas até perder de vista por grama verde e palmeiras que dançavam com o vento marítimo que soprava do oceano pelo leste. Salpicada por ilhas, a cintilante superfície de zircônio da água sorria de volta para o sol, proporcionando aos peixes multicoloridos um lar digno de Poseidon. O horizonte era uma faixa azul que se estendia por quilômetros em qualquer direção. Areia macia como açúcar cobria as praias, derramando-se confortavelmente sob as ondas suaves. Assim era o lugar que agora Eva e Sal chamavam de lar.

Aqueles poucos acres de paraíso em Todos Santos eram a parte aberta e clara do sonho que Sal havia desejado. Passara meses preocupado em ser descoberto em seu refúgio não apenas pela facção, mas por toda a MS-13. E já fazia muito mais tempo que não tinha qualquer contato com aqueles dos quais havia ansiado se livrar durante anos, e Sal finalmente desfrutava uma trégua das noites insones. Estava começando a encontrar repouso ali com sua nova família, mas também sabia que aquele era o momento em que o câncer poderia retornar.

Naquele pedacinho de terra situava-se seu bangalô de dois quartos, que o piso de cerâmica e as cortinas de bambu mantinham frescos durante o dia. Eva estava sentada à mesa do café, como fazia todas as manhãs, de pijama cor-de-rosa e em sua cadeirinha, comendo seu cereal. Naquele dia, as gaivotas e os pelicanos brincando nas ondas haviam roubado sua atenção. As aves erguiam-se lentamente sobrevoando o caos da arrebentação, sondando a água, e, então, mergulhavam com total desenvoltura. Impetuosas e famintas, elas arremetiam contra seu alvo. Através da janela, Eva assistia atentamente àquele balé aéreo enquanto comia e ria, de tempos em tempos. Ela florescera maravilhosamente naquele novo ambiente, cativando Sal de uma forma que ele não esperava. Parecia genuinamente confortável em seus braços e já fazia semanas que dormia sem dificuldade alguma. Sua mente interessada estava absorvendo a nova língua com uma facilidade que a maioria dos adultos apenas sonhava conseguir. Eles liam livros todas as noites, assim como ela explicara que seu pai fazia, e passeavam pela praia durante o dia, procurando novas conchas. Eva também fora acolhida pela avó de Sal, sua nova *abuela*.

— Bom dia, Nana. — Ele podia ouvir seus chinelos batendo suavemente contra os calcanhares nus à medida que ela se aproximava pelo corredor em direção à mesa. Sal estava tomando o café matinal quando a avó se juntou a eles, vestindo seu roupão azul.

— *Buenos días, mi familia*. Como está a minha pequerrucha esta manhã? — Ela colocou a mão levemente artrítica com delicadeza na lateral da cabeça de Eva e a puxou para um beijo.

— Bem, eu acho. Ela já terminou quase toda a sua tigela de cereal. Como você dormiu a noite passada, *abuela*? — perguntou Sal, abrindo um largo sorriso para Eva.

— Eu ia lhe perguntar a mesma coisa. Teve mais pesadelos?

Sal afastou-se dela para lavar as mãos na pia.

— Não tenho tido nenhum há semanas.

Ela esperou pacientemente. Haviam ficado separados por muitos anos, mas ela ainda conhecia bem o neto.

— Quer me contar a verdade agora?

— Eu já lhe disse... — sua voz engrossou antes que ele se contivesse. Demonstrar desrespeito pelos anciãos da própria família era algo que ele havia jurado não ensinar a Eva. — *Lo siento, abuela*.

— Às vezes eu o ouço à noite, zanzando pela casa depois de ser acordado pelos sonhos ruins. Se você não quer falar sobre isso, eu entendo, mas, por favor, não minta para mim sobre o que você está passando.

Ele gentilmente a conduziu para o corredor, longe do alcance daqueles ouvidinhos.

— É complicado, Nana. Depois que a mamãe e o papai foram mortos, eu me envolvi em muitas coisas das quais não me orgulho. Você sabe disso. — Envergonhado, ele baixou os olhos, desviando-os dos dela.

— Isso agora é passado, *nieto*.

— E destruir a última esperança dessa menininha de conhecer ou se lembrar de seus pais não foi a menor dessas coisas. Eu fui muito covarde para fazer a coisa certa antes que fosse tarde demais, e agora ela está presa aqui com a gente, sem o seu verdadeiro pai.

— Não foi você quem lhe tirou o pai, e se tentasse impedir, poderia ter sido morto também. Além disso, não há nada de complicado nisso. Pelo menos, não precisa ser. — Ela envolveu os pulsos dele suavemente com as mãos. — Sei que você participou de uma coisa da qual se arrepende. Tenho certeza de que você também desejaria que seus pais não tivessem sido tirados de você, mas eles foram e você está aqui agora. Você tem uma responsabilidade para com Eva, de fazer a coisa certa por ela. É onde você está agora, e isso é o que mais importa.

Sal virou-se e foi até Eva. Parou de caminhar quando chegou ao piso de cerâmica da cozinha e sorriu para a garotinha, fazendo contato visual enquanto ela comia.

— Continue comendo, querida, depois iremos lá fora brincar. — Mantendo sua presença física na manhã de Eva, ele sussurrou para sua avó:

Se ao menos eu tivesse me lembrado disso e pensado nos outros em primeiro lugar, feito a coisa certa não importasse quão difícil pudesse ter sido, então, talvez essa linda criança estivesse em casa com o pai dela, tomando café da manhã com ele... e não aqui com a gente.

— Mas não foi assim que aconteceu, e você tem que conviver com isso. Culpa católica é um gosto adquirido. — Ultimamente, ela vinha introduzindo sua religião nas conversas cada vez mais. Estava incomodada com o fato de esse aspecto da vida dele estar tão ressequido. — Não nascemos com ela, mas é difícil nos livrarmos da culpa quando ela se instala. Se você não lidar com isso, ela o consumirá e você nunca encontrará a redenção de que precisa. Tudo acontece por algum motivo, Salvador.

Sal dirigiu-se até a pia para lavar sua caneca de café. A sombra das cortinas amarelas que emolduravam a janela da cozinha projetou-se tremulante em suas mãos. *Tio*. Era o que estava gravado em esmalte vermelho na caneca. Fora um presente do grupo de cerâmica do qual sua avó participava, cozida e dada a ele logo após sua chegada, no último Natal. Aquela singela comunidade onde ele havia escolhido estabelecer sua pequena família o havia recebido sem reservas. Sal fechou a torneira. — Como vamos fazer com a pré-escola dela? — Ele manteve seu olhar na pia de aço inoxidável.

Um sorriso de alívio cresceu no rosto de sua avó. — Então, você vai ficar. Isso é um bom sinal. — Passando por Sal, ela se arrastou até a mesa para se servir de uma xícara de café.

— Já faz quase um ano, e até agora, nada. Baixar a guarda ainda me assusta, mas em algum momento eu tenho de fazer isso, pelo bem de Eva. — Ele se virou da pia para observar Eva soprando bolhas em sua canequinha plástica com canudo cheia de leite. — Para dar a todos nós uma vida normal... sabe?

— Bem, essa decisão é com você, querido. Ela é sua responsabilidade. Eu só estou aqui para ajudar. — Ela sentou-se à mesa, ao lado de Eva.

— Acho que quero que ela se matricule no programa de Santa Maria. — Ele não tinha voltado à igreja desde que chegara ali. Sua culpa o havia debilitado, e, até então, ele não se sentia merecedor do perdão de Eva, ou de seu próprio. Precisava de muito mais sacrifício para conseguir isso. A cada dia que passava, a pureza dela tanto o revigorava como punia sua alma pelos seus pecados do passado. Não fazia ideia de quando iria sentir merecer a companhia dela, mas, certamente, isso não tinha ocorrido nos poucos meses que Eva estivera sob o seu cuidado.

— Muito bem. Acho que essa é uma decisão que eu posso apoiar. E quanto a você? Confessar-se é uma boa forma de começar a receber a absolvição por seus pecados. — Ela sorveu um gole de café. — Eva, querida, você quer uma fruta?

— Vamos começar pelo mais urgente — disse Sal, expulsando a tristeza da conversa anterior com uma esperança recém-descoberta. — Vamos cuidar de Eva e depois nos preocupamos comigo.

— A vida é curta, Salvador. Eva o adora, e eu sei que você a ama também. Você vai fazer o que é certo... Eu acredito em você.

— Você pode terminar o seu café da manhã com a nossa princesinha? Preciso tratar de alguns negócios bancários pela internet. Depois disso, ficaremos confortáveis e nunca mais teremos de nos preocupar com dinheiro novamente. — Ele beijou a cabeça de suas duas queridas antes de se retirar da cozinha, demorando-se um pouquinho mais no calor do cabelo de Eva.

Sua avó agarrou-o pelo pulso.

— Sal, você será julgado por aquilo que fizer com a vida que lhe resta. — Ela o liberou de seu aperto e deu-lhe um tapinha no braço antes de voltar sua atenção para Eva.

A natureza desonesta de Azazel e seu desrespeito por qualquer instituição haviam sido suplantados por um mal que era mais sinistro e mais verdadeiro. Aquelas visões perniciosas tinham distorcido sua criminalidade, que agora era uma perversidade abjeta, fluindo de uma alma em decomposição. Aos olhos de seus seguidores, ele tinha se tornado uma criatura que se arrastava por trás da luz e existia apenas na escuridão interposta.

— Eu não quero resultados meia-boca nem meios sucessos, eu quero uma resposta, porra! Temos observado essa isca há meses sem quaisquer fisgadas e estou ficando impaciente. — Suas interações com John tinham se transformado em reuniões repletas de uma desconfiança crescente por aquele membro agregado por imposição. — Posso sentir a maldita felicidade de Sal, e isso me dá nos nervos! Quero vê-lo morrer, e *Ele* está ficando impaciente.

John já não sabia mais a quem Azazel se referia por "Ele", e o mesmo acontecia com muitos dos discípulos da MS-13. Às vezes, Azazel parecia lúcido e falava da missão da MS-13 como se fosse financeiramente orientada, de acordo com Job. Em outras ocasiões, Azazel expressava seus desejos em termos de instruções transmitidas a ele por seu demônio conjurado por meio das drogas. Sua trajetória até aquele ponto fora longa e deturpada, uma jornada que o levara a muitos países e consumira muitas amizades.

No início dos anos 1980, então com 11 anos, Azazel fugira de El Salvador com seus irmãos mais novos após os esquadrões da morte comunistas financiados pelo governo matarem quase todos em sua aldeia natal. A crescente guerra civil os obrigou a viajar para o norte, pela América Central até o México, fazendo-os conviver tanto com amigos como com familiares ao longo do caminho. Com a ajuda de um tio, eles finalmente se estabeleceram em La Joya, no México. Era uma pequena cidade a cerca de cinco quilômetros ao sul de Tijuana. Dos três irmãos, Azazel, o mais velho, foi o que nutriu maior raiva e frequentemente se metia em encrencas com a polícia local. Mesmo com pouca idade, Azazel era esperto, e a malandragem das ruas veio fácil para ele. Entrou para o comércio local de drogas logo após a sua chegada a La Joya. Fez amizade com um grupo que traficava maconha e a vendia com frequência para estudantes universitários americanos que farreavam em Tijuana. Quando tinha 12 anos, conheceu um adolescente mais velho que era chamado pelo apelido de Conejo, ou Coelho. Esse jovem contou a Azazel sobre a lucrativa vida das gangues no centro-sul de Los Angeles. O novo amigo de Azazel encontrara-se em meio ao esforço do FBI para livrar o sudoeste da crescente influência do sindicato do crime da Mara Salvatrucha. O plano inicial do governo dos Estados Unidos para deportar todos aqueles vinculados a organizações desse tipo de volta para a América Central servira apenas como uma ferramenta de recrutamento gratuita para as gangues. Azazel ficou encantado com as imagens vibrantes que essas histórias pintavam em sua cabeça e com a ideia de um futuro no qual ele exercia o poder de aplicar a sua própria justiça. Uma semana depois de Conejo adotá-lo como amigo, Azazel abandonou sua família e entrou nos Estados Unidos.

Depois de chegar a Los Angeles, onde a princípio morou com Conejo no porão da casa de seu tio, Azazel foi iniciado na fraternidade. O dinheiro era escasso, mas a violência não. Em dois anos, Azazel estava mais próximo dos membros da MS-13 local do que já fora de sua própria família, compartilhando tudo com Conejo como se fossem irmãos. Azazel tatuou-se pela primeira vez quando faltavam duas semanas para o seu 14º aniversário. Sua primeira tatuagem foi feita em suas costas e lia-se "EME ESSE", os nomes em espanhol das letras da facção. Também foi marcado com três pontos em um arranjo triangular conhecido pelos membros da gangue como *"tres puntos"*. Esses pontos representavam os três lugares aos quais a MS-13 conduz: prisão, hospital ou cemitério. Todos os membros levavam a marca. Aos 14 anos, Azazel tornou-se um ajudante para os líderes da gangue local. Em um cargo muitas vezes reservado para o mais velho e mais experiente em sua cultura, ele rapidamente declarou sua aliança com a associação. Realizava tarefas que iam desde o monitoramento de verbas relacionadas à venda local de drogas a viagens, chegando às vezes a ir tão longe quanto a Virgínia e Nova York, para participar de reuniões com as outras facções da MS-13 em ascensão. Ele logo se tornou respeitado entre as várias facções por seu conhecimento corporativo da organização e sua capacidade de planejar eventos que incutiam o medo e promoviam o sindicato do crime da MS-13. Sua habilidade para escapar da polícia e sobreviver a hostilidades lhe rendeu o nome de El Espíritu, o Fantasma.

Três anos depois de sua entrada no grupo, Azazel foi encarregado de uma operação que lhe rendeu maior credibilidade nas ruas e o impulsionou para o comando da facção de LA. Ele planejou e realizou a execução de seu próprio recrutador, seu *hermano*, Conejo. Certos membros da MS-13 acreditavam que Conejo conspirava com a polícia local em troca de sua liberdade após provas circunstanciais o terem colocado na cena de um duplo homicídio. Especulava-se que suas confissões haviam derrubado um membro superior da MS-13, um cara que Conejo sentira ter-lhe demonstrado grande desrespeito por haver estuprado sua namorada depois de drogá-la.

Havia poucas regras na cultura da MS-13, mas uma lei era básica: *se delatar, morre*. Como resultado, em um local predeterminado, os membros masculinos remanescentes da facção de LA realizaram uma reunião secreta. Nesse encontro, foi decidido que como Azazel estava mais próximo de Conejo e era o homem em que ele mais confiava, devia ser-lhe concedida a honra. O assassinato recebeu sinal verde.

Azazel disse aos seus companheiros de gangue que os eventos tinham se revelado para ele em um sonho vívido no qual uma figura obscura lhe contara que, por meio de sua força e vontade, ele seria um líder. Mas isso por si só não faria dele um *grande* líder — somente pelo uso de sua raiva ele iria alcançar tal condição. Nesse sonho, a figura dissera a ele:

"O próprio Cristo será testemunha de sua vitória e ficará em silêncio. Sua presa morrerá facilmente, para que *Nós* a consumamos".

A figura estava vagamente iluminada devido à luz do sol que lhe batia por trás, Azazel disse a eles, como se lançada através de uma poeira asfixiante. À medida que a luz foi se apagando cada vez mais, a silhueta, desaparecendo junto com ela, disse-lhe: "Você é os meus olhos, as minhas mãos e a minha ira. Seu poder será notável".

Azazel acordou aterrorizado de seu sonho, coberto de suor, e entrou em pânico. Estava possuído por uma sensação visceral de que não estava sozinho em seu quarto, um sentimento que permaneceu. Sentia a orientação de algo mais poderoso do que ele e sabia que seu primeiro ato precisava ser determinante. O profeta de Azazel havia lhe mostrado o caminho para esse fim. O ato de Azazel entrou para a história da gangue como uma expressão inédita de violência ostensiva e derramamento de sangue.

Entrando em contato com Conejo, Azazel pediu sua ajuda em relação a uma reunião com um homem que iria lhe vender um anel de diamantes, que Azazel queria dar para uma garota que queria tornar sua mulher. Ele disse a Conejo que estava desconfortável em relação à transação, mas lhe garantiu de que seria no meio do dia e em um lugar seguro de sua escolha. Para acentuar a audácia de seu crime, Azazel providenciou para que a reunião ocorresse em uma igreja local. Os homens chegaram cedo e sentaram-se na última fileira de bancos, perto dos confessionários. A igreja estava mergulhada em silêncio, apenas os idosos da comunidade ajoelhavam-se na devoção do meio-dia. Sobre o balcão atrás de Conejo e Azazel, vigiando a igreja de sua posição altaneira, encontrava-se a joia da coroa da diocese — um vitral circular centenário representando o Deus Vivo em reflexão. A obra-prima fora dada à igreja oitenta anos antes, como um presente do papa Pio XI em agradecimento pelo auxílio ao novo pontífice em seus esforços para estabelecer uma *Pax Christiana* no rescaldo da Primeira Guerra Mundial.

A luz do sol brilhava pelo vitral, projetando cores em tons pastel através do rosto do Redentor sobre os de Azazel e Conejo. A localização dos dois na igreja possibilitava aos companheiros de gangue chegarem por trás sem serem vistos. As poucas testemunhas que estavam presentes na igreja fugiram rapidamente quando os membros da MS-13 asfixiaram sua vítima com um pedaço de corda usado em paraquedas militares. Azazel esfaqueou seu amigo treze vezes no peito antes de lhe cortar a garganta, quase o decapitando. Em seu peito, Azazel deixou uma nota em que se lia simplesmente "TRAIDOR", fincada em sua carne com a mesma faca que havia sido usada para apunhalá-lo. Antes de fugir, Azazel agachou-se sobre o corpo como se estivesse em oração, marcando sua presa em homenagem ao seu profeta. O corpo ensanguentado e sem vida de Conejo foi arrastado para o altar e abandonado sob o olhar iluminado do Cristo do vitral. Com os braços estendidos e os tornozelos amarrados com a corda que tinha sido usada para estrangulá-lo, Conejo ficou ao pé do altar, seu sangue escorrendo pelas escadas. El Espíritu havia sido bem treinado por seu irmão — negócios são negócios. Os assassinos nunca foram identificados.

John estava parado no quarto escuro de Azazel, após ter adentrado um pouco mais o aposento. Sentindo a pressão de ambos os lados daquele esquema, ele também estava ficando frustrado.

— Eu entendo, Azazel, mas não posso apressar as coisas tanto quanto você. Talvez você possa perguntar ao seu profeta onde ele está — acrescentou John, sarcasticamente.

Azazel arqueou as costas e levantou-se lentamente, pondo-se de pé. Com as cortinas fechadas para impedir a entrada da luz do amanhecer, ele parecia etéreo em seus movimentos. Com os punhos cerrados e os braços estendidos ao lado do corpo, ele começou a tremer, quase vibrando de raiva.

Por entre os dentes cerrados, Azazel cuspiu as palavras:

— Controle sua língua, ou eu a arrancarei de sua boca. Quero matar aquele filho da puta com as minhas próprias mãos, *vato*. Está me entendendo? Encontre-o!

O celular de John começou a zumbir suavemente. Afastando-se alguns passos de Azazel, ele atendeu.

— Alô? — Seus olhos se arregalaram e ele assentiu com um olhar firme em direção a Azazel. — Entendo, e a que horas desta manhã ocorreu essa transação? Obrigado, eu quero saber exatamente onde fica essa filial.

— Faça você a ligação — disse Azazel quando John desligou. — Quero que você diga agora a Job. Isso precisa terminar. — Azazel sentou-se novamente e virou-se para sua mesa sombria. — Quero que esse grupo seja pequeno. Duas ou três pessoas no máximo. Arranje tudo, organize o esquema e me avise quando estivermos prontos para sair. Precisamos terminar isso por *Ele*.

John pediu licença, saindo para o corredor iluminado, e esperou que a porta se fechasse atrás dele. Digitou o número e aguardou.

— Estou ouvindo — a voz do outro lado da linha era calma, mas profunda.

— Senhor, desculpe-me incomodá-lo tão tarde, mas eu gostaria de informá-lo que nós a encontramos.

— Você sabe o que precisa ser feito. Não nos decepcione.

— Sim, senhor. Não vou deixá-lo na mão dessa vez. Boa noite. — A linha ficou muda.

Capítulo 24

As últimas semanas haviam trazido as primeiras geadas da estação. O gramado verde, normalmente macio, tinha agora uma rigidez que se desvanecia com o nascer do sol. Aquelas eram as áreas percebidas pela maioria das pessoas: as áreas onde a luz conquistava a escuridão e afugentava o frio. Mas onde o sol não batia, na sombra das árvores da floresta, o gelo enfrentava a luz do dia com tenacidade. A capacidade de Fin de enxergar as áreas banhadas de luz, inalteradas, havia diminuído sob o peso de uma consciência crescente das áreas de escuridão e frio. Naqueles lugares onde a geada se mantinha, a vida que se estabelecera ali era sufocada um pouco mais. Acontecia o mesmo com o mundo de Fin, que a cada dia lhe trazia menos alívio e felicidade, e mais escuridão e asfixia.

As dores e os desconfortos de Fin se tornaram mais pronunciados, e ele estava começando a se mover como um velho artrítico. Seus espasmos musculares eram acompanhados agora por uma erupção cutânea que havia começado em suas costas sobre as duas omoplatas. A pele estava arroxeada como se houvesse sofrido uma pancada, grossa e áspera, e abaixo dela havia pequenas bolhas que subiam à superfície e estouravam diariamente. Ele a descascava constantemente, na esperança de encontrar pele saudável por baixo, mas o tecido sobrejacente em ambos os lados se recusava a sarar. Toda manhã, acordava sentindo dor, mas o pior de tudo era o peso da ausência de Eva em seu coração, e a cada manhã ele se perguntava por quanto tempo poderia permanecer ali se sentindo assim. Aquela manhã não foi diferente.

Rachel o estava observando enquanto se sentavam à mesa do café da manhã em silêncio.

— Querido, você precisa comer alguma coisa. Você está se consumindo. — Fin vinha recusando quase todas as refeições com eles. Ficava olhando fixamente para a frente, com um tique nervoso persistente na bochecha. Então ele fechava os olhos com força, na esperança de fazer aquilo parar.

— Eu vou comer mais tarde. Acho que gostaria de sair um pouco hoje.

— Ótimo! — Jack estava descendo as escadas do seu quarto, já vestido com jeans e uma ridícula camisa de pescador, de flanela xadrez vermelha. — Eu gostaria de um pouco de ajuda esta manhã para limpar o jardim, depois da ventania das últimas noites. Acho que agora já dá para juntarmos uns bons gravetos por aí, também. — Ele adorava sentir o ar frio enquanto sujava as mãos com um pouco de trabalho braçal.

— Isso seria muito bom, Jack! Que tal isso, Fin? — Rachel perguntou com afetado bom humor, esperando arrastar Fin para um estado de espírito mais leve.

Fin ficou ali parado, com o olhar perdido e um ar ausente. Nos últimos minutos, estivera mergulhado em seus pensamentos, consciente apenas de suas próprias fantasias.

— Como?... Perdão, eu não prestei atenção, o que você disse? — Erguendo a vista, agora ele podia ouvir as palavras do pai ecoando em sua memória. — Claro, vai ser ótimo. — Ele apaziguou seu público com um sorriso frouxo. — Dê-me apenas um instante para eu subir e trocar de roupa, antes. — Fin virou-se para deixar o seu banquinho e, sem querer, inclinou-se para a direita e caiu sobre o balcão. Batendo de lado, nas costelas, ele fez uma careta de dor.

— Eu estou bem, só um pouco tonto, só isso. — Ele se levantou e estendeu a mão aberta, sinalizando a Rachel que não precisava se levantar por sua causa. Ele se firmou momentaneamente, respirando fundo e olhando para o chão. — Pronto, estou bem, viram? Encontro você lá fora, então. Na escada, ele se virou abruptamente.

— O quê? O que você disse? — Fin olhou para Rachel e seu pai. Ele parecia confuso, porém mais presente emocionalmente do que momentos antes.

— Eu perguntei se você está bem para sair — disse Rachel, um pouco preocupada.

— Não, querida, depois disso. O que mais você disse?

— Eu não disse nada, Fin. Você está bem?

Ele fechou os olhos e balançou a cabeça de forma quase imperceptível de um lado para o outro. — Estou bem, só não estou dormindo bem. Talvez você esteja certa, querida, eu preciso comer mais. Vou trocar de roupa. Vejo você lá fora daqui a pouco, pai.

Jack gritou para ele:

— Vista um agasalho, está frio lá fora hoje.

— Sempre bancando a mamãe galinha com seus pintinhos. — Ouvindo a porta se fechar atrás de Rachel e seu pai, Fin começou a subir as escadas.

Estava sentindo falta de firmeza em seus passos desde que acordara naquela manhã, e um suave zunido nos ouvidos emprestava certo desequilíbrio à sua marcha. Aquele ligeiro incômodo havia crescido ao longo das horas e se transformado em um ruído mais persistente, como um leve sussurro, ou, talvez, vários sussurros juntos. Era distante o suficiente para que Fin não pudesse discernir o seu significado, se acaso tivesse algum. No topo da escada, os pés de Fin o traíram. Ele caiu desajeitado contra a parede à sua direita e bateu o cotovelo no corrimão.

— Merda! — Esfregou o cotovelo vigorosamente. Sentindo-se cada vez mais angustiado pela ausência de Eva, a frustração de Fin crescia mais facilmente do que o habitual. Apesar de suas pernas e sua visão lhe dizerem uma coisa, sua mente estava convencida de que o mundo o estava conduzindo para outra direção.

A cada degrau que subia, os sussurros tornavam-se mais insistentes e, apesar de sua natureza ininteligível, pareciam estar se aproximando. Embora fossem frustrantes, aquelas vozes eram consoladoras, quase reconfortantes. Os sussurros davam a Fin uma sensação de calma que ele não sentia havia bastante tempo. Fin virou-se para a direita novamente, dessa vez, usando a parede para se apoiar. Surpreendendo com o canto dos olhos uma névoa fugidia descendo a escada, um arrepio momentâneo eriçou os cabelos na parte de trás de seu pescoço. Fin sentiu por poucos instantes um aroma frutado no ar e se virou rapidamente, tentando seguir aquela coisa com os olhos e dar-lhe um sentido. No último degrau, a aparição hesitou, assumindo brevemente uma tonalidade vermelha translúcida na parte superior e uma cor azulada na inferior. O colorido desbotou e a figura sumiu de vista por completo.

Os pés de Fin mais atrapalhavam do que o ajudavam a descer os degraus, o que ele ia fazendo aos tropeções, depois daquela alucinação. Ele tentou se convencer de que a falta de sono e a sua depressão crescente eram responsáveis por aquilo, mas não podia negar a sua curiosidade sobre o fenômeno. Fin lutava para chegar ao final da escada, com a dor em seu ombro e as vozes em sua cabeça aumentando. Sentiu uma mão em seu ombro. Girando rapidamente, ele perdeu o chão por completo. Sua descida breve e violenta terminou em inconsciência, porém somente após o sussurro sem definição evoluir para um grito agudo.

Abrindo os olhos, Fin encontrou-se no *hall* de entrada. Não tinha ideia de quanto tempo ficara apagado, embora tanto a vertigem como as vozes agora, aparentemente, tivessem ido embora. Fin se recompôs e, levantando-se, abriu a porta e caminhou tropegamente para fora. O frio fez seu nariz doer e ressecou-lhe rapidamente os olhos. Fin piscou várias vezes, o que levou os tiques faciais a explodirem em uma onda de espasmos musculares.

— Você não mudou suas roupas. Fin, você está bem? — Jack estava de pé no meio do quintal com um carrinho de mão verde-claro ao lado dele e um ancinho nas mãos. — Filho, você está sem sapatos.

— Pai, você viu aquilo... ou ouviu alguma coisa?

— Vi o quê?

Fin levantou-se e olhou em direção à floresta abaixo da encosta.

— Nada, eu acho. — As pontadas nas costas estavam chegando em ondas torturantes agora. Era uma dor surda e profunda nos músculos. Ele fez uma careta enquanto revirava os ombros, em uma débil tentativa de aliviar sua angústia crescente.

— Talvez devêssemos ir para dentro um pouco. — Jack tinha deixado cair o ancinho e estava se movendo em direção ao filho quando Fin de repente se afastou e correu para a floresta.

— Espere, eu ainda posso ouvir você! — Fin gritou, enquanto descia o morro em disparada. Os sussurros eram mais altos agora, e quase chegavam a um nível de conversação. Em meio às muitas vozes, uma se elevou sobre as demais. Era mais clara e quase compreensível, agora.

— Fin, espere! — Rachel gritava, enquanto ela e Jack saíam em seu encalço.

Fin enveredou pela floresta, evitando a trilha feita de madeira que ia dar no lago, 120 metros abaixo. Fin corria por entre arbustos partidos e galhos caídos. Podia sentir a dor lancinante dos incontáveis espinhos e pedras que iam se cravando na carne de seus pés. Esquivando-se e correndo, ele era ocasionalmente redirecionado pelo movimento fantasmagórico quase imperceptível que capturava em sua visão periférica. O bosque estava escuro agora como se fosse o início da noite, com sombras espessas sufocando os fracos fachos de luz que atravessavam as copas. Os ruídos que o vento frio produzia nas árvores já não soavam como uma canção reconfortante. Em vez disso, lembravam Fin dos sons assustadores de sua infância, quando ele e seu irmão brincavam ali. Ele chegou à beira de um precipício de granito.

Deslizando para evitar a queda, olhou para baixo em direção ao agrupamento de árvores menos denso, próximo da água. Uma forma, mais distintamente humana do que a que ele tinha visto anteriormente, caminhava devagar em direção ao lago. O peito de Fin arfava de fadiga. A figura parou e virou-se na direção em que ele estava, no alto do precipício. Ela olhou para cima e, por instantes, pareceu ter notado a presença de Fin, antes de continuar.

Fin refez seus passos e retrocedeu até o caminho que ia dar no lago. Correndo pelos degraus de madeira, ele podia ouvir seu coração pulsando em seus ouvidos. As dores musculares eram agora uma realidade distante, enquanto ele corria sem esforço em direção à sua meta. Alcançando o fim do caminho, ele virou correndo em direção à margem do lago, trinta metros adiante, até parar derrapando na lama coberta de musgo fosco.

— Olá. Eu sei que você está aqui — ele gritou. — Eva? — Fin ainda podia ouvir os sussurros que o acompanhavam, junto com sua própria respiração pesada. Ele esperou, antes de continuar. — Eu sei que você está aqui, por favor, fale comigo.

Ele caminhou lentamente em direção ao lago. A cada grande árvore que contornava, esperava ser confrontado por aquele estranho, embora "estranho" não se encaixasse na sensação que tinha. O lago estava coberto de pequenas ondinhas que preguiçosamente percorriam seu caminho até a terra. Auxiliadas pela brisa suave, as samambaias que cobriam a margem se afastavam do castigo constante da água.

O sussurro havia se tornado agora um barulho ensurdecedor para Fin. A dissonância de vozes era quase insuportável quando somada à sinfonia da água batendo e do vento uivante. Cada onda soava para ele como uma pedra lançada contra a margem. Ele pôde sentir os passos de sua esposa enquanto ela se aproximava freneticamente. Com as duas mãos tapando os ouvidos em agonia, ele se voltou para o dique e tentou gritar acima do barulho.

— O que é isso? — Fin gritou para Rachel, agachando-se na beira da água.

— O que é o quê? Querido, por que você está gritando? — A floresta estava em silêncio, exceto pela brisa suave e pelos ocasionais estalos de madeira.

O barulho ensurdecedor crescia, tornando-se cada vez mais alto, não importava o que ele fizesse para tentar pará-lo. Cobrindo os ouvidos, ele mal podia tolerá-lo, e apesar de saber que a esposa estava falando com ele, já não conseguia mais ouvir coisa alguma do que Rachel dizia. O barulho martelava pesado em sua cabeça e ele começou a sentir vertigem de novo. Fin pressionou a cabeça entre as mãos e caiu de joelhos na relva macia perto da beirada da água. Justamente quando a cacofonia tornava-se quase insuportável, tudo parou.

A breve tranquilidade foi preenchida por uma única e clara voz feminina que veio de trás dele.

— Um céu que você não pediu é o inferno que você vai suportar.

Fin se virou e olhou para cima, para ver uma silhueta recortada contra o sol.

— Está tudo bem, Fin. Eu sei como você está se sentindo, e concordo com você.

Fin levantou-se lentamente. Ela estava usando seu velho e confortável casaco vermelho com um par de calças azuis desbotadas, que Rachel tinha dado a ela no Natal havia alguns anos.

— Estive chamando você, e sinto muito se isso tudo está lhe chegando rápido demais. Muitas coisas estão prestes a mudar, e você precisa ser forte por Eva, meu filho.

Exausto e parado com os pés descalços na água fria, Fin só foi capaz de murmurar uma única palavra:

— Mamãe!

Quando ela colocou os braços em torno dele, o silêncio que lhe havia trazido começou a desmoronar. Fin podia ouvir os ruídos recomeçarem.

Capítulo 25

Dana Pinon e seu departamento haviam conservado o *status* de "aberto" na investigação Canty, como faziam com a maioria dos casos não solucionados de pessoas desaparecidas.

— O cara evaporou ou, pelo menos, já não está mais naquela área. — Era sempre difícil para os agentes quando uma trilha esfriava, especialmente em casos como aquele, em que havia uma criança envolvida. — A última vez que interroguei o padre Moriel foi pouco antes da Arquidiocese... ou do bispo, acho... decidir transferi-lo. — Dana vasculhava o arquivo enquanto segurava o telefone entre a orelha e o ombro.

A delegacia de Graves tinha fechado o caso havia três meses. Supunham que o FBI iria continuar indo atrás de quaisquer novos desenvolvimentos que pudessem surgir. Com seus recursos limitados, não tinham condições, tanto materiais como de pessoal, para investigar tais casos para além do que era considerado razoável para uma delegacia municipal. E, àquela altura, presumir que a menina estava morta era o que lhes parecia razoável.

— Pode ser que tenhamos uma nova pista no caso... talvez. — Graves continuou rapidamente. — O que você quis dizer quando falou que ele foi transferido?

— O arcebispo decidiu que era melhor lhe dar um novo espaço em que pudesse continuar a sua missão.

— Você faz alguma ideia do local para onde ele foi enviado?

— Para algum lugar no México, creio eu. Acho que, por causa de suas visitas missionárias mensais a Tijuana, a Igreja sentiu que era um passo óbvio. — Dana tirou os sapatos debaixo de sua mesa antes de colocar os pés para cima.

— Por que eu não estava ciente do fato de que um personagem-chave neste caso havia sido transferido para outro país?

— O caso não é mais seu, Tom, e, além disso, já faz alguns meses agora. Fui informada de que, antes de se mudar, ele iria visitar a família restante de Canty na Costa Leste. Acho que ele foi até lá para entregar as cinzas do morto e rezar uma missa em sua memória.

— Ele foi transferido como parte do programa de proteção de testemunhas do FBI?

— Não, foi apenas em resposta a alguns conselhos que nós lhe demos. — Dana ainda achava o som da voz de Graves, mesmo quando a conversa era sobre trabalho, reconfortante.

Graves fez uma pausa.

— Por que ele se mudou, então?

— Fomos avisados de que ele estava sendo espionado pelas gangues e o aconselhamos, ou melhor, aconselhamos a Igreja a providenciar a transferência.

— Espionado como?

— Tínhamos motivos para acreditar que membros do mesmo grupo responsável pela morte de Fin Canty e pelo desaparecimento de sua filha estavam se fazendo passar por agentes do FBI para obter mais informações do padre. Achamos que eles estavam tentando encontrá-la. Parece que esse crime de gangue não é tão rotineiro quanto nós supúnhamos. Não conseguimos ir adiante quanto a isso.

— Por que não? — Graves conhecia muito bem o faro e a tenacidade de Dana e para ele era uma surpresa o fato de ela não ter sido capaz de desatar aquele nó. Apesar de suas feições delicadas e do corpo esbelto e atlético, ela tinha personalidade e temperamento suficientes para dois bons agentes... e não tinha medo de exercer pressão necessária para realizar o trabalho corretamente.

— O padre Moriel não foi capaz de nos dar nenhuma informação útil. Não conseguia se lembrar de nada importante sobre a nossa suspeita, a não ser que era uma jovem hispânica trajando um terninho escuro. — A visão de suas longas pernas em cima da mesa, estendidas por baixo da saia, tinha começado a distrair os seus subordinados, que explodiam de testosterona. — Os dois só se encontraram uma vez após o assassinato, em sua paróquia.

— As câmeras de segurança não registraram nada?

— A mulher entrou por uma porta que estava fora da linha de visão de qualquer câmera de vigilância. Tanto as da igreja como do entorno. Nossas sugestões foram acatadas pela liderança da Igreja Católica na Costa Oeste. Dissemos que, pelo bem de Moriel, deveriam removê-lo de uma situação pouco segura antes que tivéssemos outra morte para investigar.

— Você confiou nele?

— Não, mas, mesmo assim, não tínhamos escolha nessa questão. Era a coisa certa a fazer. Além disso, nós o vigiamos de perto por meses sem que notássemos algo remotamente suspeito acontecendo. — Dana se impacientou: — Tom, aonde diabos você quer chegar?

Houve uma breve pausa enquanto Graves pensava duas vezes se deveria contar aquilo a Dana por telefone.

— Recebemos uma mensagem de e-mail codificada esta manhã de alguém que alega ser o padre Moriel. De acordo com a mensagem, ele acha que pode ter encontrado a nossa menina desaparecida no México.

A frequência das visões havia aumentado ao longo do último ano. Aconteciam quase todas as noites agora. Algumas vezes, pareciam consumir seu sono completamente, e em outras, eram apenas breves vislumbres de cores e sons. Não importava em que forma se apresentassem, eram características o suficiente para que, a cada hora acordado, Job soubesse que ele ainda estava sendo observado e que seu papel não tinha sido esquecido. Havia pouquíssima comunicação, embora a mensagem claramente não houvesse mudado. Job sabia que ele não era o único discípulo, mas a besta nunca lhe dera mais do que suas instruções pessoais. Dissera a Job onde encontrar Azazel, mas só isso. Exigira obediência para que o acordo entre eles fosse honrado.

Nem o sonho daquela noite nem quaisquer dos rituais prévios tinham sido diferentes. Ao longo dos meses desde o fracasso no sul da Califórnia, a besta havia exigido sacrifícios. O derramamento de sangue humano era fundamental nos rituais, embora não importasse a fonte. Se o sacrifício fosse descoberto, tudo o que havia sido planejado seria desfeito, o que deixava apenas um meio de apaziguamento.

As ofertas não poderiam ser evidentes. Tinham de estar em locais que agradassem seu mestre, mas não o denunciassem. No início, a dor limitara os esforços mais corajosos de Job a pequenos cortes em seus próprios braços e pernas, mas ele superara isso. A oferta daquela noite seria suficiente para salvar a sua fé católica, se não a sua própria pele. Ele rezou para que Deus não o condenasse por aquela traição, e as descobertas prometidas a ele pela besta justificariam tudo o que ele tinha feito, garantindo o perdão em seu sucesso.

O sangue escorreu pelo peito de Job, deitado dentro da banheira vazia, empoçando em torno dos músculos sobre as costelas e em sua axila esquerda. Ele retirou o bisturi de lâmina número dez da parte superior de seu tórax, abaixo da clavícula, deixando para trás um caminho carmesim que o diferenciava dos esforços da noite anterior. O corte sacrificial entrara fundo na parte mais grossa do músculo, provocando espasmos nas fibras. Dava para ele sentir o calor do líquido se acumulando debaixo dele, em contraste com a frieza da cerâmica da banheira em contato direto com sua pele nua. O músculo peitoral e o deltoide de Job se contraíram com a intensa irritação provocada pela lâmina de aço inoxidável, bem como com a crescente perda de sangue. A resposta imediata de seu corpo àquela intrusão já tinha causado um entorpecimento irradiante que já havia alcançado o seu cotovelo e o dedo mínimo. Nada daquilo era novidade para ele, e, ainda assim, todas as noites era um desafio e um exercício de tolerância. Job permaneceu ali por vários minutos, enquanto os filetes de sangue escorriam em direção ao ralo aberto, permitindo que a plena intenção de suas ações fosse conhecida. Tudo em nome do Senhor, o único e verdadeiro Redentor, por quem Job arriscava e sacrificava tudo.

— O Senhor é bom — ele murmurou, rasgando um pouco mais a carne com a lâmina. — Não cabe a nós perguntar por quê, mas aceitar o caminho que nos foi dado.

Depois de se levantar, ele apertou o grosso roupão contra o peito, fazendo com que a pressão direta diminuísse o sangramento. Aquelas lacerações eram profundas, embora administradas cirurgicamente. Os meses o haviam deixado salpicado com as cicatrizes de suas ofertas, espalhadas pelos membros e pelo tórax, cada uma em diferentes estágios de cicatrização. As feridas frequentemente fechavam por conta própria dentro de alguns dias, embora a dor nunca recuasse totalmente. Depois de completar o seu sacrifício e a limpeza, ele se recolheu para dormir.

Algumas noites, as visitas tinham início, ao que parece, antes mesmo que ele estivesse completamente adormecido. Elas começavam com ruídos e cheiros. Havia muitas vozes. Ao fundo, sussurros poderosos que pareciam gritos reprimidos. Não dava para discernir nenhum deles, mas todos eram atormentados e sempre presentes. Havia o cheiro de carne queimada, que o fazia lembrar dos animais que, quando jovem, ele e seu pai tinham matado e assado em suas viagens de caça prolongadas. Só que ali era muito mais penetrante. Muitas vezes, o que ele desejava ver era embaçado pelo choro incontrolável que experimentava em face daquele fedor. Sua pele também era queimada quando exposta à sujeira acre que pairava no ar. Naquela noite, quando ele adormeceu, a visão começou dessa forma mais uma vez.

— Eu desejo a pequena aqui comigo. Ela vai servir para atrair o pai dela para cá. — A nuvem em turbilhão dourada e marrom que encobria o atormentador de Job sacudiu com sua voz de barítono quando se assentou, revelando parcialmente uma enorme criatura que ele nunca vira por completo. Tremendo aos seus pés fendidos, Job sentiu seu desejo de fuga abandoná-lo. Ele caiu de joelhos diante daquele monstro em decomposição. O rosto da besta só era identificável por suas órbitas incandescentes cor de laranja fixas sobre ele, enquanto falava. As chamas do próprio inferno pareciam delinear a silhueta daquele demônio.

— Como sabemos que ele vai condescender? — Job desviou os olhos e permaneceu prostrado.

— Já começou. Quando ele chegar, a sua escolha de abandonar sua própria salvação já terá garantido a minha. — Os ventos em turbilhão diminuíram e os sussurros desapareceram rapidamente na distância. — Mande-a para mim. Não falhe comigo dessa vez.

Job acordou com um sobressalto, sentindo o peito arder e o sangue fresco escorrendo lentamente através do curativo para a camisa do pijama de seda. Seu braço latejava e seus dedos só tinham ficado mais dormentes desde que adormecera. Deslizou as pernas para a lateral da cama. Aqueles sonhos pareciam bastante irreais muitos meses atrás, mas, agora, apesar de sua sobrenaturalidade, eram tão reais para ele quanto sua visão acordado. O Senhor Deus o estava testando, e ele não iria falhar. Sua lealdade à sua fé católica era forte, e não importava que punições sofresse por vontade daquele demônio, não importava o que ele tivesse que sacrificar, ele não deixaria o seu Deus. Tanta coisa já havia sido sacrificada que não havia como voltar atrás agora. Ele iria fazer com que o mundo tivesse prova da vida após a morte, uma prova que ele desejava tão desesperadamente.

Job caminhou lentamente até o banheiro e abriu o armário de remédios. Tirando o pijama, substituiu o curativo empapado e voltou para a cama. Esperava que o restante da noite fosse de sono pacífico.

Capítulo 26

Sal podia sentir os pregos do velho genuflexório de madeira machucando a carne de seus joelhos. Ajoelhado no fundo da pequenina igreja, ele saboreava o crescente desconforto que sentia. Ele se perguntou como fora parar tão longe de um estilo de vida penitente. Olhando ao redor do interior da antiga construção, ficou maravilhado com suas paredes de madeira escura e seu teto alto, havia tanto tempo sustentado por vigas de madeira rústicas. Aquela casa de adoração sintetizava a religião católica como era em seus primórdios. Construída séculos antes, de maneira humilde, seus paroquianos haviam cuidado amorosamente de sua estrutura de madeira envelhecida, alimentando a sua existência da mesma forma como faziam com a deles próprios. A pintura externa branca, ainda mais clara pela ação do sol do que no dia em que fora pintada, estava descascando com os efeitos lentos e poderosos da maresia. A igreja se localizava no topo de uma colina careca, cujas encostas de vegetação balouçante conduziam o vento e os pássaros até o alto. Seu singelo campanário abrigava um sino de bronze de trezentos anos, agora manchado de verde por causa do tempo. E, protegidas em seu interior, aliviadas da carga forjada diariamente pelos males do homem, gerações de habitantes rezavam juntas pela salvação eterna. Aquela era a família que recebera a ele e Eva de braços abertos, e sem quaisquer perguntas.

Os raios de sol filtrados pelos modestos vitrais criavam retalhos de cor no chão, dentro dos quais se sentava a pequena Eva, cantarolando baixinho para si mesma, aos pés de Sal. Ele havia desviado a atenção do sermão do padre visitante, atraído pela música simples e a pureza inabalável da menina, enquanto ela traçava desenhos com o dedinho na poeira fina que cobria as tábuas de madeira desgastadas do chão. Próxima a ele, ajoelhava-se a sua avó de 70 anos, ouvindo as palavras do novo sacerdote. Sal sabia que ela estava secretamente emocionada porque ele finalmente voltara para a igreja.

Isso é mais por ela do que por mim, dissera ele a si mesmo. Parecia que isso tornava mais fácil para ele abandonar um pouco de sua culpa e dar esse primeiro passo.

— *Leitura do livro de Jó.*

O novo padre estava na cidade fazia apenas algumas semanas, apesar de Sal observar que sua avó já parecia estar cativada por ele. Várias vezes ao longo de sua homilia, os dois haviam feito contato visual, e ela parecia bastante satisfeita com isso. Sal apreciara seu sotaque americano, porém a capacidade daquele pequeno homem rotundo de andar no meio das pessoas, pregando sem ter de ler a palavra do Senhor, foi o que mais lhe chamou a atenção. Ele se sentia muito seguro ali. Aquele ambiente familiar era o que ele ansiava, e do que Eva necessitava.

— *Pois Deus olha para o proceder do homem, vê todos os seus passos.*

As palavras do padre ecoavam no piso e nas paredes sólidas, dando-lhes uma aura ainda mais virtuosa.

— *Não há obscuridade, nem trevas onde o iníquo possa esconder-se. Não precisa olhar duas vezes para um homem para citá-lo em justiça consigo. Abate os poderosos sem inquérito e põe outros em lugar deles...*

Sal reparou na forma como o padre recitava o *Livro de Jó* sem nunca abrir os olhos; parecia sentir o espírito e permitir que as palavras simplesmente se derramassem. Entretanto um calafrio percorreu seu corpo enquanto ouvia as palavras do sacerdote. Um calafrio que anteriormente havia conseguido pôr de lado com o otimismo que aquele lugar estimulava.

— ... *pois conhece suas ações; derruba-os à noite, são esmagados. Fere-os como ímpios, num lugar onde são vistos, porque se afastaram dele e não quiseram conhecer os seus caminhos, fazendo chegar até ele o clamor do pobre e tornando-o atento ao grito do infeliz.*

— Vamos embora — disse ele em voz baixa, voltando-se para sua avó. — Acho que precisamos sair daqui. — Estavam de pé agora, depois do período que passaram ajoelhados. Sal sentia-se ansioso ou culpado. De qualquer maneira, as palavras do padre haviam tocado um ponto sensível, deixando-o desconfortável.

— Relaxe, está tudo bem, Salvador. — Ela fez um gesto em direção a Eva, sentada calmamente no chão debaixo do banco, brincando. — Depois da comunhão, vamos ficar um pouco e conversar com o padre.

— Não. Precisamos ir para casa. — Ele olhou para Eva. Na poeira que a cercava, ela havia rabiscado uma série de traçados, todos semelhantes, diferindo um do outro apenas na sua dimensão ou orientação. Alguns grandes, outros pequenos, mas todos formavam o mesmo símbolo.

Sal ajoelhou-se de novo e admirou o seu trabalho. Ele estendeu a mão e suavemente acariciou seus longos cabelos negros.

— O que você está desenhando, querida? — perguntou-lhe em voz baixa.

No início, Eva não respondeu. Cuidadosamente, terminou a figura em que estava trabalhando e, depois, olhou para ele.

— Meu papai.

Surpreso com a resposta, ele observou mais de perto seus rabiscos. Ela não falava do pai fazia vários meses.

Sal examinou os desenhos com atenção. Os símbolos eram compostos de um círculo com uma única linha que atravessava o seu centro.

Ela havia desenhado essa figura simples no pó várias vezes até onde seus bracinhos podiam alcançar sem borrar os desenhos que já havia traçado.

O restante da congregação também se pôs de joelhos, como Sal já estava. Sua ansiedade aumentava.

— Está bem, vamos esperar a comunhão, mas, depois, vamos embora. Não quero ficar aqui depois da missa hoje — Sal sussurrou.

Sua avó pareceu desapontada.

— Eu disse ao padre que hoje ele iria conhecer você e Eva. Ele parecia muito interessado em conhecer vocês dois.

Sal odiava desapontá-la.

— Sinto muito, hoje não; talvez, na próxima semana.

Depois de receber a Eucaristia, a pequena família saiu pela parte de trás da igreja, como católicos de "meia-tigela", antes da oração final. O trajeto para casa foi percorrido quase em silêncio: apenas Eva falava. Estava conversando com um amigo invisível.

— Com quem está falando querida? — perguntou-lhe sua *abuela*.

— Ninguém... eu vou ver o papai em breve? — Os dois passageiros do banco da frente trocaram breves olhares.

— Era inevitável, Sal — sua avó falou baixinho. — Ela tem quase 4 anos de idade. Temos que conversar com ela sobre isso mais cedo ou mais tarde.

— Essa é a segunda vez hoje que ela fala nele — ele respondeu, também sussurrando. Sal estava começando a se sentir mais desconfortável.

— Por que você está perguntando isso, Eva? — Sal projetou sua voz para o espelho retrovisor. Queria saber por que razão aquele assunto tinha ficado adormecido durante tanto tempo e só agora viera à baila novamente.

— Ele sente a minha falta.

A surpresa impediu-os de dizer qualquer coisa depois de ouvirem a resposta triunfante da menina, enquanto entravam na garagem. Sal ficou chocado ao ver a porta da frente de sua casa de estuque simples entreaberta.

— Será que nos esquecemos de fechar a porta? — ele perguntou retoricamente, enquanto subia o caminho de pedra. Sal observou a casa com cuidado. Nada mais parecia grosseiramente fora do lugar.

Ele estacionou a poucos metros da entrada da casa.

— Espere aqui. Fiquei com uma sensação estranha o dia todo. — Ele agarrou a maçaneta da porta e soltou seu cinto de segurança. Deixando o cinto deslizar por cima do ombro esquerdo, abriu a porta e colocou um pé no chão. — Deixe-me dar uma olhada antes, então, volto para buscar vocês duas. — Ele saiu do carro correndo e desapareceu nos fundos da casa.

Na porta de trás, Sal notou marcas profundas na areia molhada.

— Merda — ele murmurou baixinho. Tinha havido alguns pequenos delitos na área ultimamente, pequenos arrombamentos, apesar de a comunidade não ser grande. Os moradores sentiram que era resultado do aumento do número de turistas. Sal respirou fundo, tentando manter a ansiedade sob controle e não ter uma reação exagerada. Abriu a porta dos fundos e entrou na casa.

Dava para ouvir a TV, mas isso não era nada incomum. Eva havia descoberto recentemente que podia ligá-la e desligá-la sozinha, e muitas vezes ela a deixava ligada quando saíam de casa. Sal sentiu seu coração disparar e a adrenalina começar a circular em suas veias. Ele fechou a porta atrás de si e esgueirou-se para o quarto imediatamente à sua direita.

O quarto estava bem iluminado e vazio. Não havia sinal de qualquer perturbação. Ele enfiou a mão na gaveta das cuecas na cômoda e tirou dali sua pistola nove milímetros. As balas estavam no carregador, que era guardado separadamente da arma, para a segurança de Eva. Erguendo-se na ponta dos pés, ele o pegou da sanca que rodeava todo o aposento. Com um movimento decidido, meteu o carregador na arma com um forte estalo, forçando o botão liberador para fora.

Sal deteve-se por um momento, escutando com atenção para detectar qualquer movimento. Virando-se, ele se dirigiu silenciosamente para o corredor, indo para a sala de estar e a mesa de café da manhã. À medida que percorria lentamente o andar térreo em direção à frente da casa, ele destravou a arma e puxou a corrediça para trás, colocando uma bala na câmara.

Sal parou quando alcançou o quarto de Eva, à sua direita. Espiando lá dentro, observou que havia areia no piso de cerâmica em frente ao seu pequeno tapete. O som de uma cadeira sendo arrastada contra o piso voltou o seu olhar em direção à cozinha.

Isto está mesmo acontecendo?

Ele havia se convencido de que já estava seguro.

Como eles puderam me encontrar?

Tinha certeza de que não havia deixado nenhuma pista para eles seguirem.

— Controle-se — ele murmurou. Ele estremeceu em reflexo a outro ruído abrupto. Aquele parecia muito mais nítido do que o último.

Nunca deveria ter deixado as mulheres no carro.

Sal respirou fundo e tentou engolir sua ansiedade. Ele surgiu repentinamente do canto apontando sua arma para a cozinha, o coração na garganta.

— Filho da puta! — Ele baixou o olhar e deixou pender o braço da arma. — Sai daqui! Cai fora! — Um cãozinho amarelo e sujo encolheu-se de medo diante da explosão de Sal. De alguma forma, ele havia entrado na casa e estava revirando o seu lixo. Havia feito uma tremenda bagunça na cozinha. — Vira-lata de merda. Passa! — O animal levantou a cabeça para olhá-lo, enquanto caminhava para a porta da frente, com o rabo entre as pernas. Fazendo contato visual com ele enquanto passava, o cão de repente baixou suas orelhas e desviou o olhar para o borrão escuro capturado pela visão periférica de Sal. Antes que pudesse reagir, Sal recebeu um forte golpe na têmpora. Seu mundo perfeito turvou-se por um instante antes de tudo ficar escuro.

Moriel caminhou pela pequena igreja, apertando a mão de todos os seus novos paroquianos, enquanto se encaminhava para o banco em que tinha visto a velha senhora sentada. Ela tinha se esforçado tanto para que ele soubesse da situação deles que o padre não poderia esperar outra coisa a não ser encontrar Eva.

Ele não conseguira vislumbrar nenhuma criança sentada com eles durante toda a missa, mas ainda tinha fé de que a encontraria. Na confusão agitada que é a comunhão católica, juntamente com o êxodo em massa, muitas vezes resultante de um longo sermão, ele os perdera de vista. E se já tivesse passado o banco onde eles estavam esperando? Será que já haviam ido embora? A senhora parecia tão convencida de que todos se encontrariam hoje. Algo incomum chamou sua atenção quando ele se virou em direção ao vestíbulo.

À sua esquerda, em um banco situado mais para o fundo da igreja, havia uma jovem hispânica. Estava de joelhos, não em oração, mas parecendo inspecionar algo no chão. Chorava baixinho, seu corpo estremecendo a cada onda de emoção. O padre a olhou por um momento, seus dedos traçando um padrão no chão de novo e de novo na luz dourada da tarde. Ele deu mais alguns passos em direção à jovem.

Sentindo seus olhos sobre ela, Maria ergueu a cabeça, em direção ao padre. Por um momento, ambos congelaram surpresos por seu reencontro inesperado. Olhando em direção ao chão, por cima dela,

Moriel colocou a mão suavemente em seu ombro. Ele franziu o cenho quando notou nos símbolos desenhados no pó embaixo dela.

Em meio ao choro, Maria confessou. — Ela esteve aqui. Eu vi essas imagens nos escritos de Azazel.

— Ela apontou para os traçados de Eva no pó, as lágrimas borrando as bordas dos símbolos enquanto caíam. — Eu os perdi, padre, eu os perdi, e agora ele vai encontrá-la.

— Meu Deus — o padre sussurrou enquanto fazia o sinal da cruz. Esfregando os dedos no pequeno broche que trazia no bolso do peito, aquele que Eva lhe dera tantos meses atrás, ele percebeu que também havia visto aquele símbolo antes.

Capítulo 27

Ele acordou onde tinha caído, mas em uma posição desconfortável e forjada. A cabeça de Sal latejava e, só de mover os olhos, sua visão já se turvava. Estava de costas, com os braços estendidos para os lados e os pés juntos. Reconheceu a posição como a mesma em que encontrou os seus pais mortos, muitos anos antes. Pôde distinguir uma figura andando de um lado para o outro, não muito longe dele.

— Você pensou que poderia se esconder de nós? — Azazel estava fervendo de raiva. — Você pensou que não iríamos encontrá-lo? Hein, Vira-Lata?

— O que você vai fazer, Azazel? Vai me matar por eu ter deixado a gangue? — Sal se apoiou no cotovelo sabendo muito bem que aquele era o plano de Azazel. Sua arma chamou-lhe a atenção, brilhando na luz da manhã ao lado da porta, onde havia caído.

— Você pode tentar, *hermano*, mas nunca vai conseguir.

Sal sentou-se lentamente, com a mão na cabeça, no ponto onde havia sido atingido. Um galo já estava começando a se formar em sua têmpora.

— Vou matar *vocês dois* por terem saído. Onde ela está?

— Onde está quem? — Ele fez uma careta, endireitando um pouco o corpo.

— A garotinha. Da velha, eu já cuidei lá no carro. Um alvo fácil, enquanto você estava fora. Está perdendo o jeito para a coisa, Vira-Lata. É a menina que eu quero. — Azazel estava de pé sobre ele, o que permitia a Sal dar uma boa olhada nele agora.

— O que *aconteceu* com você? — Azazel estava magro, e sua pele tinha assumido uma aparência acinzentada, uma cobertura quase translúcida através da qual suas veias pareciam gritar para escapar. Seu cabelo estava ralo em vários pontos da cabeça, revelando um couro cabeludo branco por baixo.

— Será que você reconhece a posição em que acordou? Eu só uso isso para ocasiões especiais... como com seus pais. — Seu amplo sorriso denunciava o prazer que sentia em revelar aquele segredo. — Eu lhe disse que as coisas nem sempre eram como pareciam.

A fúria de Sal o dominou. Ele se pôs de pé com os punhos cerrados de raiva e deu alguns passos vacilantes em direção ao ex-amigo.

— Seu filho da puta...

A poucos centímetros de distância, Azazel esticou o braço e apontou a arma para o rosto de Sal.

— Precisávamos de mais sangue nativo. Bastaria apenas um pouco de persuasão para você deixar de ser um aspirante a garoto branco certinho. E, de fato, foi assim mesmo — acrescentou com um sorriso —, bastou apenas um pouco de persuasão. — Ele puxou o cão de sua arma para trás, armando a agulha de disparo com um clique abafado. — Observei você por um tempo, com suas camisas de botão e os livros escolares. A execução dos seus pais me proporcionou um pouco mais de prática no meu ofício, e outra coisa também, algo que eu não tinha certeza de que poderia obter: você, meu *expert* em finanças... e um irmão — acrescentou sarcasticamente.

— Eu nunca fui seu irmão, seu doente filho de uma...

Azazel deu alguns passos para a frente, forçando Sal a se calar pela proximidade da arma.

— Eu estava perdido, naquela época — disse ele, enquanto apontava o cano da arma para o rosto de Sal —, antes d'Ele, mas não agora. Desde que formamos uma equipe, a minha missão é clara. Agora, vou terminar o que comecei: a obra do Mestre.

O som de uma porta de carro fechando fez com que Azazel virasse a cabeça, tempo suficiente apenas para que Sal cobrisse rapidamente a distância entre eles. Os dois homens voaram para trás quando Sal, mais pesado, os derrubou por cima da mesinha de centro, lançando longe tudo que havia nela. Em meio à madeira quebrada e ao vidro estilhaçado, Sal freneticamente agarrou os pulsos respingados de sangue de Azazel enquanto lutavam, um tentando dominar o outro.

Sal prendeu Azazel firmemente contra o chão. Fazendo uma careta pela dor lancinante em suas costelas, Azazel reuniu cada milímetro de força para derrubar seu oponente. No estado debilitado de Azazel, Sal o superava em peso e músculos.

Mas, lentamente, como que por uma força sinistra, o vigor de Sal o deixou. Ele podia sentir a disposição de lutar sendo drenada de seu corpo. Em seu estupor pré-desmaio, ele percebeu: o líquido vermelho que os banhava era dele próprio, não de seu inimigo. Sua força se esvaía por meio da laceração profunda e irregular em seu pulso esquerdo ocasionada pelo vidro quebrado, a cada ejeção pulsátil de sangue. Então ele largou frouxamente seu agressor no chão. Segurando desesperadamente o pulso esquerdo, Sal podia sentir os jatos mornos de sangue escorrendo por entre seus dedos e uma névoa que começava a cobrir tudo ao seu redor.

Azazel se levantou. Coberto do sangue de seu irmão, ele ergueu a arma novamente.

— *Adiós, hermano.*

Sal ouviu o estalo de uma arma de fogo, mas a única coisa que sentiu foi o frio de sua própria perda de sangue. Perguntou-se se a morte havia lhe trazido uma paz que o impedia de experimentar mais dor. Abrindo os olhos, Sal se defrontou com a visão de seu velho amigo olhando incrédulo para uma mancha em expansão em sua própria camisa. Azazel estava segurando o abdômen quando começou a cambalear para trás. De pé a menos de um metro e meio atrás dele, enquadrada pelo vão da porta, estava Eva. A arma de Sal era pesada demais para ela, que, não aguentando o coice do disparo, a largou, produzindo um baque no chão de cerâmica. Saía fumaça pelo cano. Azazel caiu de joelhos involuntariamente e voltou sua atenção para Eva.

Sal jazia em silencioso horror, com a cabeça apoiada desconfortavelmente contra a lateral do sofá. Observando o desenrolar dos acontecimentos, e incapaz de detê-los em seu estado debilitado, sua visão se desvaneceu quando o calor de sua vida escoou pelo chão por baixo dele.

Azazel desabou enquanto o sangue da aorta escorria de sua ferida fresca. Num esforço de concentração, ele perpetrou seu último ato de maldade antes de morrer.

Em seus momentos finais, a última coisa que Sal ouviu foi o estrondo de um último disparo deixando o cano da arma de Azazel. Ao partir, sua alma o fez com o conhecimento de que tinha falhado em sua promessa a Deus. Em defesa dos pecados de Sal, o anjo dele se tornara uma pecadora impenitente em seus últimos minutos na Terra.

Capítulo 28

Apertando o peito em uma agonia que rivalizava com a sua própria morte, Fin tropeçou em águas mais profundas. A dor que estava sentindo era visceral. Embora nada tivesse acontecido fisicamente com ele, a sensação de ter sido trespassado por algo era esmagadora. Ele recuperou o equilíbrio e se levantou. Agora, com a água na altura da cintura, sua família aparentava estar desaparecendo ao longe. Ele estendeu a mão aberta gesticulando para que eles ficassem onde estavam.

— Eu não posso ficar — gritou para eles, que pareciam recuar. — Agora entendo o que o papai quis dizer. Não posso permanecer aqui por mais tempo. — Uma corrente insidiosa, que ele jamais havia notado no lago antes, puxava seus pés. Aquele rio latente conduzia-o para águas mais profundas. Caminhando de costas, Fin continuou: — Sinto muito, Rachel, amo você, mas tenho que encontrá-la.

Com lágrimas escorrendo pelo rosto, Rachel correu pelas águas rasas do lago atrás dele. A sogra a segurou pelo braço.

— Querida, você não pode ir para onde ele está indo... Seu vínculo com Eva não é o mesmo. Nossas almas estão em repouso, porque elas são completas, mas nem todo mundo é assim. Alguns de nós têm almas gêmeas, e esses pares não precisam necessariamente ser nossos parceiros em vida. A alma de Fin nunca foi completa aqui, e, não sendo, não poderia ficar aqui. Eva é a alma gêmea de Fin... Ela é a outra metade que completa a sua salvação. O destino dele se encontra em outra trajetória a partir daqui, longe de nós. — Eles ficaram observando enquanto Fin se distanciava cada vez mais. Afundando lentamente, ele prosseguia seu caminho, afastando-se deles.

Fin havia se virado e estava de frente para a vastidão líquida. Agora, já não conseguia mais avistar o outro lado do lago, podia ver apenas a água que se estendia à sua frente. Sentindo seus pés deixarem o fundo suave e lodoso, ele ficou à deriva. A água parecia mais turbulenta e mais quente do que a da margem, e as ondas ocasionalmente lavavam o seu rosto. Os sussurros haviam retornado, embora a voz de sua mãe não estivesse entre eles. Sabia que estavam chamando por ele, compelindo-o a ir adiante, embora não conseguisse entender o que diziam. As ondas tornaram-se ainda maiores, forçando-o a elevar-se em suas cristas, para depois cair impetuosamente, encontrando-se momentaneamente abaixo da superfície. Fin cuspia e tossia enquanto lutava para se manter à tona.

Já não conseguia ver o horizonte. Só enxergava uma névoa envolvente que se tornava cada vez mais escura. Pensar em Eva e sua dor o torturava ainda mais em meio à sua apavorante situação, lutando para se manter na superfície enquanto a água agora já lhe entrava pelo nariz e pela garganta. Fin tossia espasmodicamente, recordando os pesadelos que havia tido depois da morte de Rachel. Todo esforço que fazia para respirar era respondido com um dilúvio que o sufocava ainda mais. No começo, ele prendeu a respiração, esperando por uma oportunidade para repor o ar gasto que enchia seus pulmões, porém cada tentativa era recebida com mais um paredão de água que alimentava sua ansiedade. Finalmente, com os pulmões estourando e incapazes de tolerar a falta de ar, Fin involuntariamente respirou fundo. O líquido pungente correu por sua traqueia e encheu-lhe o peito, enviando uma onda de ardentes espasmos por todo o seu tronco. Em pânico, ele se debateu para alcançar a superfície, conseguindo fazê-lo uma última vez. Totalmente sem energia, seu pânico deu lugar a uma indiferença compassiva, e Fin afundou lentamente, de vez.

Da margem, a família de Fin assistiu com horror ele ser tragado pelas águas. A água parecia subir de uma forma não natural em torno dele em seu esforço para atraí-lo para baixo. No ponto em que ele havia desaparecido, um redemoinho começou a tomar forma. A princípio, evidente apenas como uma pequena depressão na superfície, o redemoinho cresceu arrastando raivosamente as águas circundantes, num diâmetro cada vez maior. Um vento forte começou a soprar, parecendo obedecer à vontade daquele vórtice em expansão ou, talvez, à vontade da vítima que havia engolido.

Fin inicialmente se manteve flutuando o suficiente para ver a superfície revolta acima dele, enquanto lentamente afundava. Sufocando, sentiu a tortura incessante do afogamento sem a libertação da morte. As águas cinzentas se tornaram mais escuras e quentes à medida que ele sucumbia àquele novo inferno. Lutando contra o retorno da pressão em seu peito vezes seguidas, ele começou a sentir um aumento na temperatura da água que o arrastava para baixo. Inicialmente, o calor crescente não era concorrência para a agonia que sentia em seus pulmões, mas, em algum momento, o foco mudou. Deslizando para a escuridão, o calor das águas começou a queimar-lhe as pernas, cozinhando a sua carne, descolando-a de seus ossos, enquanto ele submergia cada vez mais fundo.

Em meio à extrema agressão das águas em ebulição, Fin começou a sentir um puxão nos pés. A princípio, tateou cegamente em direção àquela sensação fantasma, encontrando com as pontas dos dedos camadas onduladas de pele e músculo, pendendo dos ossos descarnados de seus membros inferiores. Os ligeiros puxões agora haviam se tornado agarrões firmes que o arrastavam ainda mais fundo naquela escuridão escaldante. Mãos o arranhavam, puxando-o famintas para o meio delas. Fin podia perceber formas ao seu redor, esfregando-se contra ele, enquanto perdia a sensação de movimento por completo. Abaixo dele, viu o brilho de uma pequena brasa laranja emergindo da escuridão. Aquela brasa foi crescendo, e ele pôde reconhecer as figuras ao seu redor como corpos.

Elas o agarravam, ou por medo de descer mais fundo ou numa atormentada tentativa de fugir daquele inferno. Ele podia ver a luz crescendo, com o centro em brasa branco de calor. Os membros e dedos que o tocavam agora o levavam para a luz, empurrando-o, em vez de puxá-lo como tinham feito antes.

Olhando para cima, em direção ao ponto em que iniciara sua descida, Fin viu os rostos daquelas almas esquecidas por Deus, fantasmagoricamente pálidas na água verde. Caretas e gritos silenciosos distorciam os inúmeros rostos torturados, enquanto submergiam nas profundezas. Acima dele, através do vórtice que o tragara, um canal claro permanecia. Fin podia vislumbrar breves imagens do lado de fora daquele lugar, mas o lago e as árvores que acabara de deixar haviam desaparecido. No lugar deles havia um túnel metálico, revestido com ouro. No final do túnel, Fin podia avistar oito braços partindo do centro, como uma estrela-do-mar metálica e maciça. Apertando os olhos, ele tentou enxergar mais detalhes, mas sua visão foi obstruída pelos corpos que o circundavam naquele vazio, bem como por sua própria carne, que ia se descolando de suas pernas. Por fim, o canal desapareceu completamente de vista, engolido por sua nova realidade.

A brasa debaixo dele se ampliou, tomando mais de seu campo de visão. Aquela luz conduzia Fin para outra realidade. Outra brana* para seu tormento, por meio da qual ele podia encontrar Eva. A dor que sentia nas pernas desapareceu quando membros quebrados e bocas praguejantes arrastaram-no até a superfície da água turva. Carregando-o como numa espécie de procissão perversa, foram passando-o para a frente de mão em mão, rasgando-o, enquanto deslocava-se sobre eles. Fin já não sentia a dor no peito, mas o latejar em suas costas voltou com intensidade.

---

* Branas são entidades físicas em forma de "cordas" conjecturadas pela Teoria-M, que é a proposição de uma "teoria universal" que unifica as cinco diferentes versões da Teoria das Supercordas.

Enquanto a horda o depositava na margem daquele corpo d'água fétido, Fin observou que suas pernas sangravam, porém, afora isso, estavam ilesas. O calor seco explodiu em seu rosto quando ele se sentou tremendo e com os pés descalços na margem chamuscada e estéril. De suas omoplatas projetavam-se pequenas protuberâncias, como chifres, e delas escorriam pequenos filetes de sangue pela pele rachada de suas costas. Contorcendo o braço, ele foi capaz de passar os dedos desajeitadamente sobre sua escápula esquerda. Não sentiu dor, apenas um nódulo duro como pedra que aflorava da pele. Ao longe, uma cadeia de montanhas rompia a névoa amarela sulfúrica que pairava acima da terra. Seus picos se elevavam até um ardente céu alaranjado, onde flutuavam nuvens negras. Estava sozinho, mas mesmo distante do sol poente ele podia sentir um calor que o puxava. Ela estava em algum lugar naquela direção. Sua pequena dádiva do universo estava ali, e Fin sentiu-se mais perto do céu do que nunca.

Capítulo 29

Com seu jaleco branco, a jovem pós-graduanda mais parecia uma estudante de Medicina do que uma física de partículas engajada em um projeto de prestígio mundial. Edvard estava parado sobre uma plataforma de madeira com vista para o recinto do colisor principal, quase cem metros abaixo da superfície.

— Doutor Krunowski! Gostaria que o senhor viesse à sala de controle auxiliar para ver uma coisa.

Estavam com problemas na refrigeração dos ímãs do colisor, e sem eles o feixe não seguiria a trajetória curva do circuito. Se não fosse o forte campo magnético a dirigir o feixe, ele sairia literalmente pela tangente, afastando-se violentamente do caminho circular do acelerador. E, uma vez que houvesse atravessado as paredes do tubo, o estrago que faria seria inimaginável.

— Há algo nos monitores que acho que você deve ver; e eu gostaria muito de saber sua opinião a respeito. — Ela se apressou à sua frente, os saltos de seus sapatos ressoando na passarela da plataforma. Empolgada como uma colegial, ele pensou.

As últimas semanas haviam sido difíceis. Além de lamentarem a perda de um dos seus, os cientistas do grupo central ainda por cima estavam dedicando longas horas semanais ao projeto. Era pedir muito, e aumentava a dificuldade de manter aquele gigante em funcionamento. Contando no princípio com dois mil funcionários de todas as partes da Europa, a equipe havia diminuído ao longo da última década. Depois dessa contração inicial, no entanto, um subsequente *big bang* forçou seu contingente a crescer novamente quando a instalação foi posta em funcionamento. O trabalho braçal do começo, compreendendo as escavações do local, posteriormente cedeu lugar a um grupo mais técnico. Um grande número de trabalhadores qualificados foi recrutado nas áreas da extração de petróleo, da indústria pesada e da construção civil, e na Agência Espacial Europeia. Todas as lacunas entre esses grandes nichos foram preenchidas por um punhado de profissionais com habilidades únicas em campos como comunicação por fibra óptica, metalurgia, prevenção de desastres, ou oriundos de pequenas — porém crescentes — empresas de transporte por levitação magnética, do Japão e da Alemanha. Aquele lugar havia se desenvolvido numa cidade cujas emoções coletivas oscilavam periodicamente entre os altos das descobertas e os baixos das dificuldades técnicas. As dificuldades técnicas, naquele momento, estavam deixando os ânimos rentes ao chão.

Edvard atravessou o labirinto de plataformas, seguindo a colega em direção à sala de controle auxiliar. O plano inicial tinha sido desmontar todos os suportes de madeira para limpar a área do colisor, mas, devido às interrupções frequentes, pareceu uma ideia melhor deixar os andaimes no local, ao menos por ora. Aquela área da construção passara a ser chamada carinhosamente de Batcaverna, por causa de seu aspecto durante a escavação. O teto alto e arqueado, sem revestimento, e os túneis que partiam em direções opostas davam ao lugar a aparência de um hábitat subterrâneo. No entanto, agora o visual era bem diferente: azulejos reluzentes nas cores cinza e marrom recobriam a abóbada e as paredes, enquanto a base de concreto — do mesmo tipo usado em pistas de pouso e com quase dois metros de espessura — que suportava o peso descomunal da máquina era revestida com azulejos brancos. E no meio daquilo tudo, com a altura de um prédio de cinco andares, a gema preciosa e brilhante, a joia da ciência moderna.

Edvard tinha ido à sala de controle auxiliar, ou SCA, como ficara conhecida, várias vezes nos últimos dias graças a "novas descobertas". Todas aquelas descobertas, para sua frustração, acabaram por ser defeitos de software e nada mais, resultantes de falhas no sistema de refrigeração, provavelmente. Estava começando a sentir falta de Fin por razões novas e cada vez mais técnicas.

A SCA era um rudimentar barracão de madeira, sustentado por finas pernas de aço, elevado uns oito metros de altura em relação ao piso da câmara principal. Servia como um ponto de passagem improvisado, utilizado durante os períodos de reparo, que permitia um adequado controle dos testes do colisor e de seus sistemas, sem a necessidade de os profissionais envolvidos terem de ir até a sala de controle principal na superfície, quase cem metros acima.

A sala de controle principal era algo que se pode esperar ver em uma instalação da NASA, só que maior. Telas de LCD cobrindo toda uma gigantesca parede forneciam informações vitais para os controladores. No centro dessas telas menores encontrava-se a mãe de todas elas, que transmitia as ações e interações ocorridas dentro da câmara do reator principal. Os controladores individuais sentavam-se em suas respectivas mesas em torno de seus próprios *écrans* planos, monitorando os números que encarnavam a paixão de suas vidas. Os dados exibidos incluíam as variáveis internas do colisor, tais como temperatura e pressão, a massa da câmara do colisor, espectrometria de massa de dados preliminares, a velocidade do feixe, a integridade de vácuo, e todos os aspectos dos sistemas de controle magnéticos. De frente para esse mural de dados havia fileiras de cabines dispostas em camadas, lembrando as galerias de um grandioso teatro. As cabines inicialmente haviam sido construídas para supervisão, mas a diretoria do projeto rapidamente percebeu que representavam um excelente e ainda inexplorado meio para captação de recursos. As tais cabines foram, então, transformadas em confortáveis camarotes para uso de dignitários e VIPs que vinham oferecer o seu dinheiro para a causa. Primeiro, mostravam a eles a tecnologia de ponta da arena de controle computadorizada que mais parecia coisa de Hollywood, e, em seguida, os convidados eram levados para baixo, para o verdadeiro espetáculo.

No topo da escada, Edvard empurrou a porta de madeira e entrou na SCA. O interior do recinto era tão simples quanto o exterior. Uma grande folha de Lexan* emoldurada por caibros crus servia de janela, mostrando a faina dos trabalhadores lá embaixo, uma verdadeira fazenda de formigas.

— O que eu deveria ver? — Ele se aproximou da tela principal, apertando os olhos enquanto fazia isso.

— Bem, senhor, não é tanto uma informação nova, e sim uma nova forma de olhar para as informações que recolhemos todo esse tempo. — A estudante de pós-graduação voltou a atenção para a tela do computador enquanto se sentava. Ao seu comando, o mouse dançou um preciso balé enquanto ela navegava pelas incontáveis janelas do programa aberto.

— Onde você conseguiu esse programa? — Edvard estava um pouco surpreso com as imagens que via.

— Encontrei-o enterrado em um subconjunto de pastas. Acredito que seja um dos programas do doutor Canty. Estavam identificados como...

— Eu sei como estão identificados. Por favor, prossiga.

— Senhor, se você olhar para as imagens compostas que obtivemos, a maior parte da massa que está sendo gerada está vindo direto do centro da câmara. Partem ramificações dela, mas parece ser um feixe crescentemente coerente ao longo do tempo. Se eu selecionar esta opção... — Ela clicou no ícone rudimentar de um relógio no canto inferior esquerdo da tela, e a imagem parada, em duas cores, adquiriu vida. — Aí está. Você pode assistir à progressão geométrica da matéria que temos medido como uma função de tempo. — Ela apontou para a tela, ao mesmo tempo que olhava para ele por cima do ombro. — Veja, ao longo dos últimos meses, ela evoluiu lentamente de partículas

---

* Marca registrada de uma determinada resina de policarbonato.

aleatórias sendo emitidas em todas as direções para essa emissão em forma de feixe bastante coerente. E, se você observar toda a progressão, verá que o feixe aumentou tremendamente seu foco ontem.

O turbilhão de milhares de pontos verdes e vermelhos, que antes pareciam aleatórios em seu movimento, lentamente se aglutinou. Aquela nova imagem formava uma fonte de matéria que fluía de um ponto central. Emanando de um halo brilhante, o feixe atingia a lateral do compartimento antes de se espalhar novamente.

— Estou vendo; e o que você acha disso?

— À primeira vista, isso me fez lembrar de um jato de material que sai de um buraco negro ou um blazar.

— Bem, não é. — A declaração de Edvard soou surpreendentemente ríspida até mesmo para ele. — O que eu quero dizer é que não estamos detectando qualquer outro fenômeno associado a isso, como aumento da gravidade ou radiação. É uma boa ideia, mas...

— Concordo, senhor, mas se eu puder terminar...

A mandíbula dele se contraiu.

— O que isso realmente me faz lembrar é de um buraco branco. — O pequeno barracão de madeira ficou em silêncio quando o seu olhar pousou no dele.

— Era só uma questão de tempo, acho — ele gemeu baixinho. Então, disse em voz alta: — Isso é impressionante, minha querida, mas como você descobriu isso?

— Bem, segundo a base da maioria das equações que usamos, cada ação tem uma reação igual e oposta. Um buraco negro aparentemente tem uma gravidade quase infinita. Ele engole toda a matéria, inclusive a luz. De acordo com a teoria de Einstein, o oposto disso, na outra extremidade, seria um buraco branco. Um objeto de massa igual ao seu irmão que vomita matéria.

— Isso tudo é muito interessante e impressionante — Edvard continuou num tom frio. — No entanto esse unicórnio astrofísico nunca foi visto, nem sua existência foi matematicamente provada em qualquer teorema. Ele parece existir apenas no papel.

— Sim, mas muitos de nós ainda apoiam a teoria de que esses buracos brancos realmente existem, na extremidade oposta da fenda no espaço-tempo criada por esses buracos negros supermassivos. — Ela pausou por um minuto, prosseguindo com cautela. — E se o buraco de minhoca que conectar essas entidades for uma passagem para a matéria, não importa quão pequena, entre as dimensões? E se esses buracos brancos servirem como uma espécie de saída dessa destruição do buraco negro, expelindo criação na outra extremidade do funil?

— Esse é um belo pensamento, mas como você explica o fato de nunca termos visto um deles nas dezenas de milhares de galáxias nas quais encontramos buracos negros? Ou nos bilhões, talvez trilhões, de anos-luz de espaço que vasculhamos? Ninguém conseguiu demonstrar que uma ponte de Einstein-Rosen, ou buraco de minhoca, como você chamou, realmente existe. No entanto, apesar dessa preponderância de provas contrárias, você está sugerindo que nós criamos acidentalmente um aqui?

— E quanto ao *Big Bang*? — ela acrescentou timidamente. — O nascimento do nosso universo e o início do tempo e do espaço como nós os aceitamos? Foi o exato momento de nossa própria criação. E se o *Big Bang* foi a última vez que este universo já viu um? A própria essência da comunicação com o além.

Edvard ficou olhando para aquela despretensiosa estudante de 28 anos de idade. Seus longos cabelos castanhos estavam presos em um coque, e a cada palavra que pronunciava, seus óculos avançavam lentamente em direção à ponta do nariz. Ela aparentava não ter visto a luz do dia nas últimas semanas, mas estava usando dois esmaltes de unha diferentes, que alternavam entre preto e branco a cada dedo. Ele estava sem palavras.

— Quem mais sabe sobre a sua teoria?

— Ninguém. Eu estava sentada aqui, olhando pela janela, e vi o senhor, enquanto essas ideias se formavam na minha cabeça. Então, fui encontrá-lo. Por quê?

Edvard ficou ali parado, com as mãos descansando confortavelmente nos bolsos, balançando a cabeça de um lado para o outro.

— Incrível, absolutamente incrível. Fez um gesto em direção à porta. — Por favor. Esta é uma teoria fenomenal, mas, no momento, é apenas uma teoria. Isso precisa ser formalizado. — Ele recuou um passo, tudo o que o pequeno barracão permitia, deixando que sua recém-descoberta aluna de ouro passasse primeiro.

Enquanto a estudante deslizava o corpo entre ele e o console, ela permitiu que seus olhos encontrassem os dele. Ele colocou a mão suavemente em seu ombro, sentindo os músculos firmes e jovens sob os trajes finos. Como a caverna era quente, ela deixara o jaleco aberto e ele pôde entrever fugazmente seus seios sem sutiã por baixo da blusa de seda. Edvard havia notado antes; ela tinha uma beleza natural, porém discreta. A mão dele deslizou até a curva suave de sua nuca, enquanto dava mais um passo em direção à porta aberta junto com ela.

Por muito tempo, ela dera duro como apenas mais uma entre tantos cientistas em formação, pronta a digerir e cuspir números sem qualquer reconhecimento. Edvard era um homem mais velho, mas bastante atraente. As alunas o viam como uma espécie de Indiana Jones, alguém que ao mesmo tempo as excitava como mulheres e, simultaneamente, confortava-as como um pai. Aquele tipo de trabalho raramente vinha acompanhado de uma vida social emocionante.

Quando os dois se aproximavam do vão da porta, Edvard cerrou as mandíbulas com firmeza. Virou-a para encará-lo e, puxando o prendedor de seu coque apertado, mergulhou os dedos naqueles cabelos macios e fartos, momentaneamente agarrando um punhado deles com firmeza. Seus olhos se encontraram brevemente enquanto ela, nervosa, lambia o canto da boca. Travando o calcanhar de suas sapatilhas no discreto desnível da soleira, seu corpo escapou das mãos dele e ela bateu a cabeça com toda a força contra o batente da porta. O barulho estrondoso do choque ecoou por todo o pequeno barracão. Seu corpo desmoronou e o impulso a lançou para fora, através da porta aberta. Inconsciente, seu corpo despencou sem obstáculos até o chão, oito metros abaixo. Edvard espiou da plataforma. Alguns trabalhadores já tinham começado a se mover em direção ao corpo. Ele rapidamente se virou, pegou o rádio sobre a mesa e apertou o botão.

Com a voz embargada, ele gritou:

— Preciso de ajuda na SCA. Houve um acidente! — Fazendo o sinal da cruz, ele saiu do barracão. Edvard desceu ao nível mais baixo da instalação e se juntou à multidão crescente, enquanto esperava por socorro.

As solas dos pés de Salvador estavam feridas e rachadas por causa do solo pedregoso que ele havia sido forçado a atravessar. Ele ofegava profundamente enquanto corria. Aquele caminho tortuoso tinha rasgado seus pés, deixando os cortes cheios de areia, o que lhe aumentava a dor. O sangue que escorrera ininterruptamente no início havia diminuído fazia muito tempo, mas a trilha que estava deixando atrás de si permanecia, e eles a estavam seguindo.

O banimento de Sal para o inferno fora inevitável. Os pecados que cometera na vida eram imperdoáveis, mesmo que suas intenções no fim de seus dias fossem boas. Parecia-lhe que estava correndo durante semanas, tentando desesperadamente fugir de seus demônios. Depois do assassinato de Eva, tudo tinha mudado muito rapidamente. Havia quanto tempo ele estava ali? Sua mente estava anuviada, confusa. Não importava quanto tentasse, aquele lugar parecia roubar seu foco. As lembranças de morar na casa dos pais, ou de viver em Todos Santos com Eva, estavam agora se apagando com a intensidade daquele novo lugar.

O som de suas próprias garras tinia contra as rochas, enquanto tentava avançar naquele terreno implacável, mas ele afundava de volta na areia escaldante. Fazia todo sentido que ele estivesse ali, mas por que Eva também estava, e o pai dela, a propósito? A mente de Sal girava ao tentar encontrar uma razão para aquilo tudo.

Ao longe, ele podia divisar trilhas secas de poeira flutuando naquela atmosfera acre. Fosse lá o que — ou quem — fosse aquilo que se locomovia pelo solo árido do vale, parecia ter o mesmo objetivo que ele. Sal precisava chegar até ele antes que os demônios o fizessem, para alertar, ou para ajudar. Sua própria desfiguração grotesca era testemunho do poder daquele lugar. Se Eva realmente era a isca, então, não havia como dizer o que aquelas criaturas tinham reservado para todos eles.

As coxas de Sal queimavam, enquanto ele lutava para vencer a areia profunda, arrastando custosamente um membro exaurido depois do outro. Ele não a deixaria. Havia feito a promessa de proteger Eva na vida ou na morte, e não a deixaria de novo.

Parando para descansar a meio caminho da encosta de uma grande duna, Sal olhou para o vale queimado. Os ventos, que sopravam de todas as direções, agora traziam até ele o cheiro de carne em decomposição, um cheiro que, felizmente, já não vinha sentindo havia vários dias. Virando-se para enfrentar aqueles que haviam sido condenados antes dele, com seus uivos ferindo-lhe os ouvidos, avistou suas formas decrépitas formarem uma crista ao longo do topo da duna.

As criaturas precipitaram-se em cascata em sua direção, de quatro, movendo-se como uma alcateia ensandecida. Sal podia enxergar aqueles olhos luminosos mesmo naquela claridade frouxa, crepuscular. Sentiu sua própria humanidade se esvaindo enquanto se preparava novamente para a batalha. Cada interação como aquela o mergulhava mais fundo naquele lugar, e já não lhe restava quase nada de suas lembranças, faltava muito pouco para ele se esquecer por completo de si mesmo... e do verdadeiro propósito de ele estar ali.

Capítulo 30

Graves sentou-se em um banco de madeira gasto e desconfortável no canto da delegacia. As autoridades mexicanas ali pareciam ressentir-se com sua intrusão em seus assuntos, para não dizer em seu país.

— Estou feliz por você estar aqui. Eles ainda nem me deixaram vê-la! — Graves estava visivelmente agitado, mas não pôde deixar de se sentir melhor quando sua companheira chegou. Dana estava com o longo e farto cabelo preto preso num rabo de cavalo, e seus olhos escuros faziam as maçãs do rosto parecerem ainda mais pronunciadas do que ele se lembrava. Graves tinha ido para Todos Santos a pedido do FBI, devido ao seu envolvimento com a investigação, mas ele aceitara a atribuição por outros motivos. Levantando-se para cumprimentá-la, ele continuou: — As autoridades locais nos asseguraram de que teríamos total colaboração nesta investigação. Será que eles não entendem que este é um caso aberto, no qual estamos trabalhando há mais de um ano? Não houve nenhum sinal de coleguismo.

— Relaxe, você não vai conseguir apressar as coisas em nada com essa atitude. Além disso, você sabe que as coisas aqui já não são como costumavam ser. O tratado de extradição que o presidente Jimmy Carter assinou em 1978 tornou-se lei mexicana em 1980. Em 2001, a Suprema Corte do México decidiu que a extradição dependeria da respectiva punição estabelecida pelo código penal nos Estados Unidos. Se eles acham que nós vamos condená-la à morte, têm o direito de não entregá-la a nós.

Dana sentou-se ao lado dele e colocou a mão em seu braço para acalmá-lo.

— Eles estão se recusando a extraditá-la, alegando que não é possível garantir que ela não vá receber a pena de morte.

— Então, todo o *lobby* que o departamento de Estado dos EUA vem fazendo para manter o envolvimento do Bureau não adiantou nada? — Graves não conseguia esconder sua frustração.

— Nos últimos anos, apesar de todos os acordos de "livre comércio", os crimes de gangues tornaram-se ponto de discórdia entre os dois governos. As atividades da MS-13 não são desconhecidas ao sul da fronteira com os Estados Unidos, e a maioria dos países da América Central culpa os Estados Unidos por empurrar essa espécie de crime organizado para os seus quintais. — Ela olhou para cima enquanto falava. Oferecendo um sorriso amigável para o homem que estava se aproximando, Dana terminou rapidamente o que estava dizendo, em voz baixa: — Relaxe, deixe-me falar com o magistrado local. Tenho uma carta na manga da qual ele ainda não está ciente.

Dana levantou-se e cumprimentou o cavalheiro bem-vestido e mais velho. Trocaram o que pareceu a Graves serem algumas saudações em espanhol, antes de caminharem uns poucos passos até um escritório privado.

Quando Dana saiu, Graves não pôde deixar de notar o crescente número de mulheres idosas reunidas no saguão da delegacia. Estavam vestidas em trajes de luto tradicionais, com vestidos pretos compridos e largos, algumas delas com véus que lhes cobriam o rosto. Ele se aproximou para ver se descobria o que estava acontecendo.

As mulheres formavam um bloco compacto, todas com um rosário nas mãos, a maioria murmurando alguma coisa, que Graves presumiu serem orações. Entretanto uma delas parecia estar liderando o grupo. Implorava abertamente ao funcionário atrás do balcão protegido por grades. Graves parou um dos policiais quando ele passou.

— O que ela está pedindo? — Ele fez um gesto em direção ao gradil da recepção mal iluminada.

O policial o olhou de cima a baixo, com ar de desaprovação, antes de lhe responder. Com um forte sotaque hispânico, ele disse:

— Ela quer ver a pessoa que encontrou os sinais.

Três dias já haviam se passado desde os assassinatos, e a cena do crime na casa havia sido pisoteada até se perderem todas as pistas pela força policial local, que Graves considerava incompetente. Ele tinha ido à casa mais cedo, quando percebera que não obteria nada na delegacia sozinho, sem sua obrigatória acompanhante do FBI. Encontrou por lá dezenas de marcas na areia, deixadas pelos pneus das múltiplas viaturas policiais que tinham acorrido à cena do crime, inúmeras pegadas de todos os tipos, e a casa destrancada: a maior parte do que havia nela já havia sido removida ou saqueada. Graves logo concluíra que quaisquer-se na jovem que se encontrava pr esperanças de realizar seus objetivos ali, em Todos Santos, depositavam presa naquela cadeia mexicana à beira-mar.

Dana finalmente retornou com o senhor mais velho. Ao passarem, ela anunciou seu sucesso para Graves com uma piscadela, ao mesmo tempo que procurava manifestar expansiva gratidão pelo favor que estavam prestes a receber.

— O *señor* Valenzuela é o magistrado local. Ele vai nos permitir o tempo necessário com a prisioneira.

— Maravilha. — Deliberadamente, Graves fez contato visual com seu anfitrião. — Por favor, diga-lhe O B R I G A D O. — Ele pronunciou a última parte de sua frase de forma lenta e um pouco mais alto do que o restante.

O *señor* Valenzuela virou-se bruscamente nos calcanhares depois de destrancar a porta da cela. Olhou o detetive Graves nos olhos e respondeu:

— S E J A B E M-V I N D O — com sarcasmo lento e proposital, antes de partir. Sem se virar para encarar os seus convidados enquanto se retirava, ele anunciou num inglês impecável: — Um guarda acompanhará a entrevista por intermédio dos nossos monitores de circuito fechado. Antes de saírem, por favor, fechem a cela e informem ao guarda que terminaram.

Dana fitou para seu companheiro antes de entrar na cela. Depois de ficar olhando para ele durante o que lhe pareceu uma eternidade, ela fechou os profundos olhos castanhos brevemente e balançou a cabeça de um lado para o outro com um desgosto afetado.

— Que simpático... — Segurando a porta aberta, ela deu um profundo suspiro e gesticulou para Graves entrar antes dela. Arrastando com eles duas cadeiras do corredor, os dois entraram na cela escura.

O recinto estava em péssimas condições. As paredes, que um dia haviam sido brancas, ostentavam toda uma gama de manchas que iam desde filetes cor de ferrugem que escorriam da tubulação do teto até o mosaico de marcas de urina que rodeavam o vaso sanitário sem tampo fixado na parede de estuque caindo aos pedaços. A iluminação da cela individual vinha de uma tremeluzente lâmpada no teto e da luz do sol que brilhava através das grades da única janela, localizada no alto da parede sul. No canto da cela, sentada no chão com os braços em torno dos joelhos, Maria chorava baixinho. Quando os dois se aproximaram, ela olhou para cima.

— Acho que eu poderia tê-lo detido. Ele matou aquela menina, não foi? Ele a matou. — Sua frase se dissolveu em lágrimas, enquanto ela continuava a se balançar para a frente e para trás. — Vocês o pegaram?

Os dois detetives se entreolharam discretamente. Dana falou primeiro.

— Ele está morto, minha querida. Estão todos mortos. Por que você não me ligou?

Graves olhou para Dana confuso.

— Você a conhece?

— Sim. Nós vínhamos acompanhando a movimentação de algumas redes de prostituição na área quando um de seus principais cafetões apareceu morto perto da interestadual. Maria estava trabalhando para ele e foi levada para interrogatório. Ela achava que o tal Azazel fora o mandante da execução, e já tinha sido iniciada na gangue. E também estava procurando uma maneira de sair. Não queríamos que a Salvatrucha descobrisse o que estávamos fazendo, então, mantivemos Maria como nossa informante. Ela desmascarou Salvador na van naquela primeira noite, a gangue já tinha seu traidor, e conseguimos nossas informações financeiras.

— O que aconteceu? — Graves ainda estava atordoado.

— A facção achava que ela era uma estrela, e nós iríamos dar uma olhada nos livros da quadrilha, graças a ela. Entretanto, nunca chegamos a colocar as mãos neles. Duas noites depois, o doutor Canty foi morto, e Salvador cruzou a fronteira, desaparecendo com todas as informações pelas quais ela arriscara a vida. Não tínhamos nada para mostrar ao alto escalão, e Maria mergulhou novamente na MS-13 depois disso.

— Por que você não fugiu? — Graves ficou impressionado com a força daquela garota.

— Para onde... e com o quê? Eu havia perdido tudo o que tinha prometido ao FBI e era cúmplice de assassinato. Azazel devia ter morrido naquela noite, aquele filho da puta. Rezei mais de uma vez para que ele morresse. Ele quase se esvaiu em sangue naquele banco da frente, mas, de alguma forma, conseguiu se recuperar. Eles estavam de olho em mim, e eu não tinha com que barganhar para poder sair.

— O que você pode nos contar sobre as últimas semanas? — Dana parecia realmente compadecida dela. Toda indignação e todo ódio eram facilmente substituídos por pena naquele lugar.

— Será que o padre ainda está vivo? — perguntou Maria, desesperada.

— Como é que você sabe sobre o padre? — Graves estava confuso.

— Depois daquela noite, depois que Salvador fugiu, comecei a pensar sobre o homem que John matou. Ele estava preocupado com todos nós naquela noite... Ele veio, na chuva, até a janela e perguntou se estávamos todos bem. Por que eles iriam matar alguém assim? Quando o nome do homem apareceu no jornal, alguns dias depois, eu arranjei um encontro com o padre na igreja em que seria realizado o seu funeral, segundo o artigo. Banquei uma agente do FBI, novamente. — Sua mandíbula inferior começou a tremer, e ela voltou a cobrir o rosto com as mãos.

Dana se agachou e colocou a mão no ombro de Maria.

— Parece que as autoridades locais permitiram que o padre Moriel deixasse o país. Ainda que temporariamente, mas ele está bem.

— O quê? — Graves deixou escapar, virando-se surpreso para Dana outra vez.

— Já cremaram o corpo da menina, e o sacerdote vai levar as cinzas para a família de Canty, para uma cerimônia conjunta... Vamos falar sobre isso mais tarde. — Voltando a atenção para a sua informante, ela continuou. — Este é o detetive Graves, da polícia de Los Angeles. Por favor, continue.

— Foi um serviço. Tudo isso foi encomendado. Nunca pensei que iriam encontrá-la.

Graves ficou parado ali, boquiaberto.

— Alguém encomendou a morte da menina? Você está de brincadeira? Está me dizendo que essa garotinha de 4 anos de idade foi assassinada porque alguém a queria morta? Por que diabos...

Dana lançou-lhe um olhar enquanto pousava a mão em seu braço. Entendendo o recado, Graves se sentou.

— Sinto muito, senhora Ramos, por favor, continue. — Dana ofereceu-lhe a cadeira que tinha levado para dentro. Quando ela se levantou do chão para aceitar a oferta, os dois policiais repararam nas tatuagens que tomavam toda a parte superior das costas de Maria, que sua camiseta regata deixava à mostra.

— Foi tudo encomendado — continuou ela, enquanto se sentava —, a começar pelo pai, no ano anterior.

— Foram os mesmos indivíduos que ordenaram os dois assassinatos? — perguntou Dana.

— Foi a mesma pessoa, acho. Ele chamava a si mesmo de Job e disse que representava um grupo chamado ARCH. — Seu choro tinha abrandado, e ela agora conseguia pronunciar frases inteiras, interrompidas apenas por um ou outro soluço involuntário. — Azazel achava que a coisa toda era uma ordem divina. — Ela respirou fundo e fechou os olhos, antes de deixar a cabeça pender sobre o peito.

Dana incitou-a suavemente, falando de forma carinhosa:

— O que mais? O que você quer dizer com "divina"? — Dana tinha aprendido desde cedo que a empatia, mesmo fingida, era uma ferramenta poderosa para fazer com que as testemunhas se abrissem. Nos casos em que elas já estavam perturbadas e em busca de uma conexão, isso tornava tudo ainda mais fácil.

— Azazel estava tendo essas... essas visões, ou algo assim. Ele vivia dizendo que seu profeta queria que isso acontecesse, e que os seus sonhos e as instruções de Job não eram coincidência. Ele sentia que isso tudo era parte de um plano maior e que precisávamos encontrar a menina, também.

— De quanto dinheiro estamos falando aqui? — Graves voltou à conversa, dessa vez, com um pouco mais de humildade. — Por quanto isso foi contratado?

— Algumas centenas de milhares... trezentos mil, eu acho. — Ela timidamente fez contato visual com ele, enquanto falava. — Nós nunca vimos um centavo do dinheiro, entretanto. — Ela fez uma pausa, sem saber o que iriam pensar se ela concluísse o raciocínio. — Tanto a garotinha quanto o seu pai deveriam ter sido mortos na primeira noite, no ano passado. Falhamos, e eles estavam procurando por ela desde então.

— Quem são eles? Você continua dizendo "eles" — Graves a pressionou.

— Azazel e John... e Job. John era novo na gangue, na época em que essa coisa toda começou. Ele parecia estar ligado a Job, tanto quanto Azazel.

— Conte-nos mais sobre John — encorajou-a Dana.

— Na noite do serviço, Azazel o apresentou à gangue como um novo recruta. Depois disso, parecia que era ele quem dava as cartas, ele e Job. Era calmo e inteligente. Era ele quem bolava todos os planos: vasculhar a casa do Sal, decifrar as informações no computador, decidir quando era preciso telefonar para Job e quando não deveriam incomodá-lo. Azazel nunca se tocou disso. Também era incomum para nós deixar um não hispânico entrar para a facção.

— O que você quer dizer? Ele era branco?

Maria olhou para Dana.

— Ele era branco, com cabelo louro. Acho que era mais velho do que aparentava, mas eu diria que ele tinha uns 28 anos.

— Onde e como podemos encontrar esse tal de John?

— Escondi o meu celular debaixo do genuflexório, sob o banco onde eu encontrei aqueles símbolos. Depois que o padre me encontrou, fiquei com medo. Era a única coisa que tinha comigo que podia me identificar, e eu a deixei lá quando a polícia chegou. Ele já havia ligado para aquele número. E Job também.

Graves ficou de pé.

— Você termina de interrogá-la, eu vou procurar o celular e obter os números.

— Eu troquei o chip do meu telefone para essa região antes de sair dos Estados Unidos. Todas as chamadas antigas estavam no outro chip.

— E onde está o chip agora? — Graves perguntou tão educadamente quanto pôde, parado de pé ao lado dela.

— Eu não sei. Azazel tomou de mim. Nunca pensei que as coisas chegariam a esse ponto. Salvador era um cara melhor do que Azazel.

E era inteligente também, sabe? Eu tinha certeza de que ele havia feito as melhores jogadas e que a menina estava a salvo em algum lugar.

— Está tudo bem, querida, você colaborou conosco. Isso vai ajudar no seu caso, quando você voltar para os Estados Unidos.

— Mas e quanto às regras de extradição de que falamos?

Dana virou-se para Graves.

— Esse era o meu trunfo. Ela estava trabalhando conosco neste caso, pelo menos, no início. E se arriscou muito para ajudar o Bureau. Ela ainda pode pegar uma longa pena de prisão, mas certamente não será pena de morte. Agora que sabem disso, eles a entregarão para nós. Quanto ao telefone celular, por favor, encontre-o — acrescentou Dana.

Graves pediu licença e saiu da sala.

— Sempre um passo à frente... — ele murmurou para si mesmo.

Quando fechou a porta atrás de si, ouviu Dana dizer:

— Agora, me conte mais sobre aqueles símbolos.

O padre Moriel atravessou rapidamente o terminal de desembarque em Genebra, prestando pouca atenção nas grandes paredes envidraçadas e na moderna fachada de metal de seu entorno. Com a intenção de chegar pontualmente ao local combinado, onde iria encontrar o doutor Edvard Krunowski, o padre caminhava com passadas largas para compensar o atraso na chegada de seu voo. *Ainda bem que minha mala é leve*, pensou ele, diante da esteira de bagagens. Pendurando no ombro a sacola de lona contendo suas roupas e o aparato religioso de que precisava para a cerimônia, ele saiu para o frio ar da manhã, que estava por volta dos cinco graus. Do outro lado da pista tripla de táxis, um homem olhando por cima da capota de um sedã de cor escura chamou o seu nome.

— Padre! Padre Moriel! Por favor, senhor, por aqui. — Edvard acenou para ele, do outro lado da rua.

Capítulo 31

Dirigindo-se à pequena igreja no alto do morro, Graves admirou-se da quantidade de carros estacionados do lado de fora daquela modesta construção. O estacionamento de cascalho que formava uma meia-lua em torno da austera capela branca estava transbordando, mas, apesar do excesso de veículos, não se via nem se ouvia ninguém por ali. Descendo do carro, tudo o que ele conseguia escutar era o som das ondas lá embaixo e o vento que varria o pequeno platô. Ele foi caminhando até as grandes portas de madeira da igreja e parou por alguns instantes, na esperança de ouvir quaisquer sons que pudessem denunciar a quantidade de gente que ele estava prestes a encontrar.

Graves empurrou com força as pesadas portas da igreja para abri-las. Para sua surpresa, foi recebido pelos rostos curiosos de uma centena de fiéis, todos reunidos em torno de alguma coisa num dos cantos no fundo do recinto. No começo, ele não teve certeza de que deveria entrar, mas do grupo partiu uma voz tímida que o chamou.

— Senhor, por favor, venha. É da polícia americana? — Um menino de não mais do que 12 ou 13 anos de idade, vestido com uma longa túnica branca, apartou-se do grupo.

Avançando em direção a ele a passos largos, Graves pôde ver na base do traje religioso do menino as barras de uma calça jeans cobertas pelas linguetas de um Nike preto.

— Você veio ver os símbolos, não é? Eu vou lhe mostrar. — O grupo ali reunido era composto de moradores de todas as idades. Os anciões encontravam-se próximos ao centro. Estavam ajoelhados diretamente no chão, no espaço de onde os bancos e genuflexórios haviam sido afastados. Diante deles, Graves mal conseguia distinguir na poeira os traçados que os motivara a se juntarem ali. Atrás deles, o restante da comunidade se distribuía naturalmente em círculos concêntricos que iam dos mais velhos no centro para os cada vez mais jovens em direção às bordas.

Graves foi conduzido para o meio do grupo.

— Veja, ali estão eles. — O garoto apontou animadamente para as estranhas figuras desenhadas, que já estavam se tornando difíceis de discernir na cambiante luz do final da tarde.

— Não sei bem o que estou olhando — disse ele, ligeiramente embaraçado. — Eles se parecem... com algo que uma criança poderia rabiscar. — Graves lembrou-se da razão de sua ida até lá. — Desculpem-me interromper, mas estou procurando um telefone, um telefone celular que pode ter sido deixado aqui. — Ele simulou um fone com o polegar e o dedo mínimo esticados ao lado da cabeça. — Um telefone, vocês o encontraram?

Os olhos do menino se arregalaram, ele ergueu um dedo e, em seguida, meteu-se entre o grupo, conduzindo o detetive Graves para longe dos fiéis.

— Ele tocou. Foi por isso que eu encontrei os símbolos — ele acrescentou, um tanto orgulhoso consigo mesmo. Entrando no escritório particular do padre, o jovem apanhou o celular da mesa e o entregou a ele. — Ligue para o padre Moriel, pergunte a ele sobre os símbolos. Ele vai lhe contar. — Ele sorriu educadamente, pediu licença e voltou para o grande grupo de paroquianos.

Graves ficou ali olhando para aquele telefone.

— Então ele tocou, hein? — disse em voz alta para si mesmo.

Abrindo a tampa, confirmou que havia uma chamada perdida. Não reconheceu o número: tinha muitos dígitos para ser dos Estados Unidos. Apertou a rediscagem e esperou. Depois de vários toques estranhos aos seus ouvidos, seu esforço foi contemplado com uma voz gravada que falava em um dialeto germânico qualquer. A voz fez uma breve pausa antes de repetir a frase em inglês.

— A central telefônica de Genebra está ocupada no momento. Por favor, tente novamente.

Graves pensou no conselho do garoto. Tirando seu próprio celular do bolso do casaco, digitou o número que a polícia local lhe fornecera como sendo o do padre Moriel. Após o quarto toque, a linha ficou em silêncio e, depois, uma voz masculina atendeu.

— Padre Moriel falando. Alô?

— Padre, desculpe-me incomodá-lo, aqui é o detetive Tom Graves... do departamento de polícia de San Diego. O senhor tem alguns minutos?

— Detetive, como vai? Vejo que está no México, pelo prefixo da chamada. Como foi de viagem?

— Correu tudo bem, senhor; eu gostaria de lhe fazer algumas perguntas sobre o que está acontecendo aqui na sua igreja.

— Ahhh... ainda há multidões se reunindo? As pessoas aí vivenciam a fé católica de uma forma que os americanos há muito esqueceram. Qualquer coisa que promova uma conexão com o divino é um acontecimento importante, eles viajam quilômetros apenas para ver e experimentar. O que você gostaria de saber?

— Bem, pelo que sei, foi Eva quem desenhou esses... esses traços. Por que os habitantes locais estão tão intrigados com eles?

— Essa não é uma pergunta simples, meu amigo. Eva, de fato, desenhou-os na manhã de sua morte, infelizmente. No entanto essa é apenas uma das razões pelas quais essas pessoas aí os acharam tão intrigantes espiritualmente. O que é mais intrigante é o símbolo que ela desenhou.

— Como assim? Para mim, parece só um abacaxi. — Deu para Graves escutar a explosão de riso do padre do outro lado da linha.

— Muito bom, eu não tinha pensado nisso. Na verdade, tem um significado, tanto aí quanto em outros lugares, para muitos católicos, acredite ou não. Para começo de conversa, o padrão geral é o da Praça de São Pedro, em frente à Basílica de São Pedro no Vaticano... sem falar no *kiva*.

— O que é um *kiva*?

— Eram construções religiosas dos índios do sudoeste... os Hopis, bem como de muitas tribos mexicanas. As pessoas aí têm laços ancestrais com esses povos e acreditam que essa forma tem relevância tanto cultural quanto religiosa. Essas estruturas, ou construções, eram projetadas para oferecer braços acolhedores, e, no caso do Vaticano, os braços da Santa Madre Igreja às multidões reunidas. No entanto isso não é tudo. — Houve um chiado na linha.

— Padre, você está aí?

Quando a interferência passou, o padre estava no meio de uma frase:

— ... tem algumas outras antigas correlações também. Parece que o símbolo também sugere a letra grega *phi* (Φ), que tem relação com a proporção áurea. Você já deve ter ouvido falar dessa maravilha. Há histórias da proporção áurea ligada a todo tipo de fenômeno natural, mas, na realidade, esse número é encontrado com mais frequência no mundo da arte, na matemática, na música e na arquitetura graças às suas conotações religiosas. Também se acredita que esse número tem algumas origens ocultas.

— Como assim, padre? — Graves sentou-se enquanto escutava.

— Há algumas pessoas na Igreja que creem firmemente que, apesar dessas possíveis origens criadas pelo homem, o símbolo e a letra grega estão ligados biblicamente ao número da besta, 666. Seguindo essa linha de raciocínio, muitos acreditam que o pentagrama pagão também é um símbolo da besta. As proporções das várias linhas que compõem os dez triângulos individuais do pentagrama também seguem a proporção áurea. Em todos esses triângulos, a razão entre o lado mais longo e o lado mais curto também é *phi*.

— Quando eu estava na faculdade, fiz um curso de teologia — Graves interrompeu. — Se não me falha a memória, acredito que algumas culturas antigas viam a estrela do pentagrama circundada como um símbolo dos pontos cardeais, e não tinha nada de místico.

— Isso é verdade, detetive. Esse símbolo é creditado aos babilônios, já que foi descoberto inicialmente em seus pictogramas. Eles o viam, de fato, como uma espécie de bússola. Para eles, as pontas da estrela representavam as quatro direções no espaço, e a quinta ponta, a de cima, representava o tempo. Os cientistas modernos têm utilizado dois ou mais símbolos desses em seus cálculos, geralmente mostrados atravessando-se mutuamente e cruzando-se sobre o eixo central para representar multidimensões. Uma coincidência que eu acho particularmente... interessante, levando-se em conta a profissão do doutor Canty.

— Isso tudo parece muito forçado, padre. Especialmente à luz do fato de que há um grande grupo de católicos devotos lá fora e você está me dizendo que eles estão aqui porque esse símbolo rudimentar, que uma criança de 4 anos de idade rabiscou no pó do chão, tem ligações com o mal ou com algo científico?

A linha ficou em silêncio de novo, brevemente, antes que o padre Moriel continuasse.

— Independentemente dessas conjecturas sem fim, meus paroquianos aí estão muito cientes dessas inferências religiosas, tanto divinas como malignas. E isso nos faz voltar ao ponto de partida. Se aquela criança, sem saber, estava apresentando uma mensagem poucos minutos antes de sua morte, complicada por um pecado mortal sem reconciliação aos olhos do Senhor, então, pode haver um significado mais profundo em tudo isso. Essas implicações religiosas por si sós têm suscitado orações em massa por ela, como você agora está testemunhando. Esse grupo que você está vendo aí é apenas a ponta do *iceberg*, detetive. Para cada um desses católicos rezando existem dezenas de outros que já visitaram a igreja ou ainda irão visitá-la, para ver e crer. Você pode ter certeza de que haverá centenas e centenas de orações por ela nos dias e nas semanas que virão.

Graves ainda não sabia o que dizer.

— Não sei se acredito nisso tudo, padre. Quero dizer, não quero soar desrespeitoso, mas... sério?

Moriel riu.

— Sério. Aqueles que estão aí acreditam que isso é um sinal, e um sinal muito importante. Um sinal de que a pequenina cuja morte nós lamentamos pode ter nos deixado uma passagem divina. Ela ainda pode nos mostrar a luz, mas é claro que nós vamos ter que esperar para ver. Por enquanto, tem proporcionado forte razão para os católicos conciliarem sua morte brutal com a esperança de que haja um significado maior para toda essa horrível violência.

— Quando o senhor voltar, padre, eu gostaria de lhe fazer mais perguntas. Sei que a polícia local o liberou, mas ainda temos algumas coisas para discutir. — Ele hesitou, esperando ter sido claro sem soar ameaçador. — Gostaria de pegar todos os responsáveis por esse crime. Por favor, não desapareça, padre.

— Eu compreendo. Estou ansioso por nosso encontro. Obrigado pelo telefonema, detetive. É bom saber que todos aí entraram nessa cruzada por Eva. Por favor, não se esqueça dela em suas orações, Tom. — Houve um leve clique antes que a linha ficasse muda.

Graves olhou para trás, para a igreja sombria. A multidão permanecia ali, reunida em silêncio em torno dos pictogramas. Ele estremeceu ao pensar naquela bela garotinha e tudo o que ela havia passado no último ano. Ele iria ligar para a delegacia e pedir que rastreassem rapidamente aquele número misterioso, 011. Tinha o estranho pressentimento de que sabia exatamente de onde aquela chamada partira. Tirando o próprio celular do bolso, verificou as últimas chamadas efetuadas e apertou a tecla de rediscagem.

— Dana, é o Tom. Anote este número. — Ele esperou um minuto antes de ditar o número de quatorze dígitos. — Isso tem que ser repassado para o Bureau. Precisamos ter essa linha rastreada e monitorada também.

— Você está precisando de mais ajuda? — O garoto voltou da nave da igreja.

Graves, ainda ao telefone, olhou por cima do ombro.

— Não, obrigado. Já estou de saída, só vou ficar mais alguns minutos. — Desligando o telefone, deixou o pequeno escritório e voltou para a nave. Não tinha a menor ideia de como fazer aquilo. Antes de sair, ajoelhou-se diante da imagem de Maria e rezou por Eva.

Os *banners* coloridos que anunciavam a exposição itinerante sobre os pandas no zoológico agitavam-se contra a parede do terminal com a brisa. Quando John pisou na esteira rolante, reparou que a do sentido contrário estava quebrada e alguns dos passageiros frustrados precisavam correr para pegar suas conexões. Seu lado, no entanto, funcionava perfeitamente como deveria. John tinha mais de noventa minutos para se apresentar no portão de embarque e ele já havia deixado sua bagagem com o carregador do lado de fora na calçada. Antes de deixar a Cidade dos Anjos de vez, ele precisava dar um último telefonema. Tomando um assento desocupado, John teclou o número de onze dígitos.

A quase dez mil quilômetros de distância dali, Job desculpou-se educadamente e pediu licença da conversa que mantinha. Saindo do quarto de hotel para o corredor, ele atendeu o celular.

— Está feito? — Sua voz parecia à beira da raiva.

— Sim, senhor, está feito... Está *tudo* feito. — A voz de John soou confiante, mas abafada. — Estou partindo agora para encontrá-lo. Devo estar aí em dezoito horas. Há algo mais que precise de mim, senhor?

— Dê-me o número da prostituta. Você se saiu muito bem, Iän, agora eu vou terminar isso sozinho. — Job desligou o telefone e discou o número que lhe fora dado.

— Alô? — Dessa vez, era uma suave voz feminina que estava do outro lado da linha.

— Seus serviços não são mais necessários, Maria. Você se saiu muito bem e estamos todos satisfeitos. Seu dinheiro será entregue no momento que nos for apropriado, e não antes. Não tente fazer contato comigo, ou não haverá pagamento. Você entendeu?

— Sim, senhor... — foi tudo que Maria conseguiu dizer antes de a ligação terminar.

Sentada na cela úmida, Dana tirou o fone de ouvido Bluetooth enquanto Maria fechava o telefone.

— Os números combinam. Parece que você estava certo, Tom — ela acrescentou com um sorriso encorajador. — Acho que nós precisamos fazer uma viagem e visitar o nosso sacerdote.

Graves não conseguiu evitar dar um sorriso como resposta. Apoiando a mão suavemente no ombro de sua companheira, ele perguntou:

— Você gosta de frio?

Capítulo 32

Cada respiração queimava o peito de Fin. Ele estava andando havia dias, desde que deixara o restante de sua família para trás e escolhera ir para aquele lugar, e, nesse tempo todo, o cenário mal tinha mudado. Era uma vastidão acre, castigada por um vento cortante que fazia a pele de Fin sangrar com as saraivadas de areia. Durante o dia, a luz do sol era tão ofuscante que, somada aos vapores sulfúricos que empesteavam o ar, quase o levou à cegueira, iniciando o que viria a ser um sofrimento contínuo pelas breves horas de escuridão, à noite. Essas horas, preenchidas com a angústia de enxergar praticamente nada na mínima luz noturna, passava-as vertendo infindáveis lágrimas, que só cessavam com o nascer do sol e o reinício de todo o processo, mais uma vez. O latejar nas costas persistia, embora houvesse se tornado mais difuso. As dores agora pareciam começar em torno de seus ombros e descer em ondas em direção ao cóccix. As protuberâncias ósseas que haviam surgido estavam maiores e a carne em torno da base delas estava começando a descascar em grossas camadas, que produziam filetes de sangue. Suas costas estavam estufadas por baixo da pele e mais largas entre os ombros.

As montanhas que Fin avistou ao chegar encontravam-se apenas ligeiramente mais próximas do que dias antes, mas a sua visão delas agora era mais clara. Havia três picos distintos na cadeia; cada um deles estava enegrecido e parecia queimado em muitos pontos, como se houvesse passado por um grande incêndio. Nenhuma vegetação crescia neles, apenas tênues nuvens de fumaça ou talvez de poeira subiam em colunas de sua superfície carbonizada e profundamente fissurada. Ele presumiu que aquelas colunas eram a origem das nuvens negras que, ocasionalmente, produziam tempestades elétricas.

Justamente quando sua força nas pernas diminuía, o chão ali se tornava macio, o que lhe dificultava dar passadas rápidas o suficiente para não afundar, e ele ia ficando muito cansado para levantar os pés totalmente. Mas, então, quando ele recuperava novamente o fôlego, o terreno mudava, tornando-se duro e rochoso, cortando ainda mais seus pés descalços. Os cortes nas solas dos pés — que primeiro foram provocados em sua corrida pela floresta perto da cabana — se abriram mais. Havia entrado areia nessas lacerações e a dor se espalhara até suas panturrilhas. Todas as dores menores que sentira previamente haviam se concentrado em um sofrimento lancinante que percorria todos os seus músculos a cada passo.

Quando Fin parava brevemente, encostando-se a uma pedra ou a um afloramento de rocha para descansar, tudo em que colocava as mãos estava ardendo de quente. Entretanto o vento que fustigava seu corpo sem parar era gelado, provocando-lhe constantes calafrios e tremores.

Fin continuava a sentir-se emocionalmente compelido na direção que escolhera, passando sobre as montanhas e afastando-se do rio, onde iniciara a jornada. Apesar de sua dor física, não conseguia parar de pensar na filha sendo torturada, antes e depois de sua morte. Sentia-se responsável por Eva encontrar-se presa ali, embora se desse conta de que jamais entenderia inteiramente a razão disso. Especialmente ali, a culpa por abandoná-la o consumia. Esperava que isso servisse para tirar o foco de sua dor física, mas só fazia aumentar seu sofrimento.

Ao chegar à elevação próxima ao sopé das montanhas, começou a encontrar terreno mais áspero. As rochas, inicialmente pequenas, desapontavam de forma irregular da areia como lâminas de barbear enegrecidas. Tais afloramentos foram crescendo até que começaram a formar labirintos de paredões de rocha ígnea muito íngremes. Estava escurecendo agora e Fin encontrou-se diante da entrada de uma passagem estreita cujas paredes verticais e queimadas estavam cinzentas como carvão. Ele fez uma pausa, descansando a mão brevemente sobre uma rocha irregular junto à entrada. Com o peito arfante, Fin olhou para as montanhas. Outra tempestade começara, e cada raio iluminava o caminho diante dele como se fosse dia. Estava completamente exausto. Suas pernas queimavam da sola dos pés às coxas. Arrastando-se, ele seguiu em frente, em direção ao sopé da montanha, sua meta inicial.

— *Isso parece um daqueles filmes ruins, que mostram um cara vagando pelo Saara sozinho, com as calças na cabeça e queimado pelo sol escaldante* — Fim murmurou para si mesmo com um risinho amargo, percebendo que poderia estar perdendo a cabeça, mas, pelo menos, ali não havia abutres circulando no céu acima dele. — Não há nada — Fin disse em voz alta, enquanto apertava os olhos e olhava para o céu que começava a escurecer, apenas para se tranquilizar.

Por causa da fadiga, seus pensamentos haviam se tornado rotineiros, permitindo-lhe apenas a capacidade de se concentrar no próximo passo. Lutando para se manter em pé, levou o pé esquerdo à frente, não conseguindo encontrar apoio em uma pedra solta. Resvalando por baixo de seu pé, a rocha se soltou, fazendo com que Fin desabasse bruscamente e rolasse por uma ravina íngreme. Deslizando em direção ao fundo, ele agarrava freneticamente a parede rochosa, rasgando as pontas dos dedos e as palmas das mãos na superfície irregular, enquanto caía. Escorregando de costas, Fin ia trepidando e quicando, sentindo o fluxo de sangue de suas feridas aumentar. Ainda tentando amortecer a velocidade da descida pela encosta íngreme, ele tateava a esmo as laterais da fenda, até que sua mão encontrou a borda de uma saliência vertical na qual pôde se ancorar. Gemendo de dor, olhou por cima do ombro e viu que pequenos seixos começavam a ceder debaixo de seu apoio. Quando começou a despencar novamente, a última coisa que pôde ver foi uma avalanche de pedras caindo em sua direção.

Fin acordou algumas horas mais tarde, em um mundo de escuridão quase completa, livre de todo o entulho e deitado de costas. Na luz fraca que ainda irradiava da direção das montanhas, podia avistar a silhueta negra e irregular do paredão de pedra, a apenas um corpo de distância dele. Alongando o pescoço para os lados e esfregando a parte de trás da cabeça ainda deitado, ele se perguntava que diabos estava fazendo. No entanto havia uma paz em estar ali — a noção, ou melhor, o sentimento de que Eva estava ali também. Mas como iria encontrá-la?

Aqueles pensamentos ainda persistiam em sua consciência quando um leve ruído chamou sua atenção. Soou como pequenas pedras caindo ao longe, mas tinha ocorrido de forma tão inesperada e tão breve que ele não podia ter certeza de que direção viera. Ainda deitado, esperou por alguns momentos. Só podia ouvir o som de sua própria respiração, que parecia ecoar de volta para ele em meio à escuridão que o rodeava. Então, ouviu o ruído novamente, e dessa vez parecia estar vindo de muito mais perto do que antes. Ainda deitado de costas, Fin apoiou-se lentamente nos cotovelos. Esticando o pescoço, tentou espiar por cima das grandes rochas próximas aos seus pés. Perscrutando a imensidão escura, continuava a se perguntar se aquelas impressões de "direção" não seriam apenas uma ilusão... sugerida a ele por aquele lugar maligno, talvez? Balançou a cabeça para clarear os pensamentos, lembrando-se do que o padre Moriel havia lhe dito apenas um ano atrás.

Estamos todos destinados a alguma coisa. Você só precisa estar preparado espiritualmente para reconhecer o que é quando chegar a hora.

Enquanto Fin tentava perscrutar a escuridão circundante, um terror como não havia sentido antes naquele lugar o invadiu. O restante do pronunciamento do padre foi concluído para ele por uma voz gravemente insistente.

— Nunca tema a sua fé... especialmente em si mesmo. — A voz tinha uma essência perturbadora, parecendo a um só tempo forjada e antinatural.

O que Fin antes pensara ser uma rocha, escurecida pelo contraste com a luz fraca ao longe, foi lentamente se levantando sobre pernas compridas e finas, bem à sua frente. Aquela criatura grotesca tinha ficado acocorada ali em silêncio ao lado dele no barranco durante todo aquele tempo. De costas para a luz mortiça, com seus apêndices ósseos interrompidos a meio caminho por articulações bulbosas, e seu tronco tortuoso ondulando enquanto se elevava, a criatura revelou suas terríveis proporções para ele, apesar de as dimensões de sua cabeça serem indiscerníveis na escuridão. A voz parecia ressoar de todas as partes ao seu redor.

Fin congelou em choque, sem saber ao certo se havia sido visto. A escuridão que o havia protegido foi abruptamente cortada em sombras longas e definidas pelo brilho do olhar da coisa, quando ela abriu os olhos. Na dura luz, partículas finas de poeira dançavam no ar, enquanto Fin, raspando as costas no chão, procurava desesperadamente afastar-se daquela nova ameaça. Esticando os membros, a criatura atingiu sua plena estatura diante dele, permitindo a Fin vislumbrar seus contornos escuros e nodosos. As pernas magras terminavam em garras alongadas, cada uma com quatro dedos e unhas em forma de foice. Ela caminhava sobre os dedos, como um cão, com os joelhos protuberantes dobrados para trás. Enquanto avançava na direção de Fin, a luz de seus olhos se intensificou, projetando um amarelo mais radiante. Com o coração saltando dentro do peito, Fin continuou se arrastando para trás, até que sentiu a frieza de uma pedra contra a sua nuca. Qualquer coragem que pudesse ter sido provocada pela descarga de adrenalina foi sufocada pelo esmagador horror que sentia. Com o sangue congelado nas veias e mal conseguindo se mover, Fin sentou-se curvado, com as costas contra a pedra implacável.

A criatura continuou a avançar. Primeiro, um passo cauteloso, depois de alguns segundos, outro, como se ela, também, estivesse incerta sobre o que encontrara. Fin continuava sentado, pressionado contra o paredão de pedra. O medo deu lugar a imagens de sua garotinha, primeiro, os olhos, depois, o seu sorriso. A cada passo que a criatura dava em direção a ele, Fin sentia um renovado senso de propósito. O frio de seu pânico derretia no calor de sua raiva crescente.

Baixando a cabeça entre os ombros largos, a besta acelerou o ritmo. Um arrepio percorreu a espinha de Fin enquanto o rápido estalido de suas garras ressoava pelas paredes rochosas ao redor.

— Foda-se! — Fin cuspiu raivosamente por entre os dentes cerrados, em sua frustração. Colocando-se de pé, o pensamento de Eva sozinha com aquelas coisas elevou sua raiva a outro patamar. Fechou os punhos e se preparou para a luta. Na escuridão da ravina, a criatura parou. Permaneceu imóvel, de pé a poucos metros de Fin. Ele podia ouvir o roncar da respiração da coisa, enquanto observava a silhueta de seu peito subir e descer na luz fraca, o calor de sua expiração subindo no ar acima deles.

— Vamos! — Fin gritou com toda a sua raiva. — O que você está esperando, seu filho da puta?

Baixando a cabeça novamente, a besta se ajoelhou. A luz de seus olhos diminuiu de intensidade.

— Estou aqui para ser seu guia — disse ela em um grunhido antinatural e infantil.

O impulso de sair correndo quase sobrepujou a curiosidade de Fin. *O que diabos está acontecendo?* Podia ouvir sua pulsação latejando em seus ouvidos enquanto estava parado ali, sem saber se deveria estar se preparando para um ataque.

— O quê? — Foi tudo que lhe ocorreu dizer enquanto tentava enxergar as feições imutáveis da besta no escuro.

— Perdoe-me, eu precisava saber se você era o pai dela. — A coisa permanecia ajoelhada diante dele.

À menção de sua filha, a raiva de Fin elevou-se novamente.

— Como diabos você sabe quem eu sou... ou por que estou aqui? — Sua fúria o levou um passo mais perto da criatura.

— Você é aquele que nos escolheu, aquele sem pecado.

Com um calafrio, Fin se deu conta de seu caráter único. De repente, sentiu-se como se outros olhos estivessem voltados para ele também.

— Vou ajudá-lo a chegar até ela.

— Eu não preciso de ajuda!

A besta se curvou mais acentuadamente, fechando os olhos e mergulhando a ravina na escuridão novamente.

— Todos sabem quem você é, e você deve tomar cuidado. — Ao dizer aquilo, sua voz pareceu se dividir em muitas. — Ele espera por você. — A cacofonia de oitavas diferentes esmoreceu a bravata de Fin.

A mente de Fin disparou. Ele recuou mais um passo. *Todos sabem? Quem são eles e quem está esperando por mim?*

— Eu sei para onde estou indo, e não preciso da sua ajuda. — Seus instintos lhe diziam para não confiar em nada nem ninguém ali. Ele só precisava entrar, encontrar Eva e, depois, dar o fora... de alguma forma. — Vá embora!

— Você tem sete dias, três já se passaram. A criatura levantou-se e virou-se para ir embora. Começando a galgar o paredão de pedra, ela virou a cabeça para o lado, revelando seu perfil afundado. — O dia do acerto de contas se aproxima. — Com pouco esforço ela saltou, e os estalidos de suas garras ecoaram na escuridão, diminuindo à medida que ela se afastava.

Não fosse por uma ligeira brisa, tudo pareceria estático. Fin tremia, dessa vez não pelo frio, mas pela adrenalina não gasta. Sem saber no que acreditar, estava certo agora de que seu tempo era limitado, e se quisesse ver Eva novamente, precisava acelerar o ritmo. Tinha que transpor as montanhas no dia seguinte.

Capítulo 33

— Somente uma alma pura pode atravessar. Eu terei a dele, quando ele vier atrás dela. — O demônio parecia desinteressado na presença de Job naquela noite. Seu sono, que, imaginara, não seria mais perturbado após o acordo ter sido honrado, havia sido violado mais uma vez. De pé no vazio, Job continuou a ouvir, sem saber ao certo se aquele monólogo era destinado aos seus ouvidos.

— Você se saiu muito bem. — O demônio se virou, lançando nuvens de poeira sufocante, enquanto se movia rapidamente em direção a ele. O chão tremeu sob o imenso peso de cada casco, enquanto ele caminhava. — A menina está com a gente, e o blasfemador ainda se aproxima. Suas provações, em seu nome, irão despi-lo de sua humanidade. A pureza que roubarei dele irá romper os laços que me prendem aqui.

— Quando terei o que você me prometeu? Quando a evidência do que você prometeu se revelará a mim? — Job nunca tinha sido tão direto. Ao longo de suas transações, ele fora paciente e obediente, fazendo das tripas coração, tudo em nome de sua própria religião. Mas Job estava cansado dos sacrifícios, da dor e, sobretudo, do perigo constante sob o qual se colocara.

O demônio se elevou sobre ele, subindo o tom de voz subitamente.

— Não confunda este mundo com um sonho, nem a minha influência sobre você como sujeita a este lugar somente. — Arremetendo contra ele, enfiou o casco fendido profundamente no ventre de Job.

A agonia era esmagadora. A dor sitiou os seus sentidos e Job viu-se a orar em voz alta para que ficasse inconsciente. Em vez disso, permaneceu acordado e totalmente capaz de apreciar todos os aspectos de seu sofrimento.

— Sua obediência aos meus desejos vai amarrá-lo a este lugar pela eternidade. Não pense que é mais esperto do que nós por bancar o falso profeta. — Parado ereto, o monstro ergueu Job bem alto na atmosfera pungente acima de sua cabeça. Job podia sentir a pressão do próprio peso em sua coluna e seus ombros, enquanto o seu sangue escorria para baixo, sobre o membro nodoso que o sustinha lá. Dobrando o joelho, como se para depositar Job de volta ao lugar onde estava, o demônio pareceu oferecer um breve sorriso antes de deixar escapar um uivo ensurdecedor.

Com as feições contraídas pela dor, Job podia sentir a tensão na extremidade que preenchia o seu abdômen, o antebraço duro como pedra que o suspendia agora distendendo a sua caixa torácica de modo acelerado. Girando descontroladamente, a besta lançou-o longe, arremessando-o em direção a um monte rochoso. A dor de Job intensificou-se com a sua libertação. Voando alto, ele atingiu a parede de um penhasco e escorregou para uma plataforma rugosa, fora da vista de seu atacante. Dava para ele sentir o rastro de sangue que o seguiu até embaixo, acumulando-se em torno dele, onde jazia. Por meio de sua respiração entrecortada, Job olhou para o ferimento deixado pela garra do demônio, aterrorizado ao ver o estrago. A ferida aberta era enorme, suas bordas estavam arregaçadas para fora devido ao arremesso violento que o fizera voar até ali. Sua ansiedade era evidenciada pela pulsação rápida que fazia o líquido carmesim jorrar de suas entranhas, que agora pendiam de sua barriga. Ele cobriu a ferida levemente com as mãos enquanto tentava manter-se vigilante contra outro ataque.

— Meu aprisionamento aqui é perpetuado pela sua espécie. — Job podia ouvir as notas de barítono da voz do demônio enquanto ela sumia na distância. — Vocês, criaturas inúteis, com todo o seu autoatribuído conhecimento, ainda não entenderam o seu próprio papel nesta realidade.

A escuridão que havia rodeado seu pequeno enclave lentamente deu lugar a uma luz que vinha de um ponto além de onde ele estava sentado. Com crescente consciência, Job viu um grande inferno se abrir diante de si — um inferno que ele até agora não conhecia. A luz que enchia o desfiladeiro não era pacífica. Era projetada pelo fogo que consumia aquele lugar. O vale à sua frente, repleto de rochas e bestas, parecia mover-se em uníssono com as sombras. As paredes do desfiladeiro eram tingidas com o vermelho do sangue dos condenados, que estavam espalhados pelas rochas, com os corpos empalados nos afloramentos rochosos serrilhados e pontiagudos, lamentando-se enquanto continuavam a se mexer. Job podia ver um exército de demônios, como formigas-soldados patrulhando toda aquela enorme extensão de terreno devastado, protegendo algo nos confins da bacia. Os gritos e o choro, que em outras noites soavam abafados, pareciam agora amplificados mil vezes. Da rocha onde estava sentado, Job pôde avistar uma área no meio de todo aquele caos, um caminho que levava ao que quer que fosse que estava sendo protegido além de sua visão. No meio do vale, corria um riacho que cortava a bacia. Era iluminado pelos fogos abaixo, com rochas derretidas borbulhando para o precipício e, então, explodindo quando esfriavam antes de voltarem para baixo novamente. Na margem oposta dessa fenda, o demônio elevava-se sobre seus asseclas, enquanto eles vagavam abaixo dele, em sua sombra. Berrando comandos, ele estendia seus enormes braços para os lados, suas asas de couro expandindo seu alcance três vezes mais. Das escarpas que os rodeavam, vinham os cadáveres em decomposição dos perdidos, arremessados nas chamas. Atraindo os infelizes para perto, o demônio puxava-os para o fogo, incendiando suas almas em fugazes faíscas, enquanto eles rompiam o vazio e desapareciam nas entranhas daquele lugar.

Enquanto Job estava sentado ali, tornou-se claro para ele que estava testemunhando o caminho final do amigo que ele havia traído. No extremo oposto do que seria o vale da morte de Fin, estava a garotinha que ele procurava, a garotinha cuja alma guardava o destino de todos os seus planos vis. Job chorou copiosamente ao pensar nas torturas que Eva sofria, que violações ela suportava enquanto seu pai atravessava aquela existência desoladora e abandonada, determinado a resgatá-la.

Um impacto violento ressoou pelo vale, chamando a atenção de Job de volta para o centro. Com uma colossal batida de suas asas, o demônio lançou-se aos ares. Voando alto, ele aterrissou com força ensurdecedora a poucos metros de onde Job se encontrava, novamente fazendo o chão desmoronar. Como o arco de suas asas bloqueavam a luz do além, Job, sentado na escuridão daquela sombra, só conseguia ver a ardente luz alaranjada dos olhos do mestre.

— Minha eternidade aqui se aproxima do fim. Você vai encontrar a sua prova de vida após a morte nos restos mortais do meu salvador.

— Eu não entendo... seus despojos foram cremados... não resta mais nada dele.

O demônio se agachou perto de Job, que pôde sentir o cheiro de enxofre agitando-se no intestino da besta.

— Sua utilidade para mim terminou. Se nos encontrarmos de novo, será a sua condenação.

Os arrependimentos de Job inundaram sua mente. Eles estavam começando a se acumular em sua alma já sobrecarregada.

— O que será da menina? — ele perguntou, enquanto, instintivamente, levantava o braço diante do rosto, para se proteger.

— Tolo arrogante! — Com o canto do olho, Job captou um reflexo de luz brilhar na garra do demônio enquanto ela atingia o apogeu antes de desabar em direção a ele. Com um único golpe, Job foi arremessado longe pelos ares novamente, dessa vez, para a esquerda, girando de ponta-cabeça.

Aterrissou com um enorme baque, batendo a parte de trás da cabeça na mesinha de cabeceira, fazendo o abajur de cerâmica se espatifar contra o chão de madeira. Com o peito arfando, Job sentou-se imóvel, a princípio, movendo apenas os olhos para se aperceber de onde se encontrava.

Estava de volta, acordado em seu quarto, sozinho e sentado no chão ao lado da cama. Procurando se levantar, voltou à posição devido à dor incapacitante em seu abdômen. A camisa do pijama estava encharcada de sangue, aparentemente da ferida que tinha sofrido nas mãos do demônio. Job parou, incapaz de se levantar e olhar debaixo da roupa. Entre o desejo de saber e o medo, Job começou a chorar. Em um ataque de autoaversão e raiva, rasgou descontroladamente sua camisa, esperando se deparar com os estigmas. Mas não encontrou nenhum, nenhum ferimento sequer que ajudasse a reprimir a culpa de seus sacrifícios.

O telefone tocou, assustando-o e, novamente, liberando mais adrenalina em seus músculos trêmulos. Permitindo-se uns instantes para se recompor, ele só atendeu depois de vários toques.

— Alô?

— Senhor? — A voz era ao mesmo tempo familiar e reconfortante. — É John. Você está pronto? Esqueceu-se? A cerimônia é hoje. A família Canty estará esperando por você.

Clareando os pensamentos, Job se levantou, ainda fazendo uma careta de dor.

— Comigo, use o nome com que o batizei, Iän. — Ele gemeu enquanto começava a se levantar e lançou um olhar para o relógio, que agora estava ao lado dele, no chão. — Tenho algum tempo ainda. — Lembrando-se da posição que ocupava, prosseguiu o que estava dizendo, aprumando-se o mais que pôde. — Não quero você lá. Não precisamos suscitar perguntas. Precisamos... *finalizar* o último pagamento. Use o helicóptero da organização, mas esteja de volta hoje.

— Entendo. O que você decidiu sobre a excursão? — perguntou, referindo-se à planejada visita guiada ao Grande Colisor de Hádrons do CERN, que havia sido marcada para o fim da semana. — Você já escolheu uma data?

— Vai depender da disposição de todos os envolvidos, não é verdade? — Job recolheu do chão os objetos da mesinha de cabeceira. Pensou no que o demônio lhe havia dito: *Você vai encontrar a sua prova de vida após a morte nos restos mortais do meu salvador.*

— Antes de ir — ele disse —, tenho mais uma tarefa para você... — Então, apertando o abdômen, ele se dirigiu ao banheiro.

— Estamos a trinta mil pés, e os passageiros do lado da porta podem apreciar a vista das costas ocidentais da Irlanda. — O rádio chiou antes de um ruído eletrônico, que significava que o piloto retirara o polegar do intercomunicador. — Devemos chegar ao aeroporto de Heathrow em uma hora.

Graves ajeitou-se desconfortavelmente em seu assento, apenas meio acordado.

— *Por favor*, pare de ficar se contorcendo. Toda vez que você faz isso, sacode a fileira inteira. — Dana não era de dormir em aviões, não importava a duração do voo. Havia algo na noção de estar suspensa naquela altura que a mantinha acordada.

— Sinto muito, a minha bunda está me matando. Não consigo ficar confortável neste maldito assento. Sabe o que eu gostaria?

— Não vou massagear suas costas, se é isso que você está prestes a sugerir.

— Não, apesar de que seria muito bom. O que eu gostaria é que esta maldita poltrona pudesse ir para trás pelo menos uns cinco centímetros. — Graves deu uma espiada no computador aberto diante dela. — O que você tanto lê, afinal? Está enterrada nesse laptop há horas.

— São todos os arquivos de jornal sobre as audiências de que Canty participou. Sabe? Aquelas sobre o colisor do CERN e aqueles malucos do Havaí. — Dana permaneceu com os olhos fixos na tela de LED, e aquele brilho suave iluminou suas feições delicadas, como se fosse uma criança debaixo das cobertas. — É muito interessante. Esse cara era o máximo, quero dizer, ele colocou o projeto de volta nos trilhos. — Dana havia passado a maior parte da tarde anterior pesquisando dados nos arquivos do Bureau. Ela havia cruzado o nome de Canty com o CERN e o ARCH.

— Você encontrou algo útil? — Graves endireitou sua poltrona, inclinando-se para o lado novamente.

— Há um monte de discussões sobre o CERN e o seu âmbito de pesquisa. Mas o que eu achei interessante é que existem inúmeras referências à grande quantia que essa ação requereu.

— Eu achava que um grupo cristão qualquer a havia financiado, não?

— Sim, eu também. Mas, se você ler nas entrelinhas, parece que só pagaram o advogado e nada mais. As custas judiciais, a preparação inicial dos documentos, as despesas de viagem para a pequena equipe de advogados e até mesmo uma compensação financeira pelo tempo dos autores afastados do trabalho foram bancadas por fontes totalmente diferentes. Um artigo menciona uma testemunha chamada para depor na audiência inicial que precisou vir da Europa, e isso não foi barato. Eles até convocaram a Divisão do Meio Ambiente e Recursos Naturais do Departamento de Justiça, com sede em Washington!

— Quem pagou por tudo isso, então? — Graves olhava a tela por cima do ombro dela, com o braço apoiado em seu descanso. Roçaram os dedos por um breve momento, já que ocupavam o mesmo espaço.

— Aqui não diz, tudo que encontrei foi "... tudo a um custo de centenas de milhares de dólares". Os dois indivíduos que começaram o processo são citados e dizem que eles "pagaram do próprio bolso a maior parte disso", mas eu acho difícil de acreditar.

— Eu não sei, os últimos dias me mostraram que as pessoas realmente fazem coisas inacreditáveis em nome de sua religião. — Graves voltou a se recostar em sua poltrona semirreclinada quando as luzes da cabine começaram a se acender.

— Eu não engulo essa história. Os dois caras que levaram o caso ao Tribunal de Justiça eram um professor da escola local e o zelador do edifício. Não se trata exatamente de físicos de renome mundial. Aparentemente, foram essas duas pessoas nada sofisticadas que se autointitularam ARCH. — Dana levantou as sobrancelhas sarcasticamente. — Quero dizer, as alegações iniciais envolvem uma grande quantidade de ciência, sem falar no dinheiro necessário para fazer aquilo. E dê só uma olhada na última parte! — Ela apontou para a tela. — "... embora o processo tenha sido indeferido, uma liminar foi protocolada duas semanas mais tarde, resultando numa ordem judicial para garantir a possibilidade de monitorar todos os movimentos do colisor via satélite". Aparentemente, para ser possível desligar remotamente todo o sistema diante de certas condições.

— Que condições? — Graves estava esfregando os olhos com força. Prestando atenção parcial agora, esforçava-se para ser educado, enquanto tentava espantar o sono.

Clicando em vários artigos, Dana encontrou o que estava procurando:

— "... um aumento na produção de radiação local, um aumento de mais de cinco por cento no gravímetro interno", seja lá o que for isso, "ou um aumento no campo gravitacional local". Oh, eu acho que essa última coisa mede a intensidade de campo.

— Existe alguma coisa aí sobre o colisor em si? Quero dizer, por que aqueles doidos estavam tão preocupados com ele, afinal?

Dana continuou:

— Há um artigo sobre a formação de uma ponte de Einstein-Rosen.

— O que é isso?

— É um buraco de minhoca. — Ela trocou algumas telas antes de continuar. — "Uma parte essencial no projeto do LHC é o detector ATLAS. Um dos dois detectores versáteis, ele irá buscar partículas teóricas, dimensões extras, bem como a composição da matéria escura. Alguns especulam que esse detector poderia formar bolhas de vácuo, buracos negros microscópicos, ou mesmo uma teórica passagem entre dimensões conhecida como ponte de Einstein-Rosen. Essas criações poderiam mudar o universo da forma como o conhecemos, tornando impossível a nossa existência." Acho que isso responde à sua pergunta, hein?

— Senhoras e senhores, por favor, coloquem o encosto dos assentos e as bandejas na posição vertical. Estamos nos preparando para aterrissar. Aqueles com destino a Genebra permanecerão conosco esta noite... — A voz do capitão foi abafada, fundindo-se ao crescente barulho na cabine.

Graves soltou um gemido audível:

— Que ótimo, vou ter que ficar com a bunda quadrada por mais algumas horas.

Capítulo 34

A última parte do voo foi menos penosa do que Graves e Dana esperavam. Graças a um vento de cauda decente, o avião deles pousou em Genebra pelo menos uns quinze minutos antes do previsto. Cruzando o aeroporto em direção à área de entrega de bagagem, Graves sentia-se moído de cansaço. Seus joelhos e quadris doíam só de suportar o peso de sua valise de mão, enquanto caminhava pelo terminal.

— Quem vai nos apanhar?

Dana tinha ficado em silêncio até agora. Olhando para a frente enquanto caminhavam, seu pensamento parecia estar longe, a uns mil quilômetros de distância.

— Hum? Oh, um dos agentes seniores da FedPol, um tal de inspetor Goll. Pareceu-me um homem muito agradável quando falei com ele, há poucos dias.

— Bem, só espero que tenha verificado os horários de chegada para não ficarmos sentados aqui uma eternidade esperando por ele. Que horas são, afinal? — Graves olhou para o relógio enquanto seguia a parceira, tentando desesperadamente não tropeçar nem cair enquanto o fazia.

— Estamos seis horas à frente da Costa Leste, nove horas à frente da Costa Oeste. — Ela olhou por cima do ombro quando terminou de falar. Graves ainda estava olhando para o relógio. — Olha, basta adicionar nove horas ao que o seu relógio está mostrando e você tem a hora daqui. São nove horas da manhã de domingo, Tom. Seu relógio deve estar marcando meia-noite, horário de casa. Você parece criança...

— Ah, sim, tem razão — disse ele, enquanto a seguia de perto, ainda olhando para o pulso.

Descendo a escada rolante para a área de entrega de bagagem, Dana avistou dois senhores profissionalmente vestidos com ternos escuros esperando no desembarque. Ao se aproximarem mais, o maior dos dois homens foi ao encontro deles com a mão estendida.

— Agente Pinon? Sou o inspetor Goll... Bastien Goll. Estamos com o Escritório Federal de Polícia da Suíça. — Ele apertou a mão de Dana suavemente ao se apresentar. Era um homem com fartos cabelos louros e fisicamente imponente, com um sotaque quase tão forte quanto ele próprio. Dana estimou que ele devia ter, provavelmente, mais de um metro e noventa de altura e, pelo menos, cem quilos.

— Esse é o meu parceiro, o inspetor Aldo Baumgartner. — Bastien gesticulou em direção ao outro cara atrás dele.

Graves não conseguiu evitar uma risadinha alta e, por isso, baixou a cabeça rapidamente. Limpando o nariz com a manga, esperou disfarçar sua imaturidade com um espirro.

— Desculpe-me: essas viagens longas sempre irritam meus seios nasais — disse timidamente, oferecendo um sorriso frouxo antes de apertar as mãos de ambos os senhores.

— Vamos encontrar a bagagem de vocês. Continuamos nossa conversa no carro. — Bastien virou-se para o cavernoso saguão que abrigava uma infinidade de esteiras de bagagem. — Por favor, retirem suas malas e nos encontrem lá fora. Estaremos esperando no Audi preto. — Enquanto os homens se afastavam, os dois americanos se dirigiram à esteira de bagagens de seu voo para recolher as malas.

Dana deu uma cotovelada nas costelas de Graves.

— Que diabos está acontecendo com você? — ela o repreendeu em voz baixa.

— Sinto muito! Olhe, eu estou exausto... e aquele cara disse que o nome de seu amigo era "Bum-gardener".* — Ele riu novamente, os ombros subindo e descendo rapidamente a cada risada reprimida. — Sinto muito, de verdade. Mas eu fiquei imaginando aquele *sueco* rechonchudo trabalhando com um ancinho e uma enxada numa plantação de bundas nuas saindo da terra. — Ele riu de se sacudir mais uma vez. — Desculpe, não deu para segurar.

Dana balançou a cabeça com desgosto.

— O nome dele é Baumgartner, não Bumgartner — disse ela. — Nada mudou. Você continua o mesmo criançao. — Ela reprimiu um sorriso. Seu senso de humor excêntrico foi uma das razões de ela se sentir atraída por ele, no início. Graves sempre encontrava uma maneira de fazê-la baixar a guarda e sentir-se relaxada. Com o passar dos anos, entretanto, isso não fora suficiente para superar suas diferenças. Agora ela estava cansada também, mas começava a se perguntar se havia sido uma boa ideia trazê-lo junto, no final das contas. Ele era um excelente detetive da polícia quando queria ser, sério e brilhante. Dana sabia quanto ele gostava dela, e seria uma distração se não estivesse focado. — Olhe, até que você tenha dormido um pouco, basta manter a boca fechada, ok?

Poucos minutos depois, avistaram suas malas. Eles as apanharam e atravessaram as portas automáticas, saindo para o frio daquela manhã ensolarada.

O carro era imenso, escuro e potente. Seu motor V12 de 6 litros ronronava na calçada esperando por seus ocupantes. O carregador colocou a bagagem deles no porta-malas, enquanto Dana e Graves afundavam no banco de couro traseiro. Com o inspetor Goll na direção, puseram-se em movimento com aceleração quase silenciosa.

— Primeiro, vou levá-los ao hotel. Vocês podem deixar os seus pertences lá antes de começarem, se preferirem. Fui informado de que

---

* "Jardineiro de nádegas."

vocês estão aqui atrás de suspeitos de vários assassinatos ocorridos em seu país. É isso mesmo?

Dana colocou uma mão firme no braço de Graves antes de responder, na esperança de mantê-lo quieto.

— Sim, temos algumas evidências ligando o suspeito aos assassinatos. Estamos aqui para interrogar um americano e, possivelmente, efetuar a prisão. Se der no mesmo para vocês, podemos ir para o hotel mais tarde, senhores. Preferimos começar logo. — Ela fez uma pausa antes de continuar. — Inspetor Goll, o que o seu escritório sabe sobre o ARCH?

Os dois homens no banco da frente trocaram olhares cúmplices. O inspetor Goll falou primeiro.

— Por favor, pode me chamar de Bastien. Você está se referindo aos "Ativistas em repreensão ao CERN por sua heresia", o grupo americano que está tentando desativar o colisor do CERN. Na verdade, sabemos bastante, e acho que vocês devem esperar um pouco antes de fazer o seu interrogatório. Há mais coisas que vocês desconhecem.

— Parece que tem muito dinheiro revertido para a causa deles, e não há muita explicação a respeito de onde ele vem. — Dana observou Graves mexendo nos controles das pequenas telas de LCD embutidas nos encostos de cabeça em couro dos bancos dianteiros. — Estou curiosa, Bastien, o que é que nós não sabemos?

— Bem, incluindo a morte do doutor Canty há um ano, há duas mortes associadas com o CERN. Na última semana, aqui, uma jovem mulher, pós-graduanda, caiu e morreu dentro da sala do reator. Além disso, depois que você e eu nos falamos no outro dia, comecei a rastrear e depois a monitorar o número de celular que você me passou. — Bastien olhou por cima do ombro para os seus convidados. — Você recebeu as transcrições das chamadas naquela tarde? Houve alguns comentários muito interessantes feitos pelo nosso amigo John, não acha?

— Eu as recebi, sim, obrigada. Elas constituem uma das evidências mais convincentes neste caso. As provas que ajudaram a convencer meu diretor, possibilitando-nos a vinda para cá.

— Seus superiores sabem disso?

— Sabem.

— O sacerdote é o seu alvo?

— Sim. A presença do padre Moriel aqui nos preocupa muito, especialmente no momento em que as instalações do colisor estão começando a funcionar e a família inteira de Canty está aqui.

— A cerimônia para os dois membros falecidos da família aconteceu esta manhã. Segundo me disseram, foi muito bonita — Bastien interrompeu-a. — As cinzas foram jogadas sobre a encosta da colina onde o doutor Canty viveu enquanto trabalhava aqui... do lado de fora da casa de seu amigo e diretor do CERN, o doutor Edvard Krunowski.

— Parece que o nosso sacerdote não é apenas um amigo da família, mas outro desses católicos de direita empenhados em deter as pesquisas do CERN. Só espero que ele não tenha acesso ao colisor. — O comentário de Dana foi recebido com outro olhar de cumplicidade entre os dois agentes suíços.

— Na verdade, ele participará de uma visita guiada ainda esta semana.

Graves não conseguiu segurar a língua por mais tempo.

— Então, estou confuso. Por que devemos esperar para interrogar o padre Moriel, ou mesmo levá-lo sob custódia, aliás? Parece que deveríamos prender o padre e seu grupo antes de terem a chance de causar mais danos.

— Bem, veja, ele não é a única ligação com a Igreja Católica — o inspetor Baumgartner interrompeu-o.

Graves e Dana trocaram olhares surpresos.

— Onde você aprendeu a falar inglês tão bem, inspetor?

— Por favor, detetive Graves, pode me chamar de Aldo. Eu nasci e cresci aqui, nos arredores de Genebra, mas passei os anos da minha educação superior na Inglaterra. Mais tarde, mudei-me para Roma, onde terminei meus estudos. Voltei para a Suíça depois de vários anos de serviço na Guarda Suíça do Vaticano.

Dana sabia que não era qualquer um que servia na Guarda Suíça. Seu anfitrião obviamente era alguém com um formidável background e uma boa educação.

— Então, quer dizer que vocês conseguiram rastrear outro número de celular? — Graves perguntou enquanto continuava a mexer em todos os botões, nas maçanetas e nos dispositivos ao seu redor.

— Não, não conseguimos — acrescentou Aldo.

— Veja bem, detetive Graves, o nosso sistema celular aqui na Europa não é como no seu país. Para permitir a plena itinerância em toda a União Europeia, a maioria dos telefones é vendida no balcão como pré-pagos. Não estão ligados a uma conta específica. Minutos adicionais e um número de telefone correspondente são comprados em cartões, separadamente. Esses minutos são então adicionados ao débito on-line do telefone chamando esse número. Muitas vezes, não há nada que vincule determinado telefone ou seu número a um indivíduo.

— Então, como é que você está ciente de que há outro membro da Igreja envolvido nesse caso?

— Bem, isso me leva ao meu próximo argumento, inspetora Pinon — Aldo continuou. — Parece que o ARCH tem um grande patrocinador. — Ele se virou brevemente para encarar os seus convidados. — Nós também nos perguntamos como esse pequeno grupo financiava seus empreendimentos, por isso, tentamos rastrear os títulos ao portador usados para custear as passagens daqueles que voaram para o Havaí para depor. Muitas das testemunhas que o ARCH chamou eram habitantes da região que também tinham questões pessoais com relação àquele "monstro" enterrado embaixo de suas casas. A maioria daqueles títulos não era rastreável... suíços, deveria acrescentar. Entretanto, perto do fim do julgamento, houve uma última transação que envolveu o testemunho do cardeal Antonacci. Sua viagem foi paga com um título rastreável que nos levou ao Vaticano.

— Cardeal o quê? Não creio que já tenha ouvido esse nome antes. — Dana agora estava sentada um pouco mais ereta no banco.

— O cardeal Giuseppe Antonacci é o astrônomo sênior do Vaticano — Bastien explicou, fazendo contato visual com ela pelo espelho retrovisor. — Achamos que há peixes muito maiores aqui.

— O Vaticano tem um astrônomo? Isso me parece um pouco... bem... contraintuitivo — Graves acrescentou, erguendo as sobrancelhas.

— Pelo contrário — objetou Aldo. — O Vaticano tem seu próprio observatório a sudeste de Roma e mantém uma estreita colaboração com a Universidade do Arizona, operando um telescópio exclusivo naquele estado americano. A Igreja Católica ainda sofre o estigma dos maus-tratos a Galileu executados quatrocentos anos atrás. Mas, para ser justo, eles estiveram na vanguarda de um grande número de descobertas astronômicas no século passado. Os jesuítas que dirigem as instalações se orgulham de sua racionalidade científica à luz de sua religião.

Graves estava começando a ver uma conexão entre Moriel e tal grupo.

— Então, qual é a relação entre o dinheiro e o cardeal Antonacci?

— Parece que o seu testemunho ocorreu dias depois dos outros — Aldo respondeu. — Ele foi a última testemunha chamada pelos réus.

— Pelos réus? — questionou Graves. — Por que o Vaticano iria gastar dinheiro para enviar o sacerdote ao exterior apenas para testemunhar *contra* a sua causa?

— Não sabemos. Mas o xis da questão é que o cardeal Antonacci estava lá em nome do CERN, para fazer *lobby* pelo colisor, apesar do fato de sua viagem ter sido bancada pelo mesmo dinheiro que bancou o ARCH. O cardeal argumentou que a pesquisa científica e a fé cristã não são mutuamente exclusivas. Usando as palavras do próprio Galileu Galilei, fechou sua declaração dizendo que as Escrituras têm a intenção de nos ensinar a ir para o céu, e não como os céus funcionam.

— O grande sedã estremeceu ligeiramente, alterando seu percurso através de uma pequena ponte sobre um barranco coberto de neve.

— Bem, se a Igreja Católica estava financiando o ARCH, o testemunho do cardeal deve ter rendido a ele alguns inimigos em Roma. Então, para onde estamos indo? — perguntou Graves, educadamente.

— Para o departamento de polícia cantonal local. Vamos coordenar a participação deles no que mais for necessário. Arranjei para que um helicóptero da Fedpol leve o inspetor Baumgartner e o detetive Graves para falar com o cardeal.

— Para o Vaticano! — Graves se inclinou para a frente e colocou a mão no ombro de seu suposto parceiro de viagem. — Não, Aldo, eu acabei de sair de uma aeronave, não tenho certeza de que meu traseiro aguentaria entrar em outra. Como é que vamos saber se o cardeal ao menos vai estar lá?

— Eu já andei conversando com a Guarda Suíça a respeito de nossa entrevista. Lembre-se de que eu tenho alguma influência lá. — Mais uma vez, Aldo olhou rapidamente por cima do ombro. — Não se preocupe, detetive, o voo não é longo. Devemos estar no Vaticano dentro de duas horas. Enquanto estivermos lá, Bastien e a agente Pinon podem começar a localizar o tal padre Moriel para *discutir* assuntos com ele.

— E sobre a visita guiada às instalações do CERN? Precisamos nos certificar de dar um fim nisso antes de interrogarmos quem quer que seja.

— Eu não poderia estar mais de acordo com você, agente Pinon — opinou Bastien. — Vou ligar para o diretor do CERN e deixá-lo a par de nossos planos. Ele precisa estar ciente do perigo que ele e suas instalações estão correndo.

O sedã parou num estacionamento coberto de neve do lado de um prédio térreo. Lá no alto, o sol do meio-dia derramava sua luz sobre o gelo, provocando um reflexo ofuscante no telhado da delegacia. Cerca de trezentos metros a oeste do complexo, um 532UL Cougar de cores vivas aguardava com o rotor principal ligado.

— É a nossa carona? — Graves apontou timidamente para o helicóptero verde e amarelo enquanto descia do sedã preto.

— É sim, senhor. Deixe suas malas aqui. Você pode se refrescar rapidamente dentro da delegacia, antes de partirmos. — Aldo já caminhava sobre os vestígios da neve que caíra mais cedo, enquanto se dirigia para a porta do prédio pintado com um monótono cinza.

Graves ergueu a voz acima do barulho crescente.

— Você tem certeza de que é seguro? Quero dizer, helicópteros parecem tão antinaturais. Nunca vi coisa alguma na natureza que tenha asas giratórias.

— Árvores de bordo têm sementes que giram até o chão. Isso é natural — disse Aldo, chegando à porta. Eles já estavam sentindo o deslocamento de ar produzido pelas quatro enormes lâminas girando em cima daquele gigante.

— Que ótimo, árvores...! Como os meus temores me parecem tolos agora. Obrigado, já me sinto melhor.

Capítulo 35

As cavernas avistadas ao longe por Fin nas últimas horas finalmente estavam ao seu alcance. Seus detalhes tornaram-se mais evidentes para ele ao longo do dia. No início da manhã, parecia que ele caminhava em direção a um terreno ligeiramente coberto por uma camada fina de neve. Em vez disso, a terra se encontrava revestida pelas cinzas que caíam suavemente das nuvens negras do céu. Como tudo ali, a descoberta da ilusão só aumentou seu sofrimento. Os flocos daquele verniz oleoso e quente, ao contrário de seus irmãos gelados, não derretiam na pele de Fin. Em vez disso, cada floco aderia como napalm, queimando até sangrar e se misturar com os outros que já haviam caído antes e os que caíam depois dele. No começo, Fin tentou mitigar a dor aguda que causavam sacudindo apressadamente cada floco assim que pousava. Mas, graças à quantidade esmagadora deles e à sua fadiga crescente, já fazia muito tempo que ele perdera a batalha. Quando olhou para trás através da espessa cortina de cinzas, a íngreme extensão do deserto que cruzara parecia não ter fim. Na sua percepção, aquele terreno tórrido, com sua imensa carga de rochas, que se estendia até onde a vista alcançava, ondulava no ar rarefeito pelo calor que subia.

Fin precisava parar mais frequentemente agora, enquanto arrastava seu corpo ensanguentado em direção ao cume das montanhas escarpadas. Não havia qualquer tipo de vegetação ali e, desde o início de sua travessia por aquela terra desolada, não havia nenhum sinal de água. Seus lábios rachados e fissurados dependuravam-se sobre o que antes era músculo rosado e sangrento. Músculo que havia secado fazia muito tempo, embora a dor que sentia continuasse sem trégua. Sua língua estava profundamente ferida. Inchada e seca como algodão, sua massa intumescida ardia dentro da boca.

Olhando para as cavernas agora mais próximas, Fin percebeu que elas eram muito maiores do que pensava. De suas bocas abertas pendiam dentes carbonizados produzidos por aquele inferno. Fin entrou na primeira caverna que alcançou. Tropeçando no escuro, deixou-se cair sobre uma grande rocha logo na entrada. O alívio do calor lá fora, embora ligeiro, era bem-vindo.

Deitado ali naquele relativo frescor, começou a pensar em Eva novamente. Lembrou-se dela rindo e correndo pelo quintal, subindo no balanço de cedro que ele havia construído para ela alguns verões antes. De seu olhar meigo e do sorriso entusiasmado. Mas, apesar de todo o seu esforço para ignorar aquele lugar, sua tentativa de sentir o calor de seus abraços falhou. Sua capacidade de senti-la vinha diminuindo ao longo do caminho em meio àquele lugar esquecido por Deus.

Talvez não estivesse na direção certa. Seus olhos arderam quando começou a chorar. Fin piscou com força, na tentativa de reter líquido, e percebeu que, pela primeira vez, pensando em Eva, o espasmo em seu rosto havia cessado.

Permitindo que sua visão se adaptasse à escuridão, notou que o que a princípio lhe parecera ser imperfeições naturais e sombras na parede agora tomava uma forma diferente. Sentando-se, apertou os olhos para aguçar a visão naquela pouca luz e observar seu novo ambiente. Levantando-se de onde estava, caminhou até as paredes planas da caverna e passou os dedos sobre a rocha lisa. Ele mal podia acreditar no que estava vendo.

Espalhados por todo o comprimento da parede da caverna diante dele havia desenhos primitivos, traçados em toda a sua desbotada glória como aqueles encontrados por arqueólogos no oeste americano.

As delgadas figuras em destaque se assemelhavam à besta com que Fin se deparara na noite anterior. Seus membros desproporcionais e suas garras retorcidas guardavam uma semelhança inconfundível com aquela que, aparentemente, era apenas mais uma dentre criaturas mais onipresentes do que ele imaginava. Essas criaturas maiores estavam perseguindo as menores, que pareciam seres humanos com lanças e cocares feitos de penas. Fin percorreu todos os pictogramas da direita para a esquerda. Ele reparou que, a cada quadro sucessivo, a quantidade daquelas criaturas crescia, enquanto o número do que parecia serem nativos diminuía. O que chamou a sua atenção foi o fato de que, à medida que a história evoluía, algumas das bestas desenhadas passaram a usar os cocares de penas e portar as lanças dos que iam desaparecendo. No último quadro restava apenas um único ser humano, sozinho e encurralado contra as rochas por uma multidão de criaturas. Fin correu de volta para a extrema direita e contou todas as figuras humanas usando penas. Voltando novamente para a última imagem, contou todos aqueles que usavam as penas, tanto o ser humano quanto as bestas. Os números batiam.

— *Essas coisas eram humanas.*

Num ato de incredulidade, Fin se afastou do mural. Ele também esperava se abrigar um pouco naquela caverna. Ela, obviamente, um dia já abrigara outro, e por um tempo suficiente para a criação daquela arte primitiva. Fin voltou para a rocha sobre a qual estivera deitado. Ainda olhando para aquelas imagens, descansou a cabeça contra a parede fria atrás dele. A luz do dia tinha começado a declinar e a escuridão na caverna estava sendo substituída pela longa cascata de sombras das cinzas que caíam lá fora. Iluminadas por trás, as silhuetas das formas corriam pelas paredes e pelo chão, como se fossem provenientes de um abstrato globo espelhado. Em sua exaustão, Fin surpreendeu-se animado, quase hipnotizado pelas imagens fantasmas que dançavam à sua volta. Olhando para elas, o foco começou a se desviar. A apreciação de seu entorno amorteceu. Incapaz de lutar contra o cansaço por mais tempo, ele fechou os olhos.

Quando Fin finalmente acordou, não tinha ideia de quanto tempo ficara apagado. Enquanto permanecia ali deitado, algo se moveu no canto do olho. O coração de Fin disparou, a pressão fria em seu peito reavivou seus músculos cansados. Pondo-se de pé em um salto, ele viu novamente. Só que não do lado de dentro da caverna, e sim fora dela. Paradas na entrada, suas sombras projetadas misturando-se com as das cinzas que caíam, havia oito ou nove criaturas como a que ele tinha visto na noite anterior, e *nenhuma delas* parecia estar ali para dar conselhos. Elas se aproximaram dele devagar, o som áspero de suas respirações rompido por gritos estridentes e rosnados demoníacos. Fin procurou freneticamente por uma arma. Agarrando duas pedras do tamanho de uma bola de *softball*, arremessou uma delas na criatura mais próxima a ele. A pedra passou de raspão pela parede e foi cair inofensivamente nas cinzas do lado de fora. Uma a uma, elas entraram na caverna escura, com o agora familiar brilho alaranjado nos olhos. Fin recuou lentamente.

Embora não pudesse vê-las bem, podia ouvir suas garras implacáveis raspando no chão enquanto fechavam o cerco. Aterrorizado, Fin atirou a segunda pedra na cabeça da criatura que agora estava a poucos passos dele. Desviando-se rapidamente para evitar ser atingida, ela perdeu o equilíbrio. Fin pegou outra pedra e a lançou, acertando a criatura em cheio na cabeça. Ela chocou-se contra a parede antes de ir ao chão. Diante de sua presa caída e trêmula, Fin ergueu a pedra acima de sua cabeça e esmagou novamente o crânio já fraturado da criatura. Então, enfiou-se ainda mais fundo na escuridão da caverna, rapidamente.

As criaturas detiveram o avanço. Com a respiração agora visível na temperatura em declínio, elas consideraram calmamente o semelhante caído a distância. Enquanto Fin esperava pela retaliação, teve a primeira oportunidade de olhá-las mais atentamente. Havia diferenças sutis entre elas na aparência. Algumas eram mais baixas do que as outras, algumas mais gordas. Havia variações de coloração e também de posturas. Seus rostos, embora grotescos e desfigurados, mostravam características que as distinguiam umas das outras. Eram indivíduos, e não clones de algum mestre satânico.

Fin se encolheu e deu um hesitante passo para trás quando seus atacantes de repente correram em direção à carcaça derrubada. Ele assistiu horrorizado enquanto as criaturas arrancaram membro por membro do corpo e o devoraram inteiro, lutando entre si pelas sobras. Em questão de minutos, tudo o que sobrou foram os ossos espalhados e uma poça escura no chão rochoso. Com o banquete findo, a atenção das criaturas mais uma vez virou-se para Fin.

Petrificado, Fin se virou e fugiu, correndo desesperadamente pelo túnel escuro como breu da caverna na esperança de encontrar uma saída. O brilho duro dos olhos das criaturas lançava alguma luz sobre o seu curso. Aqueles grunhidos e gritos não naturais ecoando o levavam mais rápido e mais longe do que imaginava ser capaz de ir com suas pernas exaustas. Mas, ao virar em uma curva, escorregou sobre uma pedra solta e se chocou contra a parede oposta da caverna, quebrando a perna direita logo abaixo do joelho. O osso se projetava através de sua pele fina, abrindo um buraco ensanguentado em suas roupas já esfarrapadas. Em pânico, e sem saber o que fazer primeiro, ele agarrou a rocha acima dele e levantou-se agonizando. Colocando cautelosamente o peso sobre a perna boa, sentiu as primeiras navalhadas daquelas garras na carne de suas costas. Girando selvagemente para se defender, Fin acertou uma cotovelada violenta na lateral da cabeça da criatura. Ela cambaleou para trás, porém outras duas atiraram-se pesadamente sobre o já combalido Fin. Com seu próprio sangue escorrendo pelos braços, ele agarrou as duas pela garganta quando o peso delas lançou-os todos juntos por terra. Inclinando a cabeça para trás e olhando o chão invertido, ele pôde ver uma luz fraca ao longe. Segurando-lhes as mandíbulas que se abriam e fechavam sobre ele à distância de um braço, Fin sabia que sua morte era questão de segundos. As garras das bestas o esgaravatavam repetidamente, deixando enormes ferimentos irregulares. Os braços de Fin começaram a tremer e perder a força sob o imenso peso daquelas criaturas. Enquanto elas se aproximavam cada vez mais de seu rosto, sua inesperada salvação veio de seus demais perseguidores. Competindo pelo alimento, eles começaram a rasgar furiosamente as costas daqueles que lideravam o grupo. No meio da confusão, Fin conseguiu escapar por debaixo deles. Incapaz de suportar seu peso em pé, ele se arrastou em direção à crescente nesga de luz no fim do túnel.

Era uma fenda nas rochas por onde brilhava a luz do dia. Fin podia ouvir os uivos e o feroz barulho das garras do bando que se aproximava enquanto ele lutava para alcançar a fenda. Tateando cegamente a parede da caverna, ele encontrou uma saliência rasa muito próxima. Com seus membros macerados deixando uma trilha de sangue pelas rochas, Fin apoiou-se nela e se levantou do chão. Virando-se de lado, ele forçou o corpo pela estreita abertura.

Pensando ter se livrado de seus perseguidores, agora não conseguia passar pela porção mais apertada da fenda, que era a que estava ao seu alcance. Viu-se entalado nas bordas frias e irregulares da rocha. Perdendo a esperança de encontrar Eva, Fin de repente se deu conta de que todo o barulho havia cessado. Foi então que sentiu o bafo quente de sua condenação contra a parte de trás de seu pescoço. Quando as mandíbulas da criatura se fecharam sobre o pescoço de Fin, ele sentiu sua carne se separar do corpo. Estava sendo comido vivo.

Fin meteu o punho no fundo da garganta da criatura, sufocando-a enquanto ela o segurava. Afastando-se, ela o soltou, e Fin conseguiu colocar um pé no ombro dela para se livrar. Antes que pudesse chegar à abertura mais larga na parede, sentiu outra criatura agarrá-lo pela parte traseira de sua coxa esquerda. Com os dentes cravados fundo até o osso, a criatura balançou a cabeça como um cão de guarda raivoso e arrancou-lhe um pedaço de músculo do tamanho de seu punho.

Desesperado para fugir, Fin fez a única coisa que podia. Continuou a escalar a lateral da caverna. Com o pavor percorrendo seu corpo, ele podia ver o estrago que estavam causando, mas já não era capaz de sentir a dor.

A pressão contra as costas dele foi aliviada quando ele se elevou acima do bando e deslizou para trás, em direção à luz. Suas mordidas agora eram apenas pequenas perturbações, beliscando-lhe os pés enquanto ele se afastava deles passando por meio da fenda mais larga. Emergindo em um túnel íngreme, Fin deslizou para baixo, em direção a uma grande abertura. Vencido pela perda de sangue, pelo cansaço e pela dor, ele podia ouvir apenas sons abafados quando chegou à abertura e, por breves instantes, sentiu-se sem peso, reentrando na luz fraca antes de cair no chão, pouco mais de um metro abaixo. Esperando que seus atacantes fossem grandes demais para segui-lo, Fin viu-se na areia, tremendo de frio e pela incessante perda de sangue, entrando e saindo do estado de consciência.

De repente, a luz do dia que findava se apagou. Fin rolou a cabeça para a esquerda e se deparou com uma sombra ameaçadora. O que restava da força de vontade de Fin se esvaiu na areia circundante. Perscrutando outro par de flamejantes olhos alaranjados e cansado demais para se defender, ele desmaiou.

Capítulo 36

Graves agarrou-se ao assento de carga que vinha machucando seus ombros por mais de duas horas. Aquela dor e a ressonância da estrutura do helicóptero o empurravam para a frente, para fora do assento, forçando-o a se concentrar para não cair no chão. Aquele "pássaro" havia sido equipado para transportar doze passageiros, não VIPs inexperientes. Graves estava sentado numa espécie de versão de cadeira de praia para a aviação, cuja estrutura de alumínio machucava a parte posterior de suas coxas, enquanto sua cabeça batia continuamente nos condutores das mangueiras hidráulicas em torno de onde ele estava. Agora, a cerca de 25 quilômetros a sudeste de Roma, pôde contemplar as verdes Colinas Albanas abaixo deles quando a aeronave virou para a direita. Descendo mais, já dava para ver Castel Gandolfo e a pequena cidade italiana de Albano Laziale.

Numa arremetida acentuada, a guinada do helicóptero permitiu que o sol da tarde inundasse a cabine, lançando uma variedade atordoante de sombras através do arco do rotor principal. Essa frenética alternância de luz e sombra obrigou Graves a fechar os olhos para evitar ficar tonto.

A grama alta dobrou-se com a violenta ventania que as pás do helicóptero provocaram, formando um "crop circle" tremeluzente quando eles pousaram. O piloto gesticulou para que eles permanecessem em seus lugares até que todo o movimento tivesse cessado, mas Graves descobriu que, com o calor da cabine e as luzes, estava começando a sentir náuseas. Soltou o cinto de segurança, removeu o fone de ouvido e espiou pela porta de carga lateral. Deu para ver vários guardas em uniformes vivamente coloridos aguardando a chegada deles. Os trajes dos guardas pareciam mais adequados para uma companhia circense do que para a residência de verão do papa.

Continuando a observá-los, reparou em suas calças e mangas longas bufantes. Os colarinhos brancos e os punhos vermelhos dobrados eram suplantados pelas grossas listras nas cores dourado e azul-real que corriam longitudinalmente por todo o uniforme e também cobriam-lhes as botas. O conjunto era coroado por uma boina preta, inclinada graciosamente para a esquerda. Cada um deles usava um sabre dourado no quadril esquerdo, enquanto se perfilavam em posição de descansar aguardando seus convidados.

Com o freio exercendo seu efeito final sobre as lâminas giratórias, a tripulação baixou a escada até o chão. Dois dos membros da Guarda Suíça do Vaticano se postaram de ambos os lados da rampa, enquanto um homem de aspecto bem italiano caminhou em direção à aeronave com um grande sorriso.

Aldo saiu primeiro, apertando com firmeza a mão de seu anfitrião quando os seus pés tocaram o gramado.

— Detetive Graves, quero lhe apresentar um grande amigo meu, o sargento Clavius, da Guarda Suíça.

Graves estendeu a mão ao homem assim que seu pé tocou o último degrau, notando a ínfula dourada na manga do sargento.

— Prazer em conhecê-lo, senhor.

Num inglês impecável, com apenas um levíssimo sotaque francês, o homem respondeu educadamente:

— Por favor, pode me chamar de sargento, eu trabalho para ganhar a vida. "Senhor" deve ser reservado para o meu chefe. — Os três homens sorriram antes de deixarem para trás a aeronave e caminharem em direção ao imponente palácio apostólico.

Como os dois amigos iam conversando à frente, Graves aproveitou para dar uma rápida olhada em seu entorno. O Lago Albano brilhava trezentos metros abaixo, à sua esquerda, enquanto uma brisa com o doce aroma de jasmim varria a encosta. Diante deles, posicionada ao sul de jardins imaculados, erguia-se a enorme estrutura de quatro andares em tijolo e estuque, encimada por cúpulas brancas gêmeas em suas extremidades nordeste e sudoeste. Interrompendo sua conversa com Aldo, o sargento Clavius procurou atrair Graves para a discussão.

— Então, detetive, o que você sabe do nosso castelo? — Ele apontou para a residência com um gesto elegante do braço estendido.

Com os olhos arregalados, Graves encolheu os ombros.

— Não muito.

— Bem, ele está aqui desde o século XII e passou de família em família por muitas gerações até chegar às mãos do papa Clemente VIII. Mas, foi o papa Urbano VIII que o remodelou no século XVII. Os grandes telescópios, que você pode ver empoleirados no telhado antes não ficavam aqui. — Ele apontou para as grandes cúpulas brancas enquanto eles atravessavam o pátio. — Originalmente, eles estavam em Roma, atrás da cúpula da Basílica de São Pedro. O papa Pio XI mudou o Observatório do Vaticano para cá no começo do século XX, depois que as luzes da cidade ao redor se tornaram intensas demais, dificultando a observação do céu.

Graves continuou a ouvir, mas, apesar das belas paisagens, da lição de história muito interessante e do sotaque francês delicado com que tudo aquilo era dito, ele ainda estava excessivamente focado nos trajes daquele militar extremamente profissional. Todas aquelas palavras graves saíam da boca de alguém que, apesar de seus esforços, lembrava-o do mestre de cerimônias da sua festa de aniversário de 6 anos. Ele estava esperando que, a qualquer momento, aqueles homens muito compenetrados que guardavam aquele castelo lhe oferecessem bolo e um passeio de pônei.

Aldo interrompeu seu trem de pensamento descarrilado.

— O cardeal está nos esperando?

— Deve estar agora. Ele estava recebendo outro convidado. Vocês devem ser a segunda visita do cardeal Antonacci hoje.

— É normal ele ter vários convidados em um dia? — Graves lembrou-se de que, no helicóptero, Aldo dissera algo sobre o fato de que as coisas deveriam estar bem calmas por ali, como geralmente acontecia quando o papa estava em outro lugar.

— Não, senhor, geralmente não.

O celular de Graves tocou uma melodia informando que Dana estava enviando uma mensagem de texto. Desencaixado-o de seu cinto, ele apertou o botão para desbloquear o aparelho. A mensagem dizia: "Encontrei este mapa de Castel Gandolfo". Em um anexo, havia um esquema da estrutura a que eles estavam se dirigindo. Com um único toque, ele o abriu. *Pelo amor de Deus. Como se desse para ver qualquer coisa nessa telinha minúscula.* Depois de alguns toques e arrastos, Graves tinha ampliado as partes que achara mais interessantes.

— Ei, este lugar tem umas escadarias secretas que não parecem ir... Aldo parou onde estavam.

— Quem mais solicitou uma entrevista com o cardeal hoje? — Sua mão pousou firmemente no peito de Graves, detendo tanto seus pensamentos quanto seu movimento.

— Eu não sei, ele não disse. — Clavius parecia confuso. — O cardeal pediu apenas que o deixássemos no observatório nordeste.

— Você viu alguém entrar ou sair? — Aldo estava novamente se movendo rápido em direção às grandes portas de madeira escura fora do pátio.

— Não, senhor, não vi. Estava aqui aguardando sua chegada. — O sargento apressou-se para acertar seu passo com o dos convidados. — Se o cardeal me alivia de um dever, sigo os seus desejos. Não tenho motivos para suspeitar de nada. — O ritmo deles acelerou. — O que o preocupa?

As palavras de Aldo, dificultadas por suas passadas aceleradas, agora chegaram esporadicamente.

— Estou achando que esse santo homem pode estar ligado a um escândalo e que, um por um, aqueles que estão no centro dele estão morrendo, ou melhor, sendo mortos.

Os três homens agora já estavam correndo e, em questão de segundos, venceram os últimos cem metros até as imensas portas. O sargento Clavius puxou com força a argola de bronze que pendia da porta na altura do seu peito. Enquanto a pesada folha de carvalho se abria, uma solitária gota vermelha caiu no chão entre eles. Todos os três homens olharam para baixo e depois, num reflexo, para cima. Diretamente sobre eles, quatro andares acima, ficava o observatório.

Irrompendo no vestíbulo de mármore, Aldo assumiu a liderança. As passadas dos três homens ecoavam ruidosamente por toda a cavernosa entrada, e eles se precipitaram para a escada revestida por um tapete vermelho. Clavius puxou o rádio do cinto enquanto eles subiam até o primeiro andar.

— *Beitrag Wachen auf Jede Etage!**

— Não, Clavius, isso não será suficiente! Não os instrua a apenas postar guardas nos andares. Envie todos os disponíveis para o observatório! — Aldo estava vários passos à frente deles agora, galgando os degraus da escada de dois em dois.

Enquanto o sargento transmitia as novas instruções, Aldo sacou a arma e fez uma curva fechada à esquerda, no próximo patamar. Encaminhando-se para o primeiro elevador que tinha visto até o momento, Graves observou que já havia um guarda postado em cada ponto de convergência no andar. O sargento continuou a subir as escadas, enquanto os dois homens tomaram o elevador até o nível de observação.

— Nenhum ato de agressão foi cometido neste castelo em mais de trezentos anos, e, mesmo assim, na época, ele não era ocupado pelo Vaticano. Pretendo mantê-lo imaculado. — Aldo engatilhou sua arma enquanto falava. — Sugiro que fique preparado, detetive, porém eu

---

* Postar guardas em todos os andares!

recomendo que se abstenha de atirar, se possível. Estamos em solo sagrado. — Embora pouco à vontade, Graves estava começando a se acostumar com surpresas naquele dia. Primeiro, um voo de helicóptero, depois, bufões com espadas, e, agora, armas carregadas dentro da residência de férias do papa.

Quando as portas mecânicas do elevador se abriram no último andar, o local estava sinistramente silencioso. A distância, eles podiam ouvir o som dos passos pesados dos guardas que se aproximavam ecoando nas paredes de mármore da escadaria. À frente dos dois homens, as portas de vidro para o observatório estavam fechadas. O piso de mármore polido refletia o enorme telescópio e sua cúpula um pouco além. Empunhando sua arma, Aldo atravessou o corredor e puxou com força a maçaneta, sem sorte.

Pressionando a têmpora contra o vidro, Graves divisou o painel de segurança na parede ao lado da porta, a luz vermelha de alerta piscando persistentemente na sala pouco iluminada.

— Acho que está trancada, e parece que o alarme está armado pelo lado de dentro.

O sargento chegou sem fôlego.

— Nenhum sinal de alguém nas escadas. Qual é o problema?

— Parece que seja o que for que ocorreu nessa sala ainda está aí dentro. — Aldo apontou para o alarme.

Tirando do bolso um molho de chaves, Clavius abriu a porta e desarmou o sistema rapidamente. Os homens seguiram caminhos opostos em torno da antecâmara circular. A única luz na sala era proveniente do sol da tarde, através dos painéis de madeira de lei abertos no teto para o telescópio. O zumbido suave do computador de alvo e seus aparelhos eletrônicos subia e descia conforme o sistema continuamente resfriava a si mesmo. À luz refletida pelos painéis de cerejeira nas paredes internas da cúpula, o colossal telescópio Schmidt parecia mais uma oferta piedosa do que um instrumento científico naquele lugar sagrado.

Aldo apontou para as portas de madeira que davam para a varanda. O sargento ficou de guarda na entrada, deixando que Aldo e Graves se preparassem para o que, ou quem, pudessem encontrar lá fora.

— A varanda continua em ambas as direções — Aldo informou a Graves em voz baixa. — Tem cerca de cinco metros de profundidade e dez de largura. Quando abrirmos as portas, precisaremos checar ambas as direções simultaneamente ou um de nós poderá levar um tiro. *Capisce*?

Graves acenou com a cabeça confirmando que havia entendido.

Então, Aldo abriu as portas, e os dois saíram na luz do dia. Graves cobriu o lado direito, olhando em torno por cima da arma em punho. Com todos os músculos tensos em seus braços, esperava que um breve e violento tiroteio acontecesse. Na linha direta de sua visão, entretanto, Graves avistou o cardeal, na borda do terraço. Deitado de costas, com os braços estendidos ao lado do corpo, sua mão esquerda ensanguentada pendia por baixo do gradil do parapeito.

Percebendo que o peito do sacerdote ainda se movia, Graves correu para perto dele:

— Ele ainda está vivo!

As mãos do cardeal estavam ambas profundamente cortadas nas palmas. As bordas serrilhadas das feridas sugeriam que ele lutara para se defender dos golpes de um instrumento afiado. Em seu pescoço, atrás do ângulo da mandíbula, havia um ferimento à faca profundo e irregular. A cada respiração agonizante do cardeal, o ar borbulhava através da ferida aberta. Erguendo o polegar, o indicador e o dedo médio da mão direita, ele moveu os lábios em um esforço desesperado para se comunicar.

Deslizando a mão sobre as dobras encharcadas de sangue do pescoço do prelado, Graves comprimiu os dedos sobre a ferida aberta, na tentativa de comprimir o vaso atingido. Olhando para cima, viu Aldo inspecionando freneticamente a escarpa abaixo da varanda.

— Peça ajuda, ele precisa de um respiradouro urgentemente. — Voltando sua atenção para o cardeal Antonacci, Graves baixou a orelha até a boca do sacerdote agonizante, sem deixar de aplicar pressão sobre a ferida.

— Quem fez isso? O que o senhor viu, padre?

— Foi o sol — ele balbuciou, tossindo coágulos sanguíneos gelatinosos. — *Per favore*, perdoe-me o meu papel.

Com confusão estampada no rosto, Graves ergueu a cabeça. Ele manteve contato visual com o cardeal enquanto sentia as pulsações sob seus dedos começarem a enfraquecer.

Aldo voltou com o sargento.

— A ajuda está a caminho. — Sua voz sumiu quando percebeu que já poderia ser tarde demais.

— Ele disse que viu o sol. — Graves olhou para os dois homens enquanto continuava a segurar a cabeça do cardeal em seu colo. — Que *diabos* isso quer dizer?

— Eu não sei. Quem sabe quanto tempo faz que ele está caído aqui, sangrando desse jeito... — O sargento fez o sinal da cruz. — Será que ele está delirando por causa da perda de sangue?

— Quem fez isso? A sala estava trancada por dentro, com o sistema de alarme armado. Mesmo que o assassino tivesse as chaves, não poderia ter saído e deixado o alarme ligado. — Graves podia ouvir o helicóptero deles ser ligado na tentativa de fazer a remoção aérea do cardeal.

Com a chegada dos paramédicos locais, Aldo puxou uma toalha do equipamento que traziam e entregou-a a Graves, permitindo-lhe deixar o cardeal aos cuidados deles.

— Então, como foi que o autor do ataque escapou?

— Espere um minuto... — Graves puxou o celular do cinto novamente. — Isso... — ele disse, apontando para a planta que Dana lhe enviara. — Isso é o que eu estava começando a lhe mostrar antes. O observatório é um dos aposentos que parecem ter passagem para uma escadaria secreta.

— Não, detetive, isso é impossível. Aonde esta escadaria vai dar é de conhecimento apenas da Guarda Suíça. Mas, se é assim, isso reduz significativamente o número de suspeitos. — O sargento virou-se e se dirigiu rapidamente para a galeria novamente.

— Aqui! — Uma mão se elevou acima da mesa de controle do telescópio principal. Quando Graves e Aldo se aproximaram de Clavius, eles perceberam que ele tinha sido parcialmente engolido por uma portinhola no chão.

— Por que isso está aqui? — perguntou Aldo, enquanto contornava a mesa rapidamente, ainda limpando as mãos do sangue do cardeal.

— A estrutura do castelo não era capaz de tolerar o peso do telescópio mais novo, por isso, este silo foi construído embaixo dele há vinte anos. Durante a obra, o pontífice decidiu instalar uma passagem secreta para fora daqui. Clavius começou a descer a escada em espiral abaixo dele. — Ele achava que a passagem não só proporcionava mais segurança, como também estava de acordo com as passagens misteriosas que existem nas catacumbas do Vaticano.

— Onde a passagem vai dar? — perguntou Graves, enquanto colocava um pé hesitante no primeiro degrau.

— Ela se conecta ao restante do sistema de esgoto do castelo. — O som das palavras do sargento foi diminuindo enquanto ele apressava o passo e inclinava a cabeça para limpar a borda da portinhola. — Este castelo goza dos mesmos ritos extraterritoriais que as demais propriedades do Vaticano, pelo menos desde o tratado com a Itália, em 1929. Graças a isso, seus sistemas de comunicação e serviços públicos estão vinculados diretamente à Cidade do Vaticano.

— Preciso ligar para Dana, para que ela saiba o que aconteceu. — Graves pegou seu celular enquanto continuava a seguir o sargento Clavius. — Como diabos um assassino sabe sobre isso?

— Como eu disse antes, detetive, o conhecimento dessa rota reduz de forma significativa o número de possíveis suspeitos. — Ao chegarem ao final da íngreme escada de metal, os homens foram confrontados com uma decisão.

— Este túnel segue em ambas as direções — Clavius esclareceu, sua voz ecoando nas paredes úmidas ao seu redor. — Cada direção se abre para uma estrada diferente, levando a uma cidade diferente. Sugiro que nos separemos.

Graves ergueu o celular ligado, derramando um pouco mais de luz sobre aquele lugar escuro.

— O sinal não pega aqui embaixo, não posso acessar o mapa e não temos como nos orientar.

Clavius tomou o aparelho das mãos de Graves. Girando o celular, ele digitou uma nova URL.

— O Vaticano tem seus próprios servidores, e seu próprio sufixo, mas você precisa dos códigos para acessar as informações. — Ele continuou a teclar furiosamente antes de entregar o telefone de volta para Graves. Enchendo a pequena tela de duas polegadas por três havia imagens tridimensionais dos túneis. — Contanto que você tenha um sinal, mesmo que mínimo, o GPS deve guiá-lo até a saída. — O sargento Clavius puxou uma pequena lanterna do cinto. — Boa sorte. — Virando as costas para os dois homens, ele desapareceu na escuridão do túnel.

— Ok, acho que iremos por esse caminho, então. — Aldo se virou, parando por um momento. — Já que é você que tem o mapa, por que não vai na frente? — Ele gesticulou educadamente para que Graves assumisse a liderança.

O túnel não era grande. Graves podia sentir o cabelo no topo de sua cabeça raspar no teto curvo ao passar. Os dois tinham ainda menos espaço nas laterais, já que o túnel era mais oval do que circular. O chão no ponto de partida estava seco, mas logo se tornou úmido.

— Devíamos estar no trecho mais alto quando começamos — Graves sussurrou sobre o ombro.

— Cuidado onde pisa. — Os dois alargavam as passadas continuamente para evitar mergulhar os pés no líquido malcheiroso que corria por baixo deles. Mais adiante, as paredes de blocos de concreto mostravam um pálido reflexo da luz além deles. Aproximando-se daquele trecho, Graves se deteve.

— O mapa desapareceu, estou sem sinal. Parece que há uma bifurcação no túnel à frente.

Depois de mais alguns passos, os homens pararam. Esperando em silêncio, procuraram ouvir um som qualquer que lhes ajudasse a decidir.

— Eu não sei — Aldo disse finalmente, incapaz de tolerar o silêncio por mais tempo. — Por ali, parece estar mais claro. Vamos para a direita. Além disso, todo esse esgoto parece estar correndo para o outro lado.

— Acho que estou sentindo uma brisa no rosto. Parece mesmo mais claro para você, Aldo?... Aldo?

Virando-se, Graves viu que seu parceiro estava com o dedo indicador para o alto, ouvindo atentamente alguma coisa atrás deles.

— Você ouviu isso?

— O quê?

— Pareciam passos atrás de nós. — Ficaram imóveis outra vez. — Lá. Você ouviu isso?

— Ouvi. — Graves estava sacando sua arma lentamente. — Está passando pela bifurcação no túnel, em direção a nós.

Agachando-se na frente de Graves, Aldo sacou a arma também. Os dois homens miraram no túnel que tinham acabado de atravessar.

Ao dobrarem a esquina, os sons pararam. Quem ou o que quer que fosse que estava se aproximando também sabia que eles estavam lá. Ambos os homens vislumbraram o lampejo do cano de uma arma que lentamente avançava para a luz crescente.

Capítulo 37

A visita guiada havia começado do lado de fora, com vista para as colinas verdes que cercam a principal instalação ao longo da porção sudoeste dos 27 quilômetros de circunferência do colisor. Caminhando a pé pela pista vazia, após passarem pela imponente estátua de bronze do deus Shiva que adornava a entrada, o padre Moriel e Edvard adentraram o Globo da Ciência e da Inovação. Aquela enorme estrutura de aço e vidro servia a dois propósitos da instituição: era uma forma imponente de dar boas-vindas à realização científica mais notável da Europa e também o portal para a sala de controle principal do Grande Colisor de Hádrons, ou LHC. Eles desceram a grande rampa que contornava todo o perímetro do Globo.

Moriel agradeceu novamente seu anfitrião pelo *tour*.

— Estou preocupado com meus paroquianos. Eles sofreram muito com a perda de Eva e sinto que eu deveria estar de volta lá com eles, agora que a cerimônia aqui terminou.

Os dois homens continuaram, passando por várias portas de metal grandes e pesadas, que se abriam apenas depois que a retina de Edvard era gentilmente apresentada para análise aos escâneres nas paredes adjacentes aos pontos de acesso. Depois que o padrão dos vasos sanguíneos do fundo de seu globo ocular era combinado com as informações arquivadas nos computadores do sistema de segurança da instalação, as portas se abriam, concedendo-lhes passagem com um pesado, mas satisfatório zumbido mecânico. Cada ponto de verificação era organizado como uma eclusa, com uma antecâmara de tamanho equivalente ao de um elevador compreendida entre dois conjuntos iguais de portas. Tal configuração possibilitava a cada indivíduo a garantia física de que a entrada era franqueada somente ao pessoal autorizado. O segundo conjunto de portas, que permitia a passagem para a área restrita, só era ativado depois que o primeiro conjunto de portas fosse fechado.

— Entendo, padre, e aprecio o seu interesse no que Fin ajudou a realizar aqui antes de falecer. — À frente deles, um vasto conjunto de escadas descia a um recinto escurecido. Edvard escoltou Moriel até uma pequena sala de observação à direita, um pouco antes das escadas.

— Certamente eu não poderia ir embora sem conhecer as instalações sobre as quais Fin falava com tanto entusiasmo — acrescentou o padre, continuando a seguir seu guia.

— Peço desculpas pela parafernália e pela falta de luzes — Edvard disse rindo, enquanto apresentava sua retina mais uma vez ao escrutínio do sistema de segurança, abrindo as portas deslizantes verdes. — Tivemos que encerrar a maioria das operações temporariamente. Temos tido alguns problemas com o monitoramento do ambiente interno do detector principal.

— Que tipo de problema?

— Temos encontrado um acúmulo de substância nas paredes internas. Vem se acumulando lá em quantidades crescentes ao longo dos últimos dias, e não sabemos ao certo a razão disso. — Contornando duas cadeiras de espaldar alto vazias entre ele e uma série de monitores, Edvard ligou vários dos menores deles na cabine de controle, tomando cuidado para não exibir a imagem da câmara do reator principal. — Também não sabemos ao certo que tipo de material é.
— Ele sentou-se, fazendo uma pequena pausa no *tour* privado pelas instalações.

O padre parou em pé ao lado dele na sala escura, olhando para as imagens nas múltiplas telas. O recinto era pequeno, porém acolhedor e convidativo. O piso estava coberto de parede a parede por um carpete fino, cor de chocolate, que se harmonizava com as paredes pintadas no tom verde orgânico. Diante deles, uma enorme e solitária janela de vidro com caixilho em madeira de lei debruçava-se sobre a sala de controle principal, agora escura e deserta. De pé onde estava, o padre podia ver aquela espécie de anfiteatro com todas as unidades de controle individuais sob a principal parede de telas de monitoramento, por ora, inativa. O padre fixou o olhar em uma determinada tela LCD pequena. Algo lhe parecia vagamente familiar.

— Você disse que esse tal resíduo foi encontrado somente no interior da câmara de reação e não no restante dos túneis do sistema? — ele perguntou.

— Isso mesmo — respondeu Edvard. — Ao longo das últimas semanas, como conversamos pelo telefone anteriormente — ele prosseguiu, olhando por cima do ombro em direção ao seu convidado —, a matéria gerada pelas colisões tornou-se cada vez mais complexa, com massa aumentada, como você deve se lembrar. — Edvard virou-se para olhar para as telas em frente a ele. — Mas só nos últimos dias nós tivemos um aumento nessa *situação* — ele acrescentou, enquanto apontava a tela multicolorida diante deles exibindo os picos e vales de um gráfico. — Nós tivemos que desligar quase tudo num esforço para conseguir limpar a câmara e determinar de onde essa substância está vindo.

— De onde são essas imagens? — O padre afastou a cadeira vazia restante, dirigindo-se a um monitor no canto direito da bancada. — Estas aqui — disse ele, apontando para a imagem em preto e branco na tela.

— Isso é de um dos microscópios eletrônicos de varredura... MEV número oito... interior da câmara principal do colisor, eu acho. — Edvard encarou a tela com uma pitada de incerteza antes de olhar por cima do ombro esquerdo em direção ao único técnico do CERN que estava na cabine com eles.

Digitando febrilmente em seu teclado, o pós-graduando não se envolvera na conversa até aquele momento. O senhor Tong assentiu com um aceno de cabeça, sem levantar os olhos de seu trabalho.

— Isso mesmo, senhor.

— O meio interno deve permanecer intocado, assim como as salas em que se fazem chips de computador — continuou Edvard. — Se houvesse quaisquer contaminantes, o vácuo no interior do sistema seria violado e os feixes de prótons se espalhariam de forma incerta, sem contar que a nossa interpretação seria tudo, menos precisa.

Edvard inclinou-se e tocou a tela mais próxima a ele. Deslizando imagens ao redor do grande monitor sensível ao toque, rapidamente buscou num menu de ícones uma pasta de imagens semelhante à que o padre tinha diante de si.

— Não temos a intenção de ficar desmontando essa monstruosidade frequentemente para testar as paredes internas... nem poderíamos. Em vez disso, o que fizemos foi embutir uma série de pequenos microscópios eletrônicos de varredura ao longo das câmaras, e alguns nas redes do túnel também. Cada um deles produz aproximadamente de cem a duzentas imagens ao longo de um dia normal de operação, que pode durar vinte horas ou mais. Desde que continuemos a ver a estrutura cristalina do revestimento cerâmico inerte da parede e nada mais, estamos bem... mas, como você pode ver, não é isso que temos. — Frustrado, Edvard caiu para trás em seu encosto, fazendo a cadeira balançar um pouco com o seu peso.

A essa altura, o interesse do padre havia sido despertado. Fazia muito tempo desde que tivera a oportunidade de ter uma verdadeira discussão científica com alguém. Fazia mais de um ano, ele pensou, desde a morte de Fin.

— Onde está o espectrômetro de massa? — O padre apontou de volta para a tela onde uma infinidade de picos coloridos levantava-se de um horizonte digital.

Edvard ergueu a sobrancelha.

— Impressionante, eu tinha me esquecido de que você tem formação na área científica; não é de admirar que estivesse tão interessado em ver tudo isso antes de ir embora amanhã de manhã.

— Bem, meus estudos se concentraram na área da genética, e na teologia, é claro, e não muito em torno da física. Meu interesse na física de partículas era apenas um *hobby* para mim, que Fin estimulou. Eu só estou interessado em ver tudo o que vocês realizaram aqui.

Edvard examinou tudo, analisando cada monitor brevemente. Parava em cada um deles buscando a indicação de qual dos computadores estava alimentando os dados.

— Esse espectrômetro de massa também é de dentro da câmara de reação principal... na verdade, é do tubo de ventilação primária. Por quê?

— Esse padrão é familiar. Qual foi a última especiação atômica que obtiveram? Ainda era carbono-14?

— Não, senhor, nós obtivemos resultados mais recentes, de ontem à tarde — o senhor Tong interrompeu. Os dois homens se voltaram para o canto escuro da sala. — Desculpe-me, doutor Krunowski, o senhor não estava disponível. Eu pretendia lhe dizer hoje, antes que o senhor fosse embora. — O diligente estudante sorriu frouxamente.

— Por favor, continue, senhor Tong — disse Edvard, com uma profunda voz de barítono, deixando transparecer seu descontentamento.

— Bem, os resultados mais recentes mostram que *esse* material é mais complexo. — Ele remexeu nervosamente uma pilha de relatórios impressos. Depois de deixar cair algumas das fitas de teleimpressor no chão, ele encontrou a que estava procurando. — Consiste em cadeias de átomos de carbono, algumas delas combinando com o hidrogênio remanescente para formar aminoácidos básicos...

Moriel subitamente disparou para a frente em sua cadeira.

— Com que ampliação esse MEV está trabalhando? — Ele tamborilou com os dedos bruscamente na tela que lhe chamara a atenção logo que entrou na sala.

— Acredito que seja 250 mil vezes. — Edvard fez uma pausa e disse: — Resolução limitada a cerca de 10 angstroms.

— Você pode voltar para cerca de metade disso? — O padre gesticulou empolgado para o jovem físico pós-graduando, movimentando a mão para trás para frisar a palavra "voltar".

Segundo as novas instruções, a imagem recuou como o solo visto de um balão de ar quente que sobe. Enquanto os homens acompanhavam o processo na tela, uma imagem começou magicamente a entrar em foco.

— *Heilige scheisse** — murmurou baixinho Edvard em descrença enquanto trazia o corpo para a frente em seu assento. — Isso estava lá esse tempo todo?

Na tela diante deles estava a impressão agudamente contrastada de vários colares delicados deitados sobre uma cama cristalina. O fundo cor de areia por baixo dessas joias servia como uma tela para suas sombras, projetadas longamente à luz do bombardeio do canhão de elétrons. Muitos dos anéis estavam partidos, espalhados sobre a topografia como fragmentos de espaguete, entretanto um ornamento permanecia perfeito na borda inferior do seu campo de visão.

Essa seria a prova que *Ele* havia prometido.

— Não são apenas aminoácidos, filho — o padre disse, agora certo de onde ele havia visto aquele padrão espectral antes. — Essa cromatografia gasosa é do nucleotídeo adenina. E isto — ele disse, apontando orgulhosamente para a tela LCD de vinte polegadas à sua frente — é um filamento intacto de DNA de dupla hélice.

"*Você vai encontrar a sua prova de vida após a morte nos restos mortais do meu salvador, conjurado nesse lugar.*"

---

* Puta merda.

— A questão agora é: de onde diabos veio isso? — o estudante perguntou, seu rosto ainda iluminado pela luz proveniente de seu monitor. — Aquela câmara estava selada fazia semanas, muito antes de tudo isso começar, e sem perda de integridade no vácuo também.

O *pager* na cintura de Edvard começou a vibrar. Ele tateou para localizá-lo e tirou-o de seu cinto, sem desgrudar os olhos da descoberta. Elevando-o até o rosto, olhou para a pequenina tela antes de estender a mão para pegar o telefone em cima da mesa diante dele.

— Doutor Krunowski falando. — Ele escutou por alguns momentos, antes de cobrir o bocal. — Padre, com licença um minuto. É o meu secretário, isso só vai demorar um instante. — Edvard virou-se para o seu aluno de pós-graduação, que agora estava vasculhando os arquivos das imagens armazenadas nos dias anteriores. — Por que você não desce com o padre até o andar principal e faz um breve *tour* pelo restante das nossas instalações.

Depois que os dois homens deixaram a sala, Edvard retornou ao seu telefonema.

— Continue, por favor. — Deixando a cabeça pender, esfregou os olhos profundamente com o polegar e o dedo indicador enquanto continuava a ouvir. — ... e eles disseram que estão a caminho daqui para falar comigo agora? — Envolto na escuridão da cabine, Edvard postou-se por trás da enorme janela, observando os dois homens caminhando pelo anfiteatro lá embaixo. — Por favor, ligue de volta, diga a ele onde estamos e que estou ocupado com o padre. — Depositou o receptor delicadamente de volta no gancho.

Mantendo um olhar atento sobre o amigo sacerdote, Edvard aproximou-se do vidro e educadamente acenou com a cabeça em aprovação quando seu aluno gesticulou indicando que estavam indo em direção aos elevadores para continuar o *tour* lá embaixo. Edvard abriu seu celular e digitou um último número. Depois de dois pulsos digitais suaves, a linha foi inundada com o som de lâminas giratórias.

— Onde você está agora? — perguntou Edvard, com uma voz grave.

Cento e cinquenta metros abaixo da sala de controle principal, o padre Moriel e o estudante de pós-graduação entraram na câmara do reator. O nível de potência aumentou subitamente dentro do Atlas, servindo ao forte fluxo coerente de matéria que cresceu dentro de seu vácuo intocado.

Capítulo 38

A luz fraca brilhou rosada através das pálpebras fechadas de Fin enquanto ele permanecia deitado, sentindo cada rocha e cada fenda no chão embaixo dele. No calor silencioso, ele deslizou sua mão por baixo das pernas, o que lhe ocasionou um aumento na dor nas costas, para analisar os ferimentos que havia sofrido enquanto escapava dos demônios. Mantendo os olhos fechados, Fin lutava com a incerteza de como reagiria em relação à ausência de carne no local onde fora atacado. Correu os dedos pela perna aos poucos até que pôde sentir o sangue seco endurecido na pele. Avançando a mão lentamente, esperando que seus dedos encontrassem a concavidade do vazio doentio onde fora mordido, Fin hesitou. Em vez de ausência, encontrou outra coisa. Seus dedos roçaram contra algo áspero que se erguia no lugar de suas feridas. O que a princípio ele pensou ser uma pequena e insignificante alteração logo lhe preencheu a palma da mão. Sentou-se rapidamente, com um gemido e uma careta que a dor nas costas lhe arrancou, e seu terror retornou.

Sentada a vinte passos dele, havia outra besta. Fin congelou, silenciosamente abreviando cada respiração pela dor. A criatura mantinha-se de costas para ele, aparentemente inconsciente de que Fin estava lá, já que continuava sentada imóvel, de frente para a luz do dia que declinava. Fin conseguia perceber como a respiração lenta fazia subir e descer a coluna dorsal da criatura, que percorria todo o comprimento de suas costas, onde quase era possível distinguir palavras, como uma tatuagem desbotada. Acima do ombro esquerdo, na carne escura sobre a pele fina esticada por cima dos ossos, havia três pontos nítidos, dispostos em forma triangular. Os olhos de Fin seguiram a espinha hipertrofiada da besta até embaixo, onde terminava num espigão que perfurava sua pele tostada. Instintivamente, ele permitiu que seus dedos tateassem cegamente, explorando suas novas feridas, sem tirar os olhos do inimigo. Fin espalmou as mãos no chão rochoso em torno dele. Dolorosamente, tentou levantar-se e ficar agachado, ao mesmo tempo que procurava uma arma. Baixando os olhos, viu suas próprias pernas e sentiu um calafrio de horror percorrer todo o seu corpo. Cobrindo cada corte profundo que recebera havia uma crosta preta e grossa, cujos tentáculos rugosos fluíam de sua matriz áspera e se espalhavam por seus membros, como uma espécie de trepadeira saprófita. A pele ao redor dessas áreas estava descascando e se amontoava em direção aos seus pés.

— O dia está nascendo, não morrendo.

Novamente, Fin congelou, levantando apenas os olhos para encontrar a voz assustadora que se dirigia a ele.

— O quê? — perguntou Fin, alarmado.

— Você dormiu durante toda a noite, enquanto eu me sentei aqui, de guarda. — Sua voz ainda era aguda e ofegante.

Fin não sabia o que deveria fazer a seguir. Era evidente que aquela criatura dispensara a oportunidade de prejudicá-lo, porém seus instintos ainda o deixavam apreensivo pela desconfiança.

— Eu disse que iria cuidar de você, e foi o que fiz. — A besta se virou para encará-lo, arrastando as garras pela rocha, enquanto deslizava as pernas finas e nodosas sobre a borda. — É importante que você a encontre.

— O que está acontecendo comigo? — Fin olhou para cima, um calafrio percorreu sua espinha quando seus olhos pousaram sobre as órbitas ardentes de seu autoproclamado guardião.

— Sua alma é pura. Você está sozinho entre pecadores que anseiam pelo que você tem, esperança. Eles vão lutar para arrancá-la de você, se você deixar.

Mais uma vez, Fin olhou para as suas pernas.

A criatura se aproximou. Sentindo o seu medo, ela se movia como uma serpente, arrastando-se de quatro sobre o solo. Acocorando-se a poucos centímetros de onde Fin estava sentado, ela prosseguiu:

— A cada ato de defesa, a cada ato de violência, você se dá a eles, a este inferno. Você está se tornando um de nós. — Ela sentou-se no solo. Arrastando suas garras pelo chão, pegou um punhado de terra e derramou-a novamente.

— Ficarei como você?

— Eu não sei. Aqueles de nós que não estão aqui por escolha têm uma aparência semelhante ao chegarem. A existência deste lugar, sua própria substância, é feita da maldade daqueles que são condenados a ele. Uma pessoa não pode permanecer aqui sem sucumbir à sua vontade.

A criatura parou e olhou por cima do ombro antes de continuar.

— *Ele* precisa dela, e deter você é tarefa dos condenados. Você precisa encontrar sua filha antes que este lugar o consuma totalmente.

Com o calor do dia ainda não muito forte, Fin podia sentir a intensidade do amor de Eva puxando-o para o vale além de onde ele e a criatura estavam sentados, mas seus pensamentos pareciam mais anuviados agora. Embora pudesse imaginar uma pequenina e fraca chama brilhando no lugar para onde estava indo, ele começara a ficar mais focado no que estava acontecendo com ele próprio do que com Eva, seu verdadeiro propósito de estar naquele lugar.

— Você não pode escapar da vista deles. A sua alma chama a atenção deles, os atrai, atrai a todos nós. É um farol implacável que exala uma consolação quase esquecida neste lugar. — A criatura se inclinou para mais perto, baixando a cabeça, enquanto falava, como se quisesse esconder suas palavras. — Ele continuará atacando-o até você cair.

— Quem é ele? — perguntou Fin.

O guia de Fin colocou-se em pé.

— Ficamos aqui por muito tempo. Eles vão voltar em breve.

— Quem é ele? Ele está com a minha filha? — A raiva de Fin o fez se levantar rapidamente. — Responda-me, caramba! Quem é ele?

— Ele não tem nome. — Na luminosidade crescente, Fin já quase podia ler os restos da tatuagem nas costas da criatura, que caminhava à sua frente. — Ele é o mais forte entre nós, aquele que castiga. Ele apossou-se de muitos.

— Ele está com a minha Eva? Por que ele precisa dela? — A fúria de Fin estava superando a dor que sentira anteriormente. As lágrimas escorriam por seu rosto ensanguentado, enquanto seu olho começou a se contrair novamente num espasmo. Fin agarrou o demônio pelo ombro nodoso e girou-o de volta. — Responda-me!

A criatura empurrou-o, dirigindo suas garras enegrecidas ao peito já repleto de cicatrizes de Fin, derrubando-o no chão.

— Ele está com ela, e logo estará com você também! — A criatura abaixou a cabeça novamente. — Ele a mantém para atraí-lo, ela é a isca e você é o cordeiro sacrificial. Guarde sua raiva para eles, você vai precisar dela. — Ele parecia triste.

— Meu Deus nunca iria me abandonar aqui. — As palavras de Fin ecoaram nas pedras frias em torno dele, enquanto a criatura olhava para ele incrédula.

— O seu Deus não está aqui, só você está. — Seus olhos arderam com mais intensidade quando respondeu.

— "Sê forte e corajoso; não temas, nem te espantes" — Fin começou a recitar baixinho, enquanto se levantava —, "porque o Senhor, teu Deus, é contigo por onde quer que andares." — Ele continuou lutando para se levantar, citando das Escrituras o pouco de que conseguia se lembrar. — "O Senhor está sempre comigo. Não serei abalado, porque ele é..."

Avançando sobre ele, a besta agarrou Fin pelo pescoço e pressionou-o contra a parede do penhasco ao lado deles.

— Onde está o seu Cristo agora?! Suas bravatas são superadas pela sua ignorância! Não existe Deus, nenhum criador, só você e eu! — A voz da besta agora soava diferente, mais grave e mais irritada. Ela apoiou o formidável peso de sua garra em torno do pescoço de Fin, sufocando-o contra as rochas.

Lutando contra aquele peso inesperado, Fin viu-se suspenso no ar por sua garganta ensanguentada antes de ser atirado do precipício. Rolando pela duna até o fundo, Fin se levantou um tanto trôpego para enfrentar o agressor. Ele podia ouvir sua voz crescendo atrás dele, enquanto continuava cambaleando.

— Chega dos seus encantamentos e esforços desperdiçados! Ninguém ouvirá a sua oração inútil, ninguém *jamais* foi ouvido!

Com o medo voltando a crescer em seu peito, Fin sentiu o sangue começar a escorrer novamente dos ferimentos em suas costas. Antes que pudesse aprumar-se, a criatura estava em cima dele outra vez.

A besta parecia enorme, muito maior do que o tamanho que tinha poucos momentos antes. Fin recuou rapidamente até um afloramento rochoso, erguendo as mãos no ar para proteger o rosto virado para o lado.

Passaram-se alguns instantes de silêncio antes que Fin baixasse as mãos e visse a besta desmoronar no chão diante dele, de joelhos e com a cabeça abaixada. Sua estatura parecia ter voltado a ser o que era antes. Continuando a respirar pesadamente, ela manteve distância.

Fin inclinou-se para a frente, afastando o corpo da rocha, e estendeu a mão para trás, apalpando os próprios ombros. Correndo os dedos sobre os apêndices ensanguentados que cresciam ali, ofereceu a "bandeira da paz" ao voltar a falar com a criatura.

— O que quer dizer com "ninguém jamais foi ouvido"?

A besta se levantou e virou-se como se estivesse indo embora, mas depois parou.

— Não há Deus, não há Satanás, há apenas nós.

— Mentira! — A frustração de Fin derramou-se do cálice de sua educação católica. — Por que você saberia disso e eu não? Como *você* poderia saber disso?

— Aquele lugar de onde você veio, como era?

Fin hesitou, com medo de ser espancado novamente se desse a resposta errada.

— Era perfeito, era o Céu!

A criatura voltou a se sentar no chão, e sua voz se suavizou um pouco enquanto falava.

— E que tipo de céu você acha que teria se aqueles que estão lá soubessem que estão sozinhos? Se soubessem que apenas insegurança e solidão os acompanhariam por toda a eternidade?

Fin encarou calmamente o seu conselheiro com uma tristeza crescente por Eva queimando em seu peito.

— Você sofreria este inferno. Este lugar não existiria como alternativa se vocês lá soubessem que só tinham um ao outro a quem orar e suas próprias fraquezas das quais depender. — A criatura levantou a voz, com seus braços magros erguidos para as nuvens escuras que se juntavam acima deles enquanto gritava suas palavras: — Isto, isto é o inferno! O conhecimento dessa verdade consome todas as criaturas aqui, olhe ao seu redor. Esse segredo é compartilhado por todos os que estão condenados a sofrer, e todos os que conhecem esse segredo sofrem por causa disso. Só aqui, neste buraco abandonado, adquirimos ciência do maior segredo da vida... o de que estamos sozinhos.

Fin sentiu-se nauseado. A queimação em seu peito estava começando a adoecê-lo.

— Não pode ser. — Ele podia sentir o calor de suas lágrimas lavar a sujeira de seu rosto. — Quem criou tudo isto? De onde tudo isto surgiu, então?

— De nós, você e eu. Isto tudo veio de nós. A própria vida criou isso tudo, a vontade do homem, suas orações. Essa crença coletiva é que molda nossas realidades, e não um ser onisciente. Nossa convicção de que existe um lugar melhor o faz existir, e esse lugar melhor, o céu, dá-lhe algo pelo qual esperar. — Seu rosto parecia mais suave, mais humano do que antes. — Eras de devoção a esses rituais, a essas noções de vida após a morte, inseminaram o sonho.

A cabeça de Fin estava rodando. O desespero daquele lugar era avassalador.

— Eu não entendo. — Ele podia sentir ambas as dores de seu purgatório voluntário: a dor física que vinha suportando e, agora, a dor moral por sua crença na existência de um bem supremo ter sido roubada por aquele lugar. Chegara até ali e aguentara tanta coisa... e tudo isso apenas para se sentir mais sozinho e mais inseguro do que nunca em relação à possibilidade de voltar a ver Eva.

— Na verdade, você entende, sim — a criatura continuou —, você sempre entendeu, mas simplesmente não quer aceitar. A vontade humana é a força mais poderosa que existe no universo. Ela molda e controla tudo.

Fin baixou a cabeça entre as mãos. A tristeza o invadia.

— Eu não acredito em você.

— Seu salvador referiu a si mesmo como o Filho do homem. Por que, então, é tão difícil acreditar que sua concepção, durante o período mais religioso na Terra, foi provocada pela vontade focalizada das massas? A mesma vontade que forja *esta* existência do nada. Com toda a maldade da qual o homem é capaz, não temos necessidade de um anjo caído para nos guiar.

Lembrando-se dos desenhos rupestres na parede da caverna, Fin fez uma última pergunta desesperada.

— Há quanto tempo este lugar está aqui?

A voz grave soou distante.

— Desde que foi necessário. — A criatura fez uma pausa, olhando fixamente para o seu interlocutor. — Concentre-se nela, Fin Canty. Não perca de vista o seu verdadeiro propósito aqui.

Enquanto a luz e o calor continuavam a aumentar, Fin sentou-se, chorando, com as costas pressionadas contra seu frio abrigo rochoso. Com sangue e lágrimas fluindo de sua alma abatida, a poeira ao seu redor começou a formar uma grossa lama vermelha. Chorando descontroladamente, por fim ele acabou olhando para cima. Seu companheiro estava em pé. Sentado sozinho e sem esperança, Fin podia ouvir novamente um leve sussurro, ou talvez fossem vários sussurros ao mesmo tempo.

— Espere, qual é o seu nome? Se você vai me guiar, preciso saber como chamá-lo.

— Salvador. Meu nome é Salvador.

Graves engatilhou a arma, e o clique ressoou nas paredes cobertas de limo ao seu redor.

— Inspetor Baumgartner? É você? — chamou uma voz familiar antes de virar a esquina.

— Clavius? Meu Deus, homem, quase atiramos em você.

O sargento baixou sua arma, uma SIG Sauer 220 bem conservada, e surgiu no túnel iluminado diante deles. — Sinto muito, senhor. Cheguei ao outro lado e não havia nenhum sinal do criminoso, então, percebi que seria melhor eu voltar a me juntar a vocês. Como vocês sabiam que não deveriam escolher o túnel à esquerda lá atrás?

Com Aldo novamente em pé, Graves olhou por cima do ombro para responder.

— Foi um palpite, por quê?

— Há uma queda de uns dez metros para um fosso, a três minutos de caminhada naquele sentido. Costumava haver uma porta lá, mas enferrujou e caiu pela abertura alguns anos atrás.

— Talvez o criminoso tenha escolhido aquele caminho e encontrado a morte — sugeriu Graves.

— Não é provável, detetive. Quem quer que tenha sido conhecia bem o caminho.

— Há apenas um portão trancado com nada além dele por esse caminho. Sugiro que tentemos o seu beco sem saída, sargento.

Caminhando de volta até a bifurcação do túnel, os homens atravessaram a alternativa cheia de esgoto até o fim. O túnel era mais curto, porém infinitamente mais poluído do que o anterior. Todos os três se abaixaram, esforçando-se para não permitir que qualquer parte de seu corpo tocasse nas paredes ou no teto em torno deles. Na outra extremidade, atada aos restos do portão de ferro, havia uma corda.

Clavius se debruçou sobre a abertura. Segurando-se nos restos escorregadios da dobradiça do portão com uma das mãos, ele direcionou o facho de sua lanterna para baixo, no fosso.

— Quase posso ver o fundo — ele disse, esforçando-se para inclinar-se mais um pouco sobre a borda. Colocando muita fé nos parafusos velhos que prendiam o metal na rocha, o sargento Clavius de repente se viu segurando uma dobradiça de metal em uma mão e uma lanterna na outra. Girando as mãos freneticamente no ar, ele deixou cair ambos os objetos no fosso antes de ser agarrado com força por trás, por Graves e Aldo. A lanterna e a dobradiça despencaram, seguindo a corda cheia de nós, cuja parte final encontrava-se enrolada sobre o chão limoso, dez metros abaixo.

— Caramba! — Clavius exclamou ainda inclinado sobre a borda. Depois de quicar várias vezes nas paredes do fosso, a lanterna tinha parado lá no fundo e iluminava agora o que parecia ser um objeto de metal excepcionalmente limpo.

— O quê? O que você está vendo? — perguntou Aldo, segurando firme o uniforme colorido que era tudo o que sustentava o peso do sargento.

— Não tenho certeza, mas saberemos quando chegarmos lá embaixo.

— Eu não vou descer por essa tubulação fedorenta. De qualquer modo, não por essa corda — disse Graves.

— Não se preocupem — Clavius tranquilizou os dois homens enquanto eles o arrastavam de volta para a segurança. — Eu conheço outra maneira.

Capítulo 39

A viagem de volta foi tão turbulenta como a de ida. Do início ao fim, a coisa toda levou cerca de seis horas, e o sol estava começando a se pôr agora.

— Dana? Dana, você está me ouvindo? — Graves estava sentado em um banquinho estofado preto, descansando os pés confortavelmente em sua barra circular. O laboratório da Fedpol era decorado em estilo tipicamente escandinavo, econômico na quantidade de móveis e simples no projeto, com todos os equipamentos de laboratório uniformemente espaçados ao longo de duas bancadas de laminado paralelas que corriam ao longo do comprimento da sala. Enquanto Graves falava ao telefone, os técnicos se ocupavam com o que ele e Aldo haviam trazido consigo.

— Você já voltou? Como está o cardeal?

— Não muito bem. — Graves se afastou dos técnicos de laboratório enquanto continuava. — Ele foi levado para o hospital da Santa Sé mais próximo, o Hospital Regina Apostolorum... E ainda está sendo operado.

— O que você encontrou no túnel? — O Audi que conduzia Bastien e ela chegou ao topo do morro, aproximando-se das amplas instalações do CERN, visíveis a distância.

— Depois que conversamos, as coisas não correram tão bem como esperávamos.

— O que quer dizer? O que você achou? — Sentada no banco do passageiro, Dana afastou o bocal do celular do rosto enquanto informava a Bastien sobre o retorno dos homens.

— Depois que Aldo e eu descemos até o esgoto, fomos até o final dele... por falar nisso, a santa merda fede do mesmo jeito que a variedade normal.

Um pequeno sorriso apareceu no rosto de Dana no carro escuro. Ela estava começando a apreciar o senso de humor de Graves novamente. — O que vocês encontraram?

— Bem, o túnel estende-se por cerca de oitocentos metros e depois termina em uma estrada à beira-mar que corre ao longo do penhasco. No final, há um pesado, e bota pesado nisso, portão de ferro forjado... que estava trancado.

— Então, o assassino não fugiu desse jeito?

— Não, mas isso não foi tudo que encontramos. No fundo de outro fosso, descobrimos o que parece ser a arma do crime.

— Tom, parece-me um tantinho leviano fazer tal afirmação. Como você pode ter certeza neste momento de que o que encontrou foi a arma com a qual o cardeal foi atacado?

— Para começo de conversa, ela estava coberta de sangue — ele acrescentou, com um toque de condescendência. — É uma chave de fenda industrial. — Graves levantou-se e caminhou até uma janela com vista para o heliporto. — Achamos que pode ter sido um trabalho interno, possivelmente de um dos guardas suíços.

— Existe alguma coisa sobre *a ferramenta* que nos daria uma vantagem? — Dana estava ficando impaciente.

— Talvez. É uma chave de fenda com cabo vermelho da PB Swiss Tool, uma chave de fenda elétrica. — Graves ergueu o instrumento ensacado em sua mão, levantando-o da bancada sob a janela, enquanto o descrevia.

— O que isso significa?

— Disseram-me que é usada para trabalhos que exigem isolamento elétrico significativo, como na indústria. Sua haste mede cerca de quinze centímetros e o restante é completamente isolado com um revestimento vermelho de borracha que continua até o cabo.

— Havia alguma impressão digital ou qualquer outra coisa sobre ela?

— Impressões não, mas havia uma grande quantidade de sangue, que aparentemente é do cardeal. No entanto...

— Quanto tempo vai levar para os caras do laboratório saberem ao certo se o sangue é, de fato, do cardeal? — Já dava para ela avistar ao longe o globo iluminado da entrada das instalações.

— Eles estão dizendo que mais ou menos uma hora. Ouça...

— Ótimo. Então, venha para cá. Estamos indo ao CERN para falar com o padre. Edvard Krunowski não atendeu às nossas chamadas hoje, e eles estão no meio de um *tour privado*, solicitado por Moriel, antes de sua partida amanhã de manhã. Pelo menos, foi isso que a secretária de Krunowski me disse por telefone há uns vinte minutos.

— Pare de me interromper, Dana! Cara, algumas coisas nunca mudam. Eu tenho algo a acrescentar ao que você acha que já sabe. Ouça, e permita-me ajudá-la. Os técnicos aqui estão executando um PCR nas amostras agora.

— Desculpe. — Ela sabia que podia ser muito obstinada, o que servira para criar uma brecha entre eles antes. — Você disse *amostra*, certo?

— Não. Havia mais coisa sobre a ferramenta do que simplesmente sangue. Cobrindo a ponta plana da chave de fenda havia um... *material*. Parecia muito com a calcificação que se acumula no box do chuveiro, sabe? Depósitos de água ressecada. Os caras aqui no laboratório disseram que esse material é mais DNA, mais DNA humano.

— São da mesma fonte?

— Aí é que está. Eles estão me dizendo que o sangue e esse outro material são de indivíduos diferentes. O material sobre a ponta da ferramenta não é do DNA do cardeal Antonacci. É muito estranho... o troço encontra-se numa forma petrificada esquisita. E tem mais uma coisa, também. Conseguimos uma impressão digital parcial no portão. Aldo já lhes disse para chamá-lo assim que tiverem algum resultado. Logo, logo teremos uma pista quente.

Com um clique suave, eles desligaram.

À distância, as luzes do globo iluminavam o solo, enquanto Dana e Bastien se aproximavam. Ela havia imaginado um aspecto simpático e acolhedor para as instalações. Em vez disso, o complexo deserto do CERN lhe dava arrepios, naquela noite.

Guardando o distintivo de volta no bolso do casaco, Bastien entrou com o grande sedã no complexo.

— Isso é um bom sinal, não acha, minha querida? Eles pareciam estar nos esperando no portão. — A série habitual de perguntas formais que lhe haviam garantido acesso no passado se resumira, dessa vez, a um aceno indiferente de uma mão enluvada. O carro se moveu com confiança pela via serpenteante de pistas arborizadas que levavam à entrada da instalação.

— O que exatamente a secretária do doutor Krunowski disse quando ela ligou de volta? — Dana tinha se mostrado cética com relação aos eventos durante o dia inteiro. Todo o arranjo daquela noite parecia-lhe forçado, como se a coisa toda tivesse sido orquestrada para acabar ali.

— Ela disse que Edvard e o padre passaram pelo portão de entrada do Globo umas duas horas atrás, e que eles estavam lá embaixo agora, mas ela não sabia exatamente onde. — O Audi estacionou em uma vaga que dizia "somente funcionários", bem perto do Globo. Com o sol se pondo, os dois saíram do carro e sentiram frio.

Na recepção, a equipe de segurança da noite deu ao inspetor um cartão magnético para abrir as portas e acessar as antecâmaras inferiores. As luzes da grande esfera já haviam começado a se apagar, encerrando o longo dia de trabalho. Somente as que iluminavam suas pernas permaneceram acesas, enquanto eles desciam a rampa circular e se dirigiam ao LHC.

— Quem ainda está aqui? — Dana tirou a Glock 40 mm do coldre dentro de seu casaco azul-escuro justo. Gostava da sensação da pesada fibra de carbono contra suas costelas. Ela se certificou rapidamente de que a arma estava carregada. — Estamos esperando algum tipo de recepção?

— Acredito que não, mas pode ser que alguns dos cientistas pós-graduandos ainda estejam no complexo. — Bastien observou a parceira guardar novamente a arma debaixo do casaco. — Sabe de uma coisa? Este provavelmente não é o melhor lugar para se ficar atirando a esmo... Há um monte de coisas explosivas lá embaixo.

— Bem, então, vamos rezar para que esta seja uma conversa amigável — ela acrescentou com um sorriso, enquanto fechava o coldre.

O inspetor deslizou o cartão pelo primeiro leitor, dando início à sequência de eventos que resultava na abertura das pesadas portas de aço no final da rampa.

— O que você está planejando perguntar a ele... ao sacerdote, certo?

Quando o primeiro conjunto de portas se fechou atrás deles, o segundo conjunto de portas se abriu. Os dois podiam ver uma fraca luz azulada emanando de uma sala aberta, à direita deles. Sombras apressadas entrecortavam a luminosidade silenciosa, que escapava pela porta, e vinham dançar obliquamente no piso do corredor escuro que os dois atravessavam.

Dana ignorou a pergunta de Bastien e moveu-se rapidamente para a sala. Espiando pelo canto, pôde ver um jovem asiático num jaleco branco, puxando alavancas e apertando botões freneticamente, ao mesmo tempo que resmungava palavrões baixinho.

— O que parece ser o problema aqui? — Dana atravessou a porta aberta e entrou na sala.

O rapaz pulou de susto, quase caindo sobre as cadeiras espalhadas, que ele ajeitou às pressas atrás dele.

— Quem diabos é você e o que está fazendo aqui?

Dana podia ver o suor na testa e acima do lábio superior do rapaz.

— Eu sou a agente Pinon, do FBI, dos Estados Unidos, e este é o inspetor Goll, da Fedpol. Fomos designados para nos encontrar com o doutor Krunowski e seu convidado aqui, para lhes fazer algumas perguntas esta noite.

— Eu sou o doutor Tong, um dos assistentes pós-graduandos do doutor Krunowski. Acho que a entrevista terá de esperar um pouco. — Ele enxugou a testa enquanto se virava para o terminal com vista para a sala de controle principal lá embaixo, agora parcialmente iluminada. — A propósito, por favor, fechem a porta atrás de vocês e entrem. É para sua própria segurança — acrescentou, olhando rapidamente para seus confusos convidados.

— Nossa própria segurança... Do que você está falando? — Bastien acionou o dispositivo na parede que fechou a porta verde revestida de chumbo por trás deles.

— Não era para isso estar acontecendo, de qualquer forma, não desse jeito. — O estudante de pós-graduação continuou a se ocupar nervosamente dos dados que eram fornecidos em várias telas, ignorando os policiais que agora partilhavam daquele espaço limitado com ele.

— O que está acontecendo aqui? E onde estão o doutor e o padre?

— O nível de radiação está acima de qualquer coisa que já vimos *aqui* antes — ele respondeu sem se virar para encarar seus interlocutores.

— Como é possível? Esta instalação está ligada a várias estações externas que monitoram a mesma coisa. — Bastien virou-se para Dana.

— Esta instalação está ligada, por mandado do governo, à nossa sede, sem contar as muitas estações de monitoramento ao redor. Se fosse realmente tão alta, a essa altura eles já a teriam desligado.

— Você não entende. — O olhar de pânico no rosto do estudante era destacado pelos monitores piscando na sala escura. — A instalação sequer está ligada!

— O que quer dizer com "sequer está ligada"? — Dana aproximou-se da série de computadores na mesa em frente a eles. Dava para ver o fluxo de dados correndo nas telas diante de seu anfitrião.

— Está desligada! — Ele apontou freneticamente em direção à tela principal suspensa sobre a sala vazia diante deles. — Está desligada, toda a maldita geringonça está desligada há dias. O doutor Krunowski descobriu um acúmulo de substância no interior da câmara, outro dia. Estou tentando me comunicar com eles lá embaixo.

— Pode repetir o que você acabou de dizer? — A atenção de Dana voltou-se fortemente para o recinto que ele indicou.

— O acúmulo, os problemas com o vácuo, a coisa toda está desligada! Não há razão para que haja radiação proveniente de qualquer lugar aqui. E, quanto às instalações externas fechando as coisas por aqui, eles só sabem que não há nada para monitorar porque nós estamos desligados. — Ele se virou para Bastien. — Ninguém está nos monitorando no momento.

— Não, não, quem está lá embaixo e onde? — Dana o pressionou.

O estudante continuou a digitar furiosamente no terminal em frente a ele.

— O quê? Olhe, sente-se um pouco enquanto eu tento falar com eles pelo rádio...

— Eles estão lá embaixo? — Bastien se virou, dirigindo-se para a porta.

— Senhor, por favor. Dê-me só um minuto. Se eu puder alcançá-los pelo walkie-talkie, então, poderemos fazê-los voltar aqui para cima. Além disso, o doutor Krunowski está usando um crachá de dosimetria. Ele começa a mudar de cor, mesmo em níveis de exposição mínimos. Assim que ele perceber, deverá subir por conta própria.

— Como é que eles acabaram indo parar lá, afinal de contas?

— O doutor Krunowski me pediu para mostrar a sala de controle para o padre. — Ele apontou distraidamente pela janela sem levantar a cabeça, para não perder a atenção ao que fazia. — Depois de se juntar a nós lá embaixo, ele me "dispensou" — ele acrescentou, fazendo aspas no ar com os dedos — e os dois desapareceram no túnel.

— O que é esse acúmulo no colisor do qual você falou? — Dana estava olhando para todas as diferentes telas que exibiam dados ininterruptamente.

— O padre acha que pode ser uma espécie de depósito de resquícios de DNA ou algo assim. — Ele apertou alguns botões, trazendo a imagem de MEV mais recente em uma tela ociosa, para Dana ver enquanto ele falava.

— O padre Moriel acha? — Dana estava cada vez mais perplexa.

— Ninguém responde. Talvez a bateria tenha acabado e eles estejam fora do ar.

— Ou talvez eles mesmos estejam? — Bastien tirou um dos rádios do rack carregador. — Nós estamos indo para lá! Em que canal eles estão?

— Senhor, eu não acho que isso seja uma boa ideia.

— Isso não está em discussão, senhor Tong. — Bastien fez uma pausa, olhando nos olhos do aluno de pós-graduação impaciente.

— Estão no canal três.

Dana passou a mão em um rádio do rack carregador antes de seguir o inspetor porta afora pelo corredor.

O senhor Tong apanhou apressadamente da mesa ao lado dele dois crachás plásticos de dosimetria.

— Esperem, vocês vão precisar deles — disse ele, entregando-os para Dana. — Se houver radiação suficiente lá embaixo, eles começarão a mudar de cor. Se chegarem ao roxo, vocês precisam sair de lá rápido.

— É a cor mais perigosa? — perguntou Dana.

— Não, a mais perigosa é o verde — respondeu o senhor Tong enquanto os dois detetives desciam as escadas para a sala de controle escura, em direção aos elevadores. Enquanto ele observava as portas se fecharem, outro som, vindo de trás, chamou sua atenção. De pé, à luz da sala de observação, estava um homem alto, de cabelos louros.

— Olá, sou Iän, o seu substituto — ele disse, segurando o crachá de segurança.

— Como é que você pronuncia isso, Yahn?

— Isso mesmo, mas pode me chamar de John, se for mais fácil para você.

Capítulo 40

Estacionando ao lado do grande sedã alemão, Graves e Aldo seguiram os passos dados por seus colegas mais de noventa minutos antes. Haviam se atrasado respondendo às perguntas das quais Bastien e Dana haviam sido poupados. Tendo passado mais de vinte minutos no portão da frente defendendo a legitimidade de sua visita noturna, eles finalmente chegaram ao Globo. Caminhavam em direção à entrada quando um jovem asiático cruzou o estacionamento apressadamente.

— Provavelmente, é um estudante de pós-graduação indo passar a noite em casa — assegurou Aldo a Graves. — Tente outra vez, eles devem poder receber ligações nas salas de cima. — Aldo segurou seu distintivo contra o vidro quando o guarda noturno dentro do Globo se aproximou. — *Öffnen Sie die Tür. Machen Sie schnell!**

Os dois homens entraram no Globo.

— Droga! — Graves fechou seu telefone celular. — Ela não está atendendo. Estão indo direto para ele!

— Talvez. — Aldo pediu o crachá do peito do guarda noturno. — *Danke*, vamos precisar dele para entrar. — Ele se deteve um breve momento para informar ao guarda de que uma equipe de materiais perigosos deveria chegar dali a pouco, e, em seguida, Aldo e Graves se apressaram em descer a rampa circular até a entrada lá embaixo.

Depois de passar por vários conjuntos de portas até a sala de controle, entraram na última eclusa. As portas sólidas se fecharam atrás

---

* Abra a porta. Rápido!

deles. Os dois homens esperaram um tempo excepcionalmente longo para a abertura da segunda porta. Depois de alguns segundos de inatividade, Aldo voltou a passar a faixa magnética no leitor, sem obter resultado.

— Merda!

— Qual é o problema? — Graves postou-se atrás dele, olhando por cima de seu ombro para o LED do escâner piscando em vermelho.

— Estamos presos. O nível de radiação deve ser alto o suficiente lá dentro para que o sistema de segurança já tenha bloqueado as portas. — Aldo começou a olhar ao redor da cabine apertada, passando as mãos pelas paredes, de cima a baixo.

— Que diabos você está procurando? — Graves começou a imitar o colega, sem saber ao certo o que poderia encontrar até que passou o dedo sobre a cabeça de um parafuso no painel de aço inox escovado. — Ai!

— Com licença. — Aldo o afastou para o lado. Tirando o parafuso, ele abriu um painel quase imperceptível. Lá dentro havia uma pequena série de botões não marcados e um alto-falante embutido na caixa de metal enegrecido.

— Não me diga... você também costumava trabalhar aqui como guarda de segurança, não é? — Graves perguntou com bem-humorado sarcasmo, sugando brevemente seu dedo que sangrava.

— Não, meu primo trabalhava. Você está tapando a minha luz. — Aldo lançou um desdenhoso olhar por cima do ombro. Com um sorriso no rosto, ele falou para o alto-falante. — Aqui é o inspetor Baumgartner, da FedPol. Meu parceiro e eu estamos presos na câmara número... — Olhando em volta do pequeno recinto, seus olhos caíram sobre a placa acima do escâner de retina. Tirando o dedo do botão, Aldo voltou sua atenção para o alto-falante diante dele. — Tem alguém aí? Alô? Deixa pra lá.

Graves olhou para ele incrédulo, enquanto Aldo fechava a pequena tampa de metal.

— "Deixa pra lá"? Vamos simplesmente ficar aqui esperando a cavalaria chegar para nos salvar ou está na hora padrão da sesta europeia?

— Dê-me o cartão que usamos para colher a impressão digital.

Graves enfiou a mão no bolso e tirou um pedaço de papelão branco e firme. Do tamanho de uma figurinha de beisebol, ele tinha uma película de plástico transparente de um lado, que era presa atrás com fita adesiva na extremidade superior.

Aldo pegou o cartão e foi até o escâner. Abriu a tampa e segurou contra o painel branco o filme plástico para o qual fora passada a impressão digital gordurosa do agressor do cardeal.

— Que diabos você está fazendo?

— Nessas instalações, há sempre a possibilidade de que alguém tenha que entrar ou sair em caso de emergência, seja por causa de um vazamento de radiação, um incêndio, um ataque terrorista, o que for. — Um feixe azul elétrico deslizou silenciosamente sobre a impressão enquanto ele falava. — Em tais situações, os escâneres de retina podem ser inúteis. Eles têm que pensar em tudo hoje em dia, especialmente desde o 11 de Setembro e os atentados de 11 de março de 2004 em Madri. No caso de um ataque biológico que use um agente nervoso, aqueles que tentam entrar ou sair podem estar com as pupilas severamente contraídas, o que impede que o gerador de imagens obtenha uma captura clara da retina.

— É claro que todo mundo sabe disso — disse Graves sarcasticamente com um aceno de cabeça.

Aldo continuou a segurar o filme plástico contra o leitor enquanto o feixe escaneava de cima a baixo.

— Ou, no caso de um incêndio, se houver bastante fumaça, o escâner pode não conseguir uma imagem clara. Se isso viesse a acontecer aqui, as pessoas poderiam morrer. Por isso, o software de segurança permite que o painel funcione como um leitor de impressão digital para os cadastrados no sistema. — A pequena tela acima do teclado exibiu as palavras "FALHA NA LOCALIZAÇÃO" em letras verdes antes de as portas se abrirem. — *Voilà!*

— Como você sabia que a impressão iria funcionar? — Graves permaneceu brevemente onde estava antes de cair em si e sair apressado atrás do parceiro.

— Pode chamar de palpite — Aldo respondeu, movendo-se em direção à escada acarpetada que levava à sala de controle principal.

— O que me preocupa — ele continuou — é o código "falha na localização".

— Como assim? — Graves correu para alcançá-lo, enquanto se dirigiam ao corredor mal iluminado.

— Bem, isso geralmente significa que alguém com essa identificação já foi reconhecido pelo sistema de segurança, em outro lugar.

Ao entrarem no corredor escuro, os dois puderam ouvir murmúrios ansiosos por trás das portas fechadas logo à frente deles. Novamente, Aldo segurou a impressão digital contra o escâner, e o painel rapidamente piscou a mesma mensagem, "FALHA NA LOCALIZAÇÃO". As portas verdes se abriram.

Do lado de dentro, um jovem de jaleco branco estava sentado em um terminal do outro lado da sala. Olhando por cima de seu trabalho, pareceu surpreso ao vê-los. Com o cabelo louro no estilo escovinha do Corpo de Fuzileiros Navais, e os dedos posicionados sobre o teclado, ele parecia deslocado.

— Posso ajudá-los, senhores?

— Onde estão os outros dois detetives? — Os dois homens entraram na sala enquanto as portas se fecharam atrás deles novamente.

— Disseram-me que estão lá embaixo, no Atlas, o detector principal. — O jovem voltou a atenção para o seu terminal de computador.

Olhando desconfiado para o rapaz, Graves continuou na sala, sua voz assumindo um tom mais autoritário.

— O que quer dizer com "disseram-me"? Quem lhe disse?

— Eu sou o substituto de plantão. O estudante de pós-graduação, ao sair, me avisou que havia dois policiais aqui para falar com um padre que o diretor está levando para um *tour* nas instalações. Por quê?

— Com essa radiação crescente, você os deixou ir para lá? — A ira de Aldo era evidente em seu tom.

Os dedos do estudante, que antes digitavam descontroladamente, agora estavam pousadas inertes sobre o teclado. Ele virou-se lentamente para os visitantes.

— Não fui eu que deixei. Como já disse, acabei de chegar. O doutor e o padre...

— Tenho certeza de que levaram rádios bidirecionais para baixo com eles. — Graves gesticulou para o rack carregador perto da porta, agora meio vazio.

O estudante se levantou de sua cadeira e caminhou em direção ao rack. Com um deliberado ar de indiferença, ele perguntou:

— Como é que os senhores sabem sobre a radiação?

— Ligamos para algumas estações de controle nível dois e pedimos que verificassem suas leituras...

— Oh, meu Deus. — Graves estava parado do outro lado da sala olhando para um monitor quando a luz da tela começou a piscar freneticamente em seu rosto. — O que é isso? De onde essa imagem está vindo? — A tela grande diante dele mostrava uma fonte de luzes em movimento, partículas digitalizadas fluindo a partir do centro de uma base circular brilhante.

— Esse é o interior da câmara principal, Atlas. — O estudante de pós-graduação caminhou até onde Graves estava e desligou o monitor. — Por quê?

— Esse padrão... Já vi isso antes. — Graves ficou ali parado e mudo por uns instantes, maravilhado. Depois, completou o seu pensamento falando baixinho: — Meu Deus, eu acho que eles estavam certos, *ela* estava nos dizendo alguma coisa.

O telefone celular de Aldo rompeu o silêncio. Tirando-o do bolso, ele abriu a tampa.

— Alô?... Ok! Pode enviar. — Ele murmurou as palavras "é do laboratório" para Graves, que ainda estava parado ali, com o interesse dividido entre o monitor e a conversa. Aldo continuou falando ao telefone: — Entendo, e o outro? — Ouvindo atentamente, a testa de Aldo franziu com força. — O quê? Você tem certeza? Como isso é possível? E a impressão? Ok! Ligue para mim quando souber. — Desligando o celular, ele olhou para Graves. — O sangue na ferramenta era do cardeal Antonacci...

— Já esperávamos por isso.

— Eu sei. — Aldo voltou a olhar para o monitor brevemente antes de voltar a encarar Graves. — Mas você não vai acreditar de quem era o DNA que estava na ponta.

Com um estalo metálico, as portas verdes revestidas de chumbo da câmara de observação se fecharam atrás deles. Sobressaltados, os dois homens se viraram e deram de cara com o estudante louro fortão parado entre eles e a porta.

Graves não estava mais a fim de discutir o assunto.

— Precisamos chegar lá embaixo. Qual é a maneira mais rápida de fazer isso, senhor...?

Ele se inclinou para ler a pequena etiqueta plástica com o nome no bolso esquerdo do aluno.

— Senhor Tong.

Capítulo 41

Fin ficou olhando para o vale, com suas altas paredes rochosas separadas por uma vasta distância. O calor e a poeira canalizados em sua direção faziam parecer que, se ele fizesse qualquer esforço para vencê-los, seria incinerado. Os sussurros em sua cabeça estavam cada vez mais altos e, embora nenhum dominasse os outros, eles o compeliam em direção a um fogo crescente, que ele podia sentir que estava localizado no final da bacia à sua frente, muito além de onde se encontrava. Seus espasmos faciais estavam se intensificando novamente, e a sua propagação só era limitada pelas crescentes cicatrizes gravadas em seu rosto.

As dores em suas pernas e suas costas eram quase insuportáveis e pioravam a cada minuto. Onde anteriormente havia apenas um leve prurido agora cresciam espinhos que perfuravam as suas costas. Outros mais lhe tinham crescido entre os dedos das mãos e também dos pés. Separando insidiosamente os dedos um do outro, tais excrescências tornavam quase impossível para ele fechar totalmente a mão. Os queloides incrustados que cobriam suas feridas começavam a se aglutinar, formando uma casca espessa que lentamente ia substituindo sua própria pele.

— Por que você está triste, papai? Você está morrendo?

A voz de Eva ecoava com insistência em sua mente, fundindo-se aos sussurros que o atormentavam. Fin sacudiu a cabeça freneticamente, tentando clarear os pensamentos. Aquilo tudo parecia um horrível pesadelo, no qual a escuridão o impedia de ver o que ansiava, e que sabia estar bem perto, embora fora de seu alcance. Seus pés se moviam mais lentamente do que ele lhes ordenava, tolhidos pela areia seca, na qual afundava mais rápido pelo peso da lama molhada.

— Eu estou morrendo? Então, nós estamos bem e você não deveria mais ficar triste.

O pânico e a exaustão de Fin estavam se tornando palpáveis. Ele sabia que tinha perdido alguma coisa, embora, às vezes, não conseguisse se lembrar do que era. Estava mudando mais rápido agora, cada vez menos o homem que era ao chegar, cada vez mais um produto daquele lugar. Nos momentos de lucidez, via o rosto de Eva e se lembrava do motivo de estar ali. Naquele inferno, porém, quanto mais longe ele ia, mais a sentia. Fin balançou a cabeça outra vez, tentando desesperadamente se concentrar. O rosto de Eva, seu cheiro, seu toque... enquanto aqueles delírios fragmentados consumiam os seus pensamentos, sua vertigem voltava, deslocando seu foco novamente. Fin podia sentir o sangue escorrendo por suas costas, exsudando lentamente ao redor dos dois robustos espigões que brotaram ali. Por todo lado, sem cessar, aquele inferno implacável o consumia.

— Onde está você? — Fin gritou de frustração, olhando para cima, em direção ao céu, com os músculos contraídos. Com a poeira crescente encobrindo a luz, a voz fraca de Fin foi sugada pelo vento e levada para longe, antes mesmo de atingir seus próprios ouvidos. — Onde está você? — Ele caiu de joelhos e, depois, de quatro.

Enquanto rastejava, a atenção de Fin recaiu sobre as suas mãos, espalmadas e parcialmente enterradas na areia. O polegar e o dedo anelar de sua mão esquerda pendiam da base, descartados de forma indolor, como crostas descascadas. Fin podia ver seus ossos pontiagudos saindo dos tocos, porém, não sentia dor. Empurrando os dedos à medida que cresciam, aquelas foices serrilhadas que tomavam seu lugar eram garras como as das bestas. Fin continuou a olhar para elas. Incapaz de compreender o que estava acontecendo com ele, ergueu-se um pouco, pondo-se de joelhos. Revirando as mãos no ar, ele olhava para elas, não como se fossem suas, mas de outro. Lentamente, Fin agarrou os apêndices pendurados e os arrancou. Enquanto os filetes de sangue vermelho e brilhante escorriam por seu braço e em torno de suas crostas enegrecidas, ele abria e fechava suas novas garras, regozijando-se com os novos e disformes dedos, enquanto eles se chocavam um contra o outro friamente.

No limite de seu campo de visão, no canto extremo da ravina seca, Fin avistou o que parecia ser uma cidade em ruínas, cujos muros e paredes desmoronavam devido ao calor e às tempestades de areia. Elevando-se acima do fundo do vale havia pináculos, outrora possivelmente majestosos, mas, agora, arruinados pelo vento e pela areia que os castigavam. Apertando os olhos para distinguir os contornos daquele novo achado, apercebeu-se com cruel nitidez dos grunhidos estridentes que os ventos inconstantes traziam aos seus ouvidos. Como Sal profetizara, eles o haviam encontrado novamente. Olhando fixamente para as construções ao longe, Fin esperava que pudesse chegar lá antes que a grande legião de bestas o alcançasse.

Fin tentou se levantar. Uma rigidez que não havia sentido antes acometeu seus joelhos. A dor aumentou com o esforço que fazia para tentar se pôr em pé outra vez. Tropeçou alguns centímetros antes de cair novamente. Atingiu o solo íngreme e sentiu algo estalar com um estrondo que cortou o ar. Hesitando por um momento, sentiu o desconforto começar a diminuir e, pela primeira vez naquele lugar, uma onda de alívio o inundando. Levantando-se de novo, bambeou por um momento antes de constatar a inatural hiperextensão de suas pernas. Com um estalo mórbido, seu peso assentou-se sobre os seus joelhos, que dobraram para trás, arrebentando as cascas mortas que os envolviam. Não houve sangramento, apenas uma bendita ausência de dor nas pernas quando elas assumiram sua postura infernal.

Fin cobriu a distância até as ruínas velozmente, flexionando os joelhos da mesma forma grotesca que seus perseguidores. À sua frente, pequenas fissuras iam se revelando à medida que a luz do dia aumentava prematuramente. Dessas fissuras vinha um brilho fraco, semelhante à luz que o recebera ali dias antes, naquele rio pútrido. Olhando para baixo, ele podia ver as silhuetas ardentes dos condenados dentro das fendas enquanto passava, o tempo todo lutando contra o medo que alimentava seu pânico.

— Tenho que conseguir chegar lá... foco... Simplesmente consiga chegar até a cidade! — ele dizia a si mesmo, incitando-se, tentando ignorar a balbúrdia crescente que o seguia. Era uma desarmonia sinfônica de rosnados que ficava cada vez mais alta, não importava quão rápido ele se deslocasse. A poeira em torno dele havia quase sufocado a luz do dia quando Fin alcançou a primeira pedra na escuridão próxima. A imaginação horrorizada de Fin havia pintado as bestas muito mais próximas do que estavam. Ele mergulhou para a proteção de uma parede em ruínas, aterrissando com força nas pedras irregulares de sua borda. Rolando sobre a barriga, em meio ao seu pânico, Fin notou que era capaz de mover as projeções ósseas de seus ombros, como as asas de um louva-a-deus.

Açoitado pelos ventos que acompanharam a morte precoce do dia, Fin ainda não havia conseguido se livrar dos sussurros em sua cabeça. Embora um deles parecesse destacar-se dos demais, Fin era incapaz de discernir o que dizia. Em uma oração desesperada, ele esperava ouvir em breve a voz clara de sua mãe ou o caloroso encorajamento de Rachel acima daqueles ventos ululantes, oferecendo uma maneira de sair daquele lugar e um caminho até Eva.

— Onde está você? — uma vozinha feminina delicada chamava.
— Papai! Papai, onde você está? — A voz fantasmagórica de Eva o envolveu.

Fin se pôs em pé num salto, enquanto era cercado pelo som por que ele ansiava. Espiando por cima do muro desmoronado que lhe batia na altura da cintura, mal conseguiu distinguir inúmeros pares de olhos alaranjados flamejantes no turbilhão escuro da tempestade, vasculhando incansavelmente aquela desolação atrás dele. Os sussurros restantes cessaram e ele ouviu claramente o choro de uma criança em meio à tempestade. Fin caminhou cuidadosamente ao longo da barreira e seguiu por um corredor de pedra parcialmente demolido que começava onde o muro terminava. Determinado a evitar ser descoberto, passou abaixado por várias arcadas caídas, caminhando em direção aos imponentes e escuros contornos de uma estrutura em ruínas, que ficava do outro lado da cidade.

À medida que ele se aproximava do edifício decadente, a voz de Eva ia ficando cada vez mais alta e ele podia ouvir suas palavras de forma mais clara. Colocando as mãos cautelosamente sobre os pilares da entrada, Fin adentrou cegamente o silencioso antro, guiado apenas pela voz da filha.

— Papai, por favor! Papai, onde você está? Você está aí? — Sua súplica havia se tornado mais alta, e ele podia sentir o pânico em sua voz.

Quando avançou mais, começou a sentir também o cheiro dela, um perfume surpreendentemente fresco que repudiava acintosamente aquele lugar. A areia levada pelo vento amontoava-se por todos os lados em volta das barreiras de pedra, prendendo seus pés enquanto ele se movia incessantemente de um aposento demolido para outro.

Os soluços de Eva tornaram-se mais altos e ele era capaz de ouvir sua respiração entrecortada enquanto ela tentava se acalmar. Ao atravessar a próxima porta, o coração de Fin pulou de alegria. Sentada no canto mais distante da sala, tremendo nas sombras, lá estava a sua menina.

Envolta em sua própria luz, Eva estava encolhida, a tenra e pálida pele resplandecendo como se estivesse iluminada por dentro. Fin podia ver-lhe o medo nos olhos enquanto esperava pela única salvação que conhecia: ele. Atravessando a entrada em ruínas, Fin correu para Eva, sua visão arrebatada pela alegria estampada no rosto da filha. Antes que pudesse alcançá-la, o brilho que ela emprestava àquele inferno foi apagado por uma escuridão que sobreveio do alto. Com uma raiva tamanha que era tão forte quanto o medo que sentia, Fin abaixou a cabeça e tentou abrir caminho através da cortina de demônios que os mantinha afastados. A quantidade deles era esmagadora e o ódio transbordante o mantinha afastado com facilidade.

Num piscar de olhos, as criaturas estavam em cima dele, mordendo-o e chutando-o. Fin resistia como podia, diante do grande número delas. Tentando em vão alcançar sua filha, ele podia sentir o calor de Eva se desvanecendo sob o violento ataque. Levado de volta para a tempestade, Fin foi forçado contra o chão. Com uma mão pesada pressionando o seu rosto na terra, um deles falou:

— Vamos estuprá-la — sussurrou uma voz feita de milhares de outras ao ouvido de Fin. As palavras destilavam ódio e Fin podia sentir o prazer que aquela coisa sentia em torturar tanto ele como Eva. Fin a encontrara e estava mais perto do que nunca a filha, e aquela besta desgraçada representava tudo o que os separava agora.

Antes que a criatura pudesse levantar a cabeça, Fin a atingiu de volta. Segurando a cara da besta, ele enfiou suas garras ainda não testadas naquelas órbitas incandescentes e prendeu o crânio dela no chão. Apesar de estar sendo continuamente espancado, Fin levantou a cabeça. Com todos os músculos do seu corpo tensionados contra o opressivo peso das bestas, ele deixou escapar um grito demoníaco que rivalizava com o fragor da tempestade. Enquanto sua presa se contorcia sob seu domínio, ele sentiu seu medo recuar, como a maré que baixa e revela a negra areia vulcânica.

Quando as criaturas forçaram seu rosto outra vez contra o solo, a ira de Fin cresceu até que ele viu tudo preto. Então, em algum lugar na sua mente, tudo ficou vermelho. Ele se sentia sem rumo em um mar de fúria, capaz de captar apenas as vibrações de sua raiva incontrolável. Fin podia sentir o calor abrasador dos gritos de Eva se afastando, enquanto ele jazia desamparado e imobilizado debaixo daqueles monstros. O ódio martelante daquele lugar o pregava mais e mais fundo a cada instante. Sua lembrança do toque de Eva esfriou quando ele despedaçou o que restava de suas mãos esmagando o crânio de seu captor contra as rochas, deixando que suas novas garras terminassem o trabalho. O mau cheiro daquele lugar esquecido por Deus enchia sua cabeça a cada respiração pútrida, aquilo tudo correndo para ele com uma intensidade que consumia a sua consciência. Aquilo tudo com um mal que ele agora ansiava por enfrentar.

O nível de dor que Fin sentia ultrapassava agora tudo o que já experimentara, como um êxtase excruciante percorrendo as suas costas, arrebentando a pele espessa e lhe apresentando sua maior vantagem até ali. Fin abriu os olhos. Tudo que estava escuro e encoberto pela tempestade agora se tornara límpido como cristal através de uma tonalidade alaranjada. Virando a cabeça, ele viu seus atacantes se afastarem rapidamente. O ar em torno deles estava carregado com o cheiro de medo quando ele se pôs em pé sem impedimentos.

Fin girou, com os braços abertos e as garras estendidas. As afiadas bordas de suas asas ágeis e grotescas cortaram o ar e a garganta de seus adversários mais próximos. As cabeças das bestas caíram no solo queimado. Libertadas de seus corpos demoníacos, as cabeças decepadas rolaram pelo chão, dando a Fin uma sensação de poder que, até aquele momento, jamais tinha sentido ali. Enfrentando o restante da horda, ele lhes deu em primeira mão a visão de seu anjo caído transformado. Com sua metamorfose quase completa, a antiga forma humana de Fin estava quase irreconhecível. Ele havia assumido uma postura naturalmente agressiva graças aos seus membros posteriores caninos e às enormes asas. Inclinando-se para o inimigo, Fin viu seus rostos deformados claramente pela primeira vez; dentes irregulares, longos e amarelados espalhavam-se de forma errática nas bocas putrefatas. A única coisa que impedia os rostos de caírem literalmente aos pedaços eram fibras esparsas, que deixavam expostas lacunas enormes e buracos salivantes. A maioria tinha os ossos da face afundados e apodrecendo, e todos estampavam no rosto deformado uma expressão que Fin não esperava: medo.

Fosse qual fosse o tanto de humanidade que ainda lhes restava, Fin iria arrancá-la deles. O calor de sua filha se fora, deixando apenas o da própria ira. Fin investiu contra a horda, direcionando os esporões ósseos que agora adornavam as pontas de suas asas para a garganta das duas bestas que tiveram a infelicidade de estar ao seu alcance. Erguendo os corpos sem vida das areias movediças, Fin forçou outras bestas a recuar até um muro em ruínas atrás delas e deteve-as rapidamente, enterrando as pontas de suas asas na rocha. Esses enormes apêndices membranosos e translúcidos desdobraram-se no chão, prendendo vários dos demônios dentro de seu sinistro arco. As criaturas se afastaram com medo, presas entre Fin e o muro. Puxando a ponta das asas do alto dos escombros, ele fez com que a estrutura inteira desmoronasse sobre os captores de sua filha, esmagando-os.

Em meio à limpidez alaranjada ele pôde ver que outras haviam escapado para campo aberto.

— Filhas da puta! — praguejou ele, com sua boca fendida e enegrecida.

Com uma única e poderosa batida de suas asas, Fin se elevou em meio à poeira sobre as ruínas e mergulhou, largando todo o seu peso sobre o maior número possível delas. Quebrando os ossos daquelas que haviam liderado a retirada, ele se virou para encarar as que restavam.

Enquanto desciam correndo o vale, afastando-se da cidade arruinada, muitas das criaturas escorregavam na areia solta, tentando fugir desesperadamente da retaliação. Dobrando as asas atrás dele como uma efemérida,* Fin correu velozmente em direção ao bando, usando suas garras para cortar a garganta das líderes quando passou entre elas. Com o sangue das duas misturado e respingando das garras de Fin nas bestas que vinham logo atrás, ele rapidamente recolheu as asas e posicionou os espigões de suas pontas para o ataque. Sem nunca

---

* Efemérida é uma designação comum aos insetos efemerópteros, que constituem importante item alimentar para muitos peixes de água doce. (N.E.)

diminuir o ritmo, ele foi trespassando o peito dos adversários antes de rasgá-los em dois; em seguida, continuou a subir a encosta para enfrentar o restante das criaturas.

Havia uma imensa quantidade delas. Fin poderia ter enfrentado o dobro, mas não todas elas ao mesmo tempo. A horda começou a correr em sua direção e a nuvem de poeira que levantava em seu avanço engoliu a vista da cidade em ruínas. Dava para Fin ouvir os sons das garras das criaturas tinindo e raspando sobre as rochas enquanto se aproximavam; os detalhes mais sutis de seu ódio eram visíveis em suas expressões quando Fin derrubou parte delas com suas asas estendidas. Entretanto o bloco colossal e maciço formado pelas bestas o dominou. Elas o derrubaram no chão e o atacaram aos chutes e mordidas. Fin sozinho não era páreo para tantas delas, e o peso do mal empilhado sobre ele apagou a luz. Seu mundo escureceu.

Podia sentir o sangue quente escorrer por seu rosto e seu peito, embora não houvesse dor. Os grunhidos das criaturas foram substituídos por gritos atormentados enquanto o peso que o oprimia era removido de cima dele. Fin ouviu uma voz familiar:

— Estou com você, irmão. — Levantando-se, Fin viu-se cara a cara com Sal.

— Não somos irmãos... — Fin estremeceu de dor quando seus pensamentos foram interrompidos por garras retalhando suas costas. Com as asas estendidas, ele girou para enfrentar as criaturas que permaneceram. Com outra poderosa batida de suas asas, Fin deixou o chão.

Descendo com as garras dos pés projetadas para a frente, como uma ave de rapina, Fin arrebatou uma das bestas. Cravando as garras no crânio da criatura, ele arrastou sua presa pendurada sobre as legiões. Pairando acima da multidão expectante, Fin inverteu seu caminho. Cruzando os apêndices nas costas, ele arremeteu com sua presa a reboque, em direção ao solo desértico e implacável. Fin largou seu fardo, acertando com a carcaça uma porção de outras bestas, enquanto se elevava acima delas novamente.

Enquanto isso, lá embaixo, Sal continuava a despachar uma criatura após a outra, aquelas que foram capazes de escapar com vida o fizeram.

Fin derrubou o seu candidato à guia pelos ombros. Sozinhos, agora, no vale, ele repetiu:

— Nós não somos irmãos. Eu não devo nada a você, e você, com certeza, não me deve nada. — Fin usava as pontas afiadas de suas imensas asas para segurar os ombros de Sal no chão.

— Não é a você que eu devo. Devo à sua Eva.

Aumentando a pressão, as asas de Fin começaram a perfurar a pele queimada de Sal.

— Explique-se.

— Eu estava lá naquela noite chuvosa, a noite em que você foi morto. Sua morte possibilitou-me a fuga daquela vida. E também me deu Eva.

Fin ficou imóvel sobre Sal, com os punhos cerrados.

— Continue.

— Ela foi a minha salvação, minha inspiração, minha razão para mudar. Nunca quis lhe causar mal algum. Fiz tudo que pude para protegê-la da vida que eu tinha deixado para trás.

Fin soltou Sal, dobrando as asas atrás das costas.

— Como foi que ela morreu?

Sal se sentou. Esfregando os lugares por onde ele havia sido segurado, prosseguiu:

— Foi me protegendo de quem ajudou a colocar todos nós aqui. Ele e seu mestre estão esperando por você, e Eva é a isca. É a sua alma que eles querem. Quanto mais você lutar, mais perto dela você chegará, no entanto, mais de si mesmo irá perder para este lugar.

— Eu não preciso de sua ajuda, fique longe de mim. — Em uma nuvem de poeira, Fin subiu, momentaneamente pairando sobre o seu semelhante.

— Não perca a sua força de vontade — Sal gritou para Fin. — O nome dele é Azazel, e seu único objetivo agora é terminar o que ele começou em vida.

Com os corpos de seus inimigos derrotados espalhados pelo desolado vale, Fin virou-se e continuou. Deixando Sal do lado de fora dos muros da cidade, subiu em direção aos fogos que iluminavam as montanhas à frente, encontrando consolo na expectativa da carnificina que faria por lá. Mais daquelas criaturas morreriam em suas mãos, asas, ou dentes... Custasse o que custasse, ele iria destruir todas elas antes de tudo terminar.

Capítulo 42

Trinta andares abaixo da cabine de controle, Bastien e Dana estavam saindo do elevador principal do LHC do CERN. O passeio na cabine magneticamente blindada que viajava para as profundezas da Terra suspensa por um par de cabos havia sido bem lento. Conduzido por preguiçosas engrenagens, o feroz torque do motor evitava que a cabine balançasse em seu eixo conforme descia em sua viagem de onze minutos. Apenas duas opções de botão eram oferecidas: para cima e para baixo. Não havia parada entre eles.

Saindo para a câmara principal, Dana sentiu-se minúscula diante da silhueta escura do detector Atlas, que se elevava 25 metros acima dela, com suas 7 mil toneladas. Espalhados por todo o recinto, que lembrava uma catedral, seus oito ímãs supercondutores gigantescos projetavam-se para fora a partir do núcleo do solenoide, como uma espécie de lula de titânio. O brilho fraco e azulado das luzes de segurança era lançado por todos os arcos metálicos, refletindo-se nas superfícies douradas e prateadas que revestiam a proteção da máquina, emprestando ao lugar um misterioso toque de ficção científica.

— Para onde vamos a partir daqui? — perguntou Dana, tentando manter a voz baixa.

— Não tenho certeza. Nunca estive aqui antes. Estava esperando mais luzes acesas do que isso. — Bastien afastou-se para a direita, em direção a uma estrutura de madeira branca que conduzia a uma passarela acima deles. — Vou ver se consigo encontrar alguma área de controle central por aqui. Deve haver um lugar para acender as luzes.

O único ruído perceptível era um leve e constante zumbido proveniente das tubulações de ventilação no teto, que se erguia a trinta metros acima deles. Àquela colossal profundidade, os sistemas de ventilação e purificação precisavam operar 24 horas por dia para manter aquela cidade enterrada abastecida com ar fresco. Sem sistemas assim, bastaria um punhado de funcionários para tornar o ar a tal profundidade saturado e, em poucas horas, incapaz de sustentar a vida.

Dana continuou a caminhar lentamente, permitindo que seus olhos se ajustassem à escuridão do ambiente. Ela se aproximou da base do reator principal próximo à blindagem primária, quase incapaz de discernir a miríade de objetos que lhe batiam na altura da cintura e que estavam esparramados aleatoriamente sob aquela monstruosidade circular. Com os recentes problemas relacionados ao monitoramento ambiental que a instalação estava tendo, a tubulação de hélio líquido super-refrigerado para os ímãs havia permitido que a temperatura da câmara baixasse e, com ela, o ponto de condensação também. Movendo-se por esse cenário alienígena, uma fina névoa começava a se acumular sobre o piso, envolvendo a visitante na altura dos tornozelos, enquanto ela se deslocava pelo estranho ambiente. Erguendo bem os joelhos para evitar tropeçar, Dana prosseguiu desajeitadamente em meio à fantasmagórica névoa azul que flutuava ao seu redor.

— *O que* são essas coisas, Bastien? — Sua voz ecoou pelas superfícies rígidas que a cercavam. Sem resposta, Dana se virou para ver onde seu colega suíço estava. A luminosidade iridescente que encobria o lugar mergulhava tudo numa neblina de baixo contraste que tornava difícil discernir os objetos, mesmo a poucos metros de distância.

Um tinido metálico agudo partiu de trás dela, ou, talvez, de sua frente. Difícil dizer, já que tudo reverberava nos tetos altos.

— Bastien? É você? Bastien?

Poucos passos adiante, Dana conseguiu enxergar algumas coisas à frente dela, como bandejas rolantes apinhadas com ferramentas manuais. Inclinando a cabeça enquanto se aproximava delas, seus cabelos negros caíram sobre seus olhos por um instante, antes que ela os prendesse de volta atrás das orelhas. Ela mudou de posição para ler o que estava escrito nos cabos das ferramentas, contando com a precária luz azulada que a cercava.

"PB Swiss Tool/ElectroTool", indicava cada etiqueta.

Dana analisou rapidamente as várias bandejas espalhadas pelo andar da câmara. Mais à esquerda, havia um conjunto quase completo de chaves de fenda com cabos emborrachados, praticamente idênticas às que Graves havia lhe descrito poucas horas antes. Com aquela luz azulada era quase impossível discernir sua verdadeira cor, embora os cabos das ferramentas parecessem ser de um preto sólido e não vermelhos, como Graves havia descrito ao telefone.

Ela podia sentir um leve formigamento em sua pele, embora o crachá de dosimetria em sua blusa ainda não tivesse começado a brilhar. Ao longe, na direção do túnel aferente do colisor, Dana pôde ouvir vozes masculinas. Eram ainda fracas e indistintas, mas estavam se aproximando.

—⊙—

Quase cem metros acima, Graves e Aldo discutiam com um pós-graduando cada vez mais agitado.

— Senhores, eu acho que vocês devem ir embora! Está ficando perigoso aqui. — Sua postura tinha sofrido uma rápida alteração de seu tom normal inicial para uma inflexão de terrível preocupação. — Vou fazer com que seus amigos e nosso diretor saiam da instalação com segurança.

— Obrigado, mas acho que não, colega! — Aquilo estava ficando estranho, e Graves não tinha a menor intenção de deixar um garoto encarregado da segurança de Dana. — Vou precisar de um desses rádios e um crachá para descer lá embaixo. — Ele estendeu a mão sem interromper o contato visual. — Ou será que precisamos ter uma discussão mais informal a respeito disso?

O técnico entregou-lhe seu walkie-talkie.

— Eles provavelmente estão no canal três, embora eu não tenha sido capaz de sintonizar o padre — ele parou nervosamente por um momento antes de continuar —, ou qualquer um dos cavalheiros. — Ele se virou e voltou a se sentar à sua mesa.

— Veja isso! — Aldo estivera navegando pelas imagens das câmeras do circuito fechado localizadas em todo o sistema de túneis. — Onde eles estão agora? Onde é isso? — Ele parecia muito perturbado, quase descontrolado, apontando com uma crescente urgência em direção a um monitor na extremidade do suporte de metal. — De que parte do *loop* essa imagem está vindo? — Os olhos de Aldo dobraram de tamanho enquanto ele continuava a observar a pequena imagem em preto e branco.

— Não sei, senhor.

— Como assim "não sabe", porra? Há quanto tempo você trabalha aqui? — Ele não esperou por uma resposta à sua pergunta retórica. Aldo fez um sinal para Graves, trocando um rápido olhar com ele. — Krunowski e o sacerdote estão indo diretamente para o ponto em que Dana e Bastien se encontram. — Esticando o braço, ele apontou para a tela. Aldo aproximou-se do monitor, espremendo os olhos para tornar mais nítida a imagem da tela. — O que diabos Moriel está fazendo?

— Ele está com a mão dentro do bolso da calça. — Graves agora também tinha os olhos semicerrados e fixos na imagem granulada. — O que ele tem ali? — Ficar apenas olhando o desenrolar da situação sem poder fazer nada estava deixando Graves visivelmente agitado, enquanto ele e Aldo continuavam a assistir ao desenrolar de seu pior pesadelo na tela. — Ele continua andando com a mão no bolso... Espere, droga, ele está com alguma coisa na mão. O que é aquilo? —

Graves rapidamente digitou a frequência e apertou o botão para falar, na esperança de ouvir a voz de Dana do outro lado.

— Dana, você está aí? Bastien? Alguém pode me ouvir?

O aparelho produziu um crepitar suave, seguido por um único e curto tom de linha antes de a voz de Bastien surgir.

— Estamos aqui, acabamos de chegar à câmara do colisor principal. O doutor e...

— Eu sei, eu sei, ouça — Graves o interrompeu. — Os níveis de radiação estão aumentando aí embaixo, e o técnico agora está nos dizendo que há uma elevação no gravímetro no interior do Atlas. Acho que não é uma boa ideia vocês dois continuarem aí.

— Dana e eu nos separamos. Não sei bem onde ela está.

— O quê? Você precisa encontrá-la e voltar aqui pra cima. Agora!

O celular de Aldo tocou, trazendo brevemente seu foco de volta à pequena sala escura.

— Inspetor Baumgartner falando. — Fechando os olhos enquanto escutava, Aldo baixou a cabeça e praguejou. — *Scheisse!**... Está bem, obrigado. — Ele guardou o telefone celular. — O cardeal morreu — ele disse baixinho.

— Droga! Vou descer até lá antes que ele mate mais alguém... ou exploda com todo esse maldito lugar! — Graves virou-se em direção à porta, alcançando a sua blindagem enquanto erguia o rádio até a boca. — Dana, é o Tom. Eles mataram o cardeal. Você me ouviu? O cardeal Antonacci está morto. — As pesadas portas verdes se fecharam rápido atrás dele enquanto Graves corria para a sala de controle principal às escuras, lá embaixo.

Enquanto Aldo permanecia sozinho na sala verde com o pós-graduando, podia ouvir Graves prosseguir pelo rádio.

— Entre lá e prenda-o, não podemos esperar mais. Estou descendo aí.

---

* Merda!

Dana conseguia ouvir a transmissão de rádio partindo de duas direções diferentes. Uma das transmissões vinha do túnel, para além do detector, e estava muito mais distante do que a que vinha de cima. Ela aguardou a mais próxima e viu uma sombra cruzar a luz azul-cobalto enquanto atravessava a estrutura de madeira acima dela.

— Bastien? É você? — Nada de resposta ainda. Enfiando a mão em seu casaco, Dana tirou a arma do coldre. Com o cano para baixo e o dedo esticado além do gatilho, ela caminhou lentamente em torno do Atlas.

Ela mal conseguiu distinguir as duas figuras que saíram do túnel escuro à frente enquanto passavam pela tubulação criogênica exposta do supercondutor. Um indivíduo parecia estar andando na frente do outro através da névoa azulada enquanto continuavam em direção a ela.

— Coloque sua arma no chão e chute-a para mim... agora! — A voz masculina grave foi sendo distorcida à medida que ecoava por cada superfície ao seu redor.

Dana hesitou por um momento, sem saber quem estava falando ou mesmo o que estava presenciando. A figura meio encoberta pela da frente puxou a mão por detrás da outra e um estampido ensurdecedor retumbou, lançando brevemente uma luz por toda a câmara. O disparo errante atingiu a parede de azulejos atrás de Dana antes de encontrar um lugar de repouso em meio a uma rajada de faíscas próximo às pernas de aço da sala de controle do Atlas.

Durante a fração de segundo de luz propiciada pela descarga, Dana pensou ter reconhecido um colarinho de padre no homem à frente. Ela também teve um vislumbre de Bastien posicionado acima de todos eles na estrutura de madeira.

— Eu disse para colocar a sua arma no chão e chutá-la em direção a mim, ou ele vai morrer.

Dana seguiu as instruções. Totalmente desprotegida, ela esperava que Bastien estivesse em uma posição boa o suficiente para ajudá-la.

— Ok, ok, vá com calma. Veja, estou baixando a arma.

Depositando a Glock sobre o piso liso, ela deslizou a arma em direção às silhuetas escuras, e o movimento da arma cessou um pouco antes de deixar o alcance das luzes fracas.

— Boa menina — foi tudo o que ela ouviu em resposta.

— Bastien? Dana? Vocês estão aí? — A transmissão abafada de Aldo partiu do bolso do atirador, enquanto uma versão muito mais nítida irradiava de cima deles.

— Estou ouvindo o seu rádio aí em cima, inspetor Goll. Por favor, desça aqui agora mesmo.

O pedido foi recebido com silêncio. Os dois homens aproximaram-se mais alguns passos, permanecendo à sombra do reator. Dana apenas conseguia distinguir suas pernas quando eles romperam o perímetro azulado das luzes de segurança. A figura à frente inclinou-se, apanhando a arma da qual ela fora obrigada a se livrar. Depois disso, entregou-a ao outro homem antes de sumir novamente no meio da escuridão.

Os rádios trinaram com manifestações simultâneas de outra transmissão.

— Tom está descendo aí embaixo, e Bastien... o laboratório ligou de volta. Você não vai acreditar nisso... — O zumbido da transmissão desapareceu por um instante. — O DNA na chave de fenda era de Fin! Você me ouviu? — A voz de Aldo estava começando a assumir uma qualidade metálica conforme o sinal mudava com o peso da radiação crescente. — Aquela substância incrustada na ponta da arma do crime era o DNA do doutor Canty! E a digital parcial que conseguimos pertence a...

Houve outra breve explosão de estática e, em seguida, um grande estrondo pelo rádio. Momentos depois de a comunicação entre eles ser cortada, um leve zumbido preencheu a sala enquanto as luzes da câmara começavam a se acender.

Dana permaneceu imóvel, o choque em seu rosto ficou óbvio pelo seu reflexo naqueles que ela se viu encarando.

— O que você pensa que está fazendo? — Seus olhos baixaram por um momento sobre as bandejas de ferramentas que agora revelavam os cabos vermelhos à luz crescente das lâmpadas fluorescentes.

— É o DNA de Fin Canty. — Edvard apontou para a máquina atrás deles enquanto segurava uma arma contra a nuca do padre. — Dentro do reator... Ele está voltando para nós da próxima vida, do Céu! — Ele estava extasiado. — Funcionou! A singularidade que geramos dentro do Atlas precisava de um ponto focal do outro lado no qual se ancorar. Juntos, eles abriram uma ponte de Einstein-Rosen seguindo a única coisa teimosa o suficiente para abrir caminho entre os planos... Fin!

Edvard ergueu a arma de Dana. Com um movimento ligeiro para baixo, ele golpeou a base do crânio de Moriel, derrubando o corpo inerte do padre no chão. Com um olhar de satisfação no rosto, ele continuou:

— Eu serei amaldiçoado se vocês desligarem essa máquina milagrosa antes de terminarmos. — Ele ergueu a arma tão familiar a Dana em direção a ela, que estava a apenas alguns metros dele.

O leve zumbido que havia começado a preencher a sala minutos antes agora estava se elevando a decibéis muito mais ameaçadores. Bastien surgiu do lado mais distante da câmara.

— Largue a arma, doutor Krunowski. — Ele se aproximou lentamente da contenda com sua arma apontada para Edvard.

Edvard riu.

— Você sabe tão pouco, inspetor.

O barulho que vinha aumentando agora adquirira uma cadência rítmica, dando vida a todos os objetos férricos da sala. A arma que Bastien apontava para o diretor voou-lhe da mão junto a uma porção de ferramentas na sala. Numa saraivada de ferro, a imensa câmara parecia ganhar vida com o brilho de destroços voadores. Lançando-se no ar contra o gigante de cinco andares no centro da câmara, eles se chocavam com o núcleo do Atlas. A massa cintilante que se acumulou ali, contorcida e entortada sob a imensa força do campo magnético, preencheu todas as lacunas na fachada da máquina.

— Tem a capacidade de esmagar um ônibus quando os ímãs toroides atingem plena força — acrescentou Edvard, enquanto mantinha a mira da arma de Dana sobre ela. — Eu lhe agradeço por você me emprestar sua arma, agente Pinon. Eu prefiro as de fibra de carbono, você não? São mais leves e não dão a mínima para ímãs, não é mesmo?

Edvard agitou o cano da arma rapidamente para Bastien e, em seguida, na direção de Dana, indicando seu desejo de juntar os dois agentes.

— Veja bem, juntos, Fin e eu realizamos o que nenhum outro ser humano jamais foi capaz de fazer. Nem mesmo o próprio Cristo foi capaz de oferecer a prova definitiva da vida após a morte — disse Edvard, levantando sua mão livre para o teto, em um gesto de autoenaltecimento. — Sabem o que isso significa para católicos e cristãos em todo o mundo? Nunca mais teremos de nos defender contra essa cisão fictícia entre ciência e religião. A partir de hoje, a física de partículas *é* a religião.

— Esse DNA poderia vir de qualquer fonte, do cadáver enterrado dele, pelo amor de Deus! — Dana moveu-se sutilmente em direção a ele enquanto falava.

— Errado, detetive. Nada resta do bom doutor, apenas um monte de cinzas incineradas. Certamente, não uma fonte viável tanto de carbono-14 quanto de DNA, você não concorda, padre? — Edvard riu, enquanto espiava o corpo inerte de Moriel caído. — Sua cremação cuidou dessa brecha para nós. O buraco branco que se agita dentro desse vácuo revelou-nos a *verdadeira* partícula de Deus. — Mais uma vez, ele gesticulou para a máquina multienraiada acima dele. — A prova de que não estamos sozinhos, e de que o Céu existe!

— Você é louco! — Bastien aproximou-se de Dana, posicionando seu corpo em frente ao dela. — Você cometeu um assassinato. Isso é um pecado mortal. Seu Deus nunca irá absolvê-lo disso.

— Você matou o seu amigo! Matou uma menininha de 4 anos de idade, seu filho da mãe doente... e para quê? — Dana estava ficando cada vez mais furiosa e deixando Edvard visivelmente desconfortável. — Você vai para o inferno tão certo quanto está parado aí. Não há perdão para o que você fez.

— Já chega, essa máquina fica ligada! Meu esforço deu à humanidade a única conexão física que tivemos com Deus desde a Primeira Vinda. — Ele apontou a Glock para Dana enquanto fazia o sinal da cruz. — Eu não vou falar de novo, fique onde está ou alguém vai morrer!

— O que você vai fazer, doutor? Matar outra pessoa inocente em nome de Cristo?

Por trás de todos eles, anunciando sua chegada com uma espalhafatosa sinfonia mecânica, as portas do elevador começaram a deslizar, abrindo-se. Do interior da cabine que se movia lentamente, Graves tinha testemunhado a última transmissão de rádio, o ansioso silêncio que se seguiu e o estampido de um único tiro. Quando a porta se abriu, um segundo tiro reverberou nas paredes de alumínio em volta dele.

Graves saiu, empunhando brevemente a arma à sua frente, antes de tê-la arrancada de suas mãos para se juntar à bola comprimida de metal no centro do campo. Boquiaberto e com os olhos arregalados, ele permaneceu parado diante da porta aberta, pasmo.

Derrubados no chão em frente ao colossal reator estavam os corpos de Dana, Edvard e Moriel. Em pé, próximo a todos eles, Bastien.

Capítulo 43

Parando para descansar em cima de um rochedo com vista para o restante do vale, Fin empoleirou-se ali. Ao longe, em pé do outro lado de uma fenda no fundo do vale, havia uma criatura maior do que qualquer coisa que ele já tinha visto ali até o momento. Parecia estar comandando o tráfego demoníaco que se apressava sob seus pés fendidos. Aquele exército de almas inúteis se ocupava em torno de alguma coisa que estava fora do alcance de visão de Fin. Eles entravam e saíam do brilho ofuscante de uma bela luz, única daquela espécie em todo o vale, fazendo-a tremeluzir graças às incansáveis e incontáveis sombras que atravessavam o caminho de seu fulgor. Como um pássaro equatorial secando as asas, os enormes apêndices do demônio abriam e fechavam como se tivessem vontade própria. Completamente estendidas, elas lançavam uma sombra dura, com bordas nítidas, contra a luz do fogo das paredes do cânion circundante.

A luz por baixo do tesouro brilhou por entre as rochas. A longa sombra do demônio deslizou em meio às nuvens negras no alto, que pareciam querer romper quando ela as atravessou.

Os olhos de Fin iluminavam seu próprio caminho enquanto ele focava no diretor daquele circo vil. A própria razão de Fin estar ali, Eva, agora havia se perdido por causa de sua transformação.

Fin podia sentir a consciência de sua aproximação no demônio. Postando-se em pé corajosamente, permitindo que a envergadura de suas asas se descortinasse à sua volta, ele lançou a própria sombra sobre o fundo do vale. Todos aqueles que sentiam o pouco que restara de sua alma pararam o que estavam fazendo, avidamente à espera de sua chegada. Para além da criatura, a bela luz brilhou através do vazio.

Deixando seu ponto de observação vantajoso, Fin partiu, arrastando seus membros estendidos atrás de si. Com as asas totalmente abertas, ele podia sentir seu poder crescente percorrendo todo o seu corpo, sua metamorfose culminando no medo daqueles que ele agora batalhava para controlar. Suas asas abertas, cuja pele translúcida era interrompida apenas pelos vasos pulsantes que as nutriam, conduziam-no rumo à sua vitória final.

Fin pousou confiante, derrubando os poucos fracos que se atreveram a ficar em seu caminho. Cortando e rasgando, ele deixou dezenas de criaturas decapitadas e partidas ao meio, enquanto abria caminho lentamente em direção ao imponente demônio que aguardava a sua alma do outro lado da fenda.

Vez ou outra, Fin vislumbrava aquele demônio acima das legiões. Em seu esforço incessante para derrubar o mestre, cada ato de ódio e destruição era recompensado com a força daquele que ele abatia. A cada ato violento, o que ainda lhe restava de humanidade era mais diluído. Fin continuou seu caminho de aniquilação, ganhando força à medida que por suas garras incrustadas e seus membros carbonizados escorria o sangue vermelho e brilhante daqueles soldados.

Quando a poeira baixou, Fin parou à beira do precipício, em frente à besta. Atrás dele, o longo rastro de destruição que havia deixado. Aquilo havia servido bem aos seus propósitos. Agora cego à presença de Eva, o peito de Fin arfava de expectativa pela batalha que tinha pela frente.

Podia ver claramente a criatura, enorme na forma e nem um pouco como as bestas que ele enfrentara para chegar àquele ponto. Extremamente musculoso, sua constituição lembrava mais a de um touro do que aquelas ratazanas magras que o haviam caçado antes. Seus olhos ardiam com a mesma ferocidade sob a testa proeminente, embora a ponte de seu nariz tivesse uma forma mais humanoide. Achatando enquanto desciam, as bordas de seu nariz fundiam-se ao rosto sem um ponto de transição. O mal em sua aparência era acentuado pela ausência de boca, e a luz que vinha de baixo projetava uma sombra ininterrupta até sua testa.

Com um impulso para cima, Fin se libertou da gravidade. Ele se elevou acima da fenda e do turbilhão de poeira provocado por suas próprias asas. A criatura alçou voo para encontrá-lo, subindo rapidamente em sua direção enquanto Fin diminuía a distância entre eles. Golpeando Fin em pleno voo com seus maciços antebraços, os dois se encontraram no apogeu. Quicando pela paisagem escarpada e irregular, Fin contorceu-se desajeitadamente em suas asas antes de seu pouso forçado em um muro baixo de pedra.

Um débil cheiro de morangos inundou a cabeça de Fin, e um delicioso pânico o atravessou.

Eva! Ela estava ali! Os sentidos de Fin formigaram com o despertar de suas hibernantes emoções. Ele podia ver o demônio acomodando-se novamente na borda da fenda. Levantando trôpego, Fin foi derrubado por trás, enquanto um assobio infantil encheu seus ouvidos.

— Meu primeiro fracasso na cidade só aguçou a minha determinação. Não vou falhar dessa vez.

Fin se virou, batendo as asas e cambaleando sob o crescente peso daquela criatura agarrada às suas costas.

— Sou apenas um soldado, um desgraçado miserável em seu exército, mas vou reivindicar a minha vitória antes que ele tome a sua alma.

Aquela criatura era diferente. Estava pessoalmente interessada em destruir Fin, não apenas em corromper a sua pureza. Sua garra na garganta de Fin o estava sufocando, e com o cheiro de Eva e o senso de propósito renascido que ele lhe dera, Fin havia mudado seu foco momentaneamente. Ele se deixou cair sobre um joelho e depois sobre o outro, enquanto aquele novo inimigo reforçava o controle. Em desespero, Fin inverteu as pontas das asas e cravou-as nas costas da criatura, perfurando não só o corpo de seu inimigo, mas também a sua própria carne por baixo. Ele levantou o peso morto e empurrou o atacante com força no chão.

"EME ESSE", dizia a tatuagem nas costas da besta. As letras azul-escuras trouxeram a Fin vívidos *flashbacks* daquela última noite com a sua garotinha. Fin se lembrou de estar parado na chuva, ao lado do carro batido, vendo a mesma tatuagem. Caído sobre o volante pouco antes do clarão, o motorista do veículo tinha a mesma marcação debaixo da camisa esfarrapada. Lembrou-se das palavras de advertência de Sal: "Azazel". Com o retorno de seu propósito naquele inferno, o calor da esperança o inundou por dentro.

Por trás do demônio, Eva emergiu da neblina. Seu brilho sobrepujava a decadência em torno deles.

— Azazel... Maldito seja! — O grito gutural no qual a voz de Fin se transformara assustou até mesmo a ele. Com sangue recém-derramado tingindo o chão à sua volta, Fin pisou pesadamente o crânio de seu assassino, pressionando a lateral da cabeça de Azazel firmemente contra o solo. Sangrando através de suas perfurações, Azazel se debateu em desespero, tentando se livrar de seu destino.

Um enorme punho agarrou a garganta de Fin e ergueu-o no ar, quase libertando Azazel. Fin rapidamente direcionou o esporão de sua asa para o braço musculoso do demônio. O golpe perfurante forçou a criatura a soltá-lo, e com o peso total de Fin voltando a pressionar o crânio de Azazel, ele cravou o outro espigão na garganta macia do demônio acima dele. A criatura cambaleou para trás, liberando Fin para reorientar sua ira.

— Foi você que nos trouxe até aqui! — Fin gritou para Azazel, enquanto deslizava um espigão ensanguentado entre as vértebras de seu pescoço exposto. Perfurando-lhe a garganta, Fin prendeu-o ao chão. Em seguida, inclinou-se para a frente, abaixando a cabeça o suficiente para ver o sangue se derramar da boca de Azazel.

— As colisões de nossos destinos terminam aqui — ele sussurrou no ouvido de Azazel.

Retirando o mortífero espigão, Fin ergueu bem alto aqueles apêndices gerados pelo inferno. Num violento ataque, ele saltou às costas de seu inimigo, com os joelhos flexionados para trás e os pés encolhidos contra o peito. Erguendo-se acima de sua presa como uma ave de rapina, ele fincou as pontas das asas na cabeça de Azazel, dividindo seu crânio em dois e esparramando o seu conteúdo, deixando a carcaça derrotada de seu adversário estremecendo na poeira do chão.

— Eva! Onde está você, meu bebê? — Fin chamou enquanto se recompunha, recolhendo as asas contra o seu corpo exausto.

Sentia que ela estava por perto, pois o som de sua respiração enchia a sua cabeça. O calor de Eva queimava a sua pele tostada à medida que sua presença ficava mais forte a cada momento. Virando-se para o seu calor, Fin se deu conta de que Eva estava por trás do próprio demônio parado diante dele.

Mal alcançando a altura do peito de seu inimigo, Fin desdobrou-se totalmente. Os talos das asas que lhe saíam das costas tinham agora a espessura de seus braços. Solidamente musculosas, elas triplicavam a sua envergadura, que já fora humana. Estendendo-se para além de seus braços abertos, elas se abriam em lâminas planas e largas. Os membros de Fin eram agora nodosos e negros, terminando em quatro pontudas garras falciformes, que haviam substituído seus dedos dias antes. De seu peito e seu pescoço dependuravam-se retalhos de sua antiga carne, que se agarravam desesperadamente à sua nova forma.

O demônio se elevou sobre ele enquanto falava:

— Sua alma será minha agora. Deixarei você e sua filha aqui para apodrecerem por toda a eternidade.

Fin se manteve firme, diminuído pela enorme silhueta do demônio.

— Vai o caramba, seu filho da puta!

Forçando as asas para baixo, Fin se elevou com o peito estufado e os pensamentos iluminados, pois o embotamento e o torpor semelhante a um nevoeiro que aquele lugar provocava se dissiparam pelo calor da proximidade de Eva.

— Nós somos mais fortes juntos do que você jamais poderia ser! — Seu amor por Eva infundia-lhe a força que o levara até ali.

No entanto a ascensão de Fin foi interrompida por um súbito e irresistível peso puxando-o para baixo. Agarrado pelos tornozelos, como uma galinha para o abate, Fin se debatia enquanto seu mundo se contorcia e girava cada vez que o demônio o arremessava em arco contra as paredes rochosas que os cercavam.

— Inseto insignificante! Por milênios eu estive aqui, acumulando força e esperando a minha vez.

A cada impacto contra as falésias recortadas, o corpo de Fin provocava uma avalanche de pedras. Ele se fechou num casulo formado por suas enormes asas, tentando se proteger. Como o ataque continuava, a força centrípeta o arrastou para fora, desmanchando o casulo. Fin foi esmagado vezes seguidas contra a rocha, e suas asas se rasgaram, deformaram e partiram sob seu corpo quebrado. Com a sua raiva a todo vapor, o demônio agora direcionava seus esforços unicamente para o objetivo de extrair a alma que promoveria sua fuga daquele inferno.

A besta ergueu Fin diante de si.

— Sua jornada foi traçada desde o início, até a sua destruição diante dos olhos *dela*.

Seguro pelos pulsos e pela base de suas asas, Fin pendia diante de seu destruidor, com os braços estendidos e as pernas inertes, dependuradas.

— A maioria teria sucumbido a este lugar, mas não o meu prêmio. A sua força de vontade foi impressionante, meu cordeiro sacrificial.

Os gigantescos braços do demônio se retesaram, puxando com força as asas de Fin.

Inclinando a cabeça para o céu escuro, Fin soltou um demoníaco urro que ecoou pelas paredes do desfiladeiro em torno deles. Com um mórbido estalo, o demônio arrancou as asas de sua mosca cativa, largando Fin no chão, massacrado e ensanguentado.

— A perdição de sua alma será minha passagem para fora deste lugar. — O demônio agarrou o corpo todo fraturado de Fin, elevando-o acima da cabeça antes de batê-lo nas afiadas rochas abaixo. — Você não tem mais nada de que eu preciso, e nada que se compare com o que tenho.

Quando a criatura se agachou para saciar sua fome, Fin teve um vislumbre do rosto de Eva em meio ao turbilhão de poeira. De seus grandes olhos castanhos choviam lágrimas sobre suas faces macias e sujas. Ela correu em direção a eles, estendendo a mão em direção à besta, como se tentasse defender seu pai. Com a aura de sua presença refletida no rosto de Fin, uma alteração foi intuída pelo demônio, fazendo com ele se virasse para Eva.

Fin atacou uma última vez, sacrificando o resto de sua humanidade por sua filha.

Enquanto Fin golpeava o demônio, a visão borrada de outra alma embrutecida e atormentada desviou-lhes a atenção. Por um breve momento, aquele novo combatente levou o demônio ao chão.

Aproveitando que o demônio estava caído, os dedos macios de Eva tocaram as garras endurecidas e ensanguentadas do que ela ainda reconhecia ser seu pai. O calor do toque de Eva fez a pureza da alma de Fin aflorar. Por um instante, Fin olhou para o semblante de seu salvador.

No final, sua salvação viera daquele cuja promessa havia sido feita muito tempo antes. Fin observou os olhos de seu guia, rodeados de pele putrefata e zigomas afundados, perderem o brilho alaranjado que acompanhava a danação. Um azul e outro castanho, os olhos de Sal estavam iluminados com as cores de sua própria redenção.

... e, então, eles estavam à deriva.

Capítulo 44

Edvard jazia inconsciente sobre o carrinho plástico de ferramentas. Com o braço direito preso sob seu corpo de forma desajeitada, o sangue que escorria de sua mão esquerda formava uma poça que crescia lentamente no chão do elevador. A cabine estremecia enquanto subia devagar em direção à superfície, agitando o líquido viscoso empoçado.

— O que aconteceu lá embaixo? — perguntou Graves, passando os dedos pelos furos na lapela de Dana, enquanto ela se apoiava contra a parede de alumínio do elevador.

De posse de sua arma mais uma vez, Dana ficou ali parada, com o braço largado ao longo do corpo. Ela respondeu lentamente.

— Eu não sei. Eu ouvi... senti um estouro quando a bala atingiu de raspão o meu casaco. — Ela esfregou a testa e olhou para ele.

— Como você foi atingida duas vezes? Você tem dois buracos no casaco! — Graves levantou o tecido para ela ver. — E quem atirou nele? — O detetive fez um gesto vago em direção ao ponto onde Edvard se encontrava, jogado sobre o carrinho de ferramentas no meio do elevador.

— Ele atirou em si mesmo — disse Moriel, que, até então, estivera inconsciente, deitado no canto.

Dana ergueu sua arma e apontou-a para a cabeça do padre.

— Calma aí, agente Pinon. — Apoiado em um cotovelo no canto do elevador, Moriel estendeu a mão aberta em objeção. — Eu fui atacado, lembra? Relaxe, por favor.

— Já não sei mais o que está acontecendo, e com certeza não vou confiar em você a essa altura. — Ela continuou apontando a arma para o padre.

— O que você quis dizer com "Ele atirou em si mesmo"? — Bastien perguntou.

Dana desviou brevemente os olhos de seu alvo para Bastien e depois voltou a vigiar Moriel.

— É, responda: o que você quis dizer com isso? — pressionou ela.

O padre agora estava sentado, esfregando a parte de trás da cabeça, onde fora atingido com a coronha da arma que agora estava apontada para ele.

— A arma de cerâmica, a sua arma de cerâmica, detetive Pinon, junto com as cápsulas de bronze e zinco de suas balas, provavelmente protegeram os projéteis de chumbo dentro do carregador do campo magnético crescente por lá. Uma vez disparadas, as balas de chumbo seguiram o mesmo caminho que todos os outros objetos de metal da sala fizeram até o reator. — Ele fez uma pequena careta de desconforto enquanto ajustava a sua posição. — Talvez o doutor Krunowski tenha suposto que o curto alcance e a alta velocidade inicial bastariam para vencer o campo magnético.

— Você está dizendo que a bala virou a meio caminho e o atingiu? — O tom de voz de Graves se elevou em descrença, enquanto ele apontava novamente para o corpo de Edvard.

— Parece que sim, detetive.

O elevador gemeu quando se aproximava da superfície. O rangido monótono dos cabos havia sido suplantado por um estalido metálico, cada vez mais alto nos últimos minutos.

— Que diabos está acontecendo? — Graves olhou ao redor da cabine do elevador, passando as mãos sobre as paredes. As cabeças dos parafusos de aço inoxidável nos painéis tinham começado a dançar em seus furos.

— Estamos diminuindo a velocidade? — Bastien estava olhando para a seta indicadora, que percorria cada vez mais lentamente o arco entre "Atlas" e "Superfície".

— Acho que sim. — Os olhos de Graves se estreitaram e sua voz sumiu. — Seu crachá está mudando de cor. — Ele estava olhando para o casaco de Dana no chão, onde ele o largara.

— Oh, merda, o seu também está. — Ela olhou ao redor do grupo. Todos os crachás de dosimetria haviam começado a perder seu acabamento preto fosco e exibiam um roxo-escuro. — Precisamos dar o fora daqui. — Dana mantinha a arma apontada para o sacerdote ao mesmo tempo que apertava nervosamente o botão para a superfície.

Enquanto a preocupação coletiva se concentrava nos crachás brilhantes, as luzes do elevador piscaram duas vezes antes de se apagar, deixando os ocupantes apenas com a fraca luz vermelha de emergência.

— Mas o que é que está acontecendo? — Graves murmurou. — Como diabos ainda estamos em movimento?

— Acho que as fontes de energia provêm de lugares diferentes, sendo que a da luz é lá embaixo, se não me engano — respondeu Bastien.

O chocalhar dos parafusos de aço aumentou, enquanto alguns das bordas inferiores das paredes voaram com força até o chão, permanecendo exatamente onde haviam caído, sem quicar. Graves chutou um.

— Caramba, é como se estivesse soldado ao chão. Olhem isso! — Graves se abaixou para pegar o parafuso. O elevador estremeceu de novo, dessa vez, violentamente, provocando uma chuva de metais rosqueados do teto acima deles.

Enquanto os ocupantes do elevador colavam-se às paredes para evitar serem atingidos pelos parafusos, pelos cantos dos olhos assistiam com horror ao que estava acontecendo com Edvard. Pequenos jatos de sangue, acompanhados por pedaços de roupa, jorravam de seu corpo, que estava sendo perfurado repetidamente pelos parafusos. Ao acordar para essa realidade, Edvard soltou um grito de agonia. Ele estendeu uma mão suplicante para o padre, antes que seus olhos se fechassem outra vez e seu corpo desfalecesse.

Submetidos à força magnética que vinha de baixo, os painéis acima deles começaram a se dobrar. O elevador parou abruptamente e as portas começaram a se abrir devagar. Através da fresta crescente, uma cintilante luz azul foi penetrando a cabine, revelando uma câmara de visualização inundada por um frenesi brilhante.

Correndo abaixados para evitar a tempestade de metal, os ocupantes cobriram a cabeça com as mãos e irromperam do elevador. Do fundo da pequena cabine, Graves empurrou o carrinho de ferramentas levando Edvard, que ia perdendo o pouco sangue que ainda lhe restava.

— Meu Deus! — disse Bastien endireitando o corpo e circulando pelo recinto com a boca aberta de espanto.

A câmara inteira brilhava com um azul magnético, que emanava de uma agitada imagem exibida em um telão na sala.

— Essa imagem não é do interior da câmara do reator? — Dana disse, mais afirmando do que perguntando.

Todos ficaram congelados, focados na imagem caótica diante deles. Dana levou o rádio aos lábios e apertou o botão.

— Aldo, você está...? — As palavras de Dana morreram num sussurro. Sua transmissão estava ecoando de algum lugar no canto escuro da sala. Ela pensou ter ouvido o silvo de outro rádio vindo do alto da escada que descia da cabine de controle.

— Aldo? — Dana deu um passo hesitante em direção ao ponto de onde viera o ruído. — Você está...

Com um estrondo forte, uma rápida explosão de luz encheu a sala. Algo espetou o antebraço de Dana, fazendo-a largar a arma.

Graves deslocou-se rapidamente para cobri-la e recuperar a arma. Mais um clarão explodiu nas sombras, seguido por vários outros, que deixaram a sala ecoando com o som das balas que ricochetearam nas maciças superfícies metálicas que os rodeavam. Graves puxou Dana para trás de uma das fileiras em arco de mesas vazias e a derrubou no chão acarpetado. O restante do grupo procurou abrigo desordenadamente.

— Pai! — Das sombras, um homem que Graves reconheceu como sendo o pós-graduando rude que se apresentara como senhor Tong desceu os degraus velozmente, com a arma empunhada rigidamente à sua frente e o cabelo espetado, quase tão inabalável quanto a sua expressão carrancuda. — O que vocês fizeram?

A cintilância iridescente do recinto refletia na arma do atirador, enquanto ele avançava pela sala de controle. Por trás dele, uma figura se moveu rapidamente. Cobrindo a distância de cinco degraus em um único mergulho caricatural, Aldo levou seu atacante ao chão. A breve luta terminou com dois tiros que ecoaram através da câmara. Levantando, o jovem louro voltou a agir, dessa vez, concentrando-se no padre Moriel.

O padre se levantou.

— Quaisquer que tenham sido os seus pecados, meu filho, o Senhor o perdoará.

Com sua ira encontrando uma nova motivação, o atacante falou:

— Pecados! Você fala em pecados. Aqueles que morreram em minhas mãos o fizeram por uma causa maior, que renderá à Igreja uma glória jamais vista desde a vinda de Cristo. Era atrás de você que nós estávamos, santo homem. Você era o nosso alvo naquela noite. Meu pai o escolheu depois de sua última conversa com o doutor Canty. Ele saboreava a doce ironia. No entanto a sabedoria divina escolheu um mensageiro muito mais capaz.

— Mas por que a menina? — Moriel perguntou.

— O doutor Canty nos deu esperança, mas a morte da garotinha foi necessária para trazer a Igreja de volta à sua antiga grandeza. Sua busca por ela na outra vida agora irá garantir a nossa própria fé. O cardeal Antonacci compartilhava a visão do meu pai: uma Igreja novamente unida com seus seguidores em Cristo. O último ato do cardeal, transferindo-o para o México, pretendia chamar a atenção deles para você, mas, em vez disso, você os trouxe aqui... para nós!

— Eu teria morrido por eles de bom grado — disse Moriel, a tristeza evidente em sua voz.

O jovem ergueu a arma.

— Como quiser. O cardeal sobreviveu à própria utilidade, assim como você. Meu pai era o único homem verdadeiramente santo, sacrificando tudo para permanecer fiel à Física, a única grande religião.

Moriel olhou para trás, por cima do ombro, em direção ao corpo que continuava caído sobre o carrinho de ferramentas.

— O doutor Edvard Krunowski era seu pai? — ele perguntou incrédulo.

O jovem fechou a cara ainda mais.

— Você também não merece misericórdia de nosso Senhor!

Um único tiro atravessou a câmara, fazendo o padre Moriel girar violentamente para a esquerda. Ficou caído de bruços ali no chão, desconjuntado, imóvel. O atirador se virou e atravessou a sala de controle vigorosamente, em direção ao elevador.

Parando ao lado do corpo inerte sobre o carrinho de ferramentas, o jovem se ajoelhou. Pegou a mão ensanguentada de Edvard e beijou-a antes de pressioná-la firmemente contra a testa enquanto chorava.

— Pai, perdoe-me. Eu falhei com você.

Os olhos de Edvard se abriram. Reunindo as derradeiras forças que lhe restavam, ele arrastou o braço sobre o peito dilacerado para pegar a mão de seu filho.

— Iän, a nossa prova está no reator. Salve a máquina. — Enquanto o último sopro de vida lhe deixava, a pressão de sua mão afrouxou e os olhos de Edvard se fecharam pela última vez.

— Não! — o grito do rapaz encheu a sala. — O que vocês fizeram? — Estendendo o braço, Iän levantou-se, atirando para todos os lados. — Vocês o mataram! Vocês destruíram tudo pelo que meu pai se sacrificou!

Graves e Dana continuavam abaixados no chão, por trás das mesas. Dali, eles podiam ver o corpo do padre Moriel, com a cabeça virada grotescamente para a esquerda e o queixo inclinado para cima; ambos os braços estavam presos sob seu corpo rotundo. Graves teve a impressão de que as costas do padre ainda subiam e desciam com a respiração, ainda que quase imperceptivelmente.

Graves ficou de joelhos, espiando por cima das fileiras de mesas que o separavam do até então desconhecido filho de Edvard Krunowski. A breve calma era surreal. A luz azulada ondulava sobre cada superfície da sala. Graves curvou-se para recuperar a arma caída de Dana, enquanto Iän dava um passo em direção a ele ostensivamente.

— Vocês não têm mais nada com que me prejudicar — Iän continuou. Os nós de seus dedos que seguravam a arma apontada para os perseguidores de seu pai estavam brancos de raiva. Ele se afastou, recuando lentamente na direção do elevador parado naquele andar. — Nós vamos prevalecer. Vocês não venceram, a prova está aí. — Ele apontou para o elevador aberto.

Enquanto Iän empurrava o carrinho de ferramentas com o corpo do pai para dentro da cabine escura do elevador, Graves percebeu que seu crachá de dosimetria começou a mudar de cor rapidamente. Com um ruído áspero e sibilante, as pesadas portas de metal do elevador se fecharam, levando Edvard e seu filho de volta para o andar do reator.

Depois de um tempo, Graves deixou seu abrigo, sinalizando para Dana que era seguro sair. Passando rapidamente por Moriel, ele se abaixou e segurou o ombro de Aldo. Ainda consciente, Aldo apertava o abdômen. A cada respiração, curta e difícil, o sangue escorria entre os seus dedos.

Delicadamente, Graves retirou as mãos de Aldo de seu ferimento:

— Não está muito feio — ele gritou por cima do ombro na direção de Dana. — Não está — repetiu para Aldo. — A bala atravessou o seu flanco esquerdo, precisamos tirar você daqui. — Sorrindo para o amigo, Graves continuou: — Como é que ele se encaixa em tudo isso?

— É o filho do doutor Edvard Krunowski, Iän, ou John, como todos o conhecem. — As palavras de Aldo saíram com dificuldade, forçadas através de sua respiração, enquanto ele mantinha os músculos da barriga comprimidos.

— Era ele o estranho na MS-13, aquele cujas conversas telefônicas nós rastreamos? — perguntou Graves. — Então, onde é que Moriel entra em tudo isso?

— Eu não entro.

Todas as cabeças se viraram na direção do padre. Levantando-se sobre um joelho, à luz cada vez mais intensa da cabine, Moriel enfiou a mão no casaco.

Graves ergueu a arma e mirou no padre.

— Não! — Aldo agarrou o tornozelo de Graves de onde ainda estava deitado. — É verdade. Ele não tem nada a ver com isso tudo.

— Como você está vivo? Todos nós vimos você levar um tiro, tombar... Você deveria estar morto! — Dana estava em pé, de costas para a tela cintilante, pasma com o que estava presenciando.

— *Ein Wunder** — Bastien sussurrou para si mesmo, fazendo o sinal da cruz incrédulo.

— Acredito que você tem razão, inspetor, *é* um milagre. — De seu bolso interno, Moriel tirou um broche de bronze, mais ou menos do tamanho da palma de sua mão, cunhado na forma de uma peteca de *badminton*. A partir do centro da sua base redonda, havia vários raios pequenos entalhados, projetados para cima, em direção à parte superior do broche. Encravado em seu centro, o projétil nove milímetros despedaçado.

— Desde o desaparecimento de Eva, trago isso sempre comigo, para me lembrar da dádiva que a vida dela foi para mim. — Seus olhos se encheram de lágrimas enquanto ele continuava. — Nunca poderia imaginar que ela salvaria a minha vida literalmente.

---

* Um milagre.

— Estou totalmente perdido. — Graves estava parado, com o braço da arma pendurado frouxamente ao seu lado.

Dana se aproximou para ajudar Moriel a se levantar. O caleidoscópio estonteante de luz azul se intensificou enquanto ela se deslocava. Dana cambaleou ligeiramente sob o efeito do globo espelhado.

— O favor que o antigo diretor da Fedpol fez ao falecido doutor Krunowski, ou Job, para a MS-13, foi facilitar a colocação de seu filho na Guarda Suíça, anos atrás. Ou seja, depois de ele ter concluído formalmente seus estudos nos Estados Unidos. — Aldo fez uma careta de dor enquanto continuava. — Logo antes de Iän me derrubar, recebi um telefonema de nosso laboratório. Aquela única digital que conseguimos, a que está em seu bolso, Graves, foi encontrada nos registros de apenas dois lugares... do CERN e do Vaticano.

Graves estava balançando a cabeça.

— O cardeal nos disse, só que, naquele momento, não fez o menor sentido para mim. Pensei que ele estava se referindo ao sol, mas o que ele disse, na verdade, foi isto: "Foi o filho"*... O filho de Job... Iän.

O silêncio da sala foi interrompido novamente, dessa vez pelo gemido de metal se dobrando. Por trás deles, as portas do elevador começaram a entortar para dentro. Os crachás de dosimetria do grupo mudaram de roxo-escuro para um verde-esmeralda vivo quando a abertura entre as portas do elevador começou a aumentar.

— Nós definitivamente precisamos sair daqui. — Dana estava ajudando o padre a se recompor quando objetos metálicos leves começaram a voar de todos os cantos da sala em direção à crescente abertura nas portas. Clipes de papel e outros pequenos objetos voavam para seu novo ponto de atração no interior do poço do elevador. A luz no monitor da câmara do reator começou a mudar.

Recuando para o fundo da sala, o grupo ficou hipnotizado pela imagem na tela principal. Deformada num primeiro momento, como

---

* No original em inglês, o personagem faz confusão com os substantivos *sun* ("sol") e *son* ("filho").

se vista através de uma lente muito distante do objeto em observação, a imagem lentamente se aglutinou no centro e começou a assumir uma forma reconhecível.

Com a sala esvaziada dos objetos menores, o revestimento de metal do poço do elevador desmoronou. As imensas portas se desprenderam, deixando um buraco para a câmara, cem metros abaixo. Uma forte corrente de ar começou a soprar na direção do elevador. O crescendo foi acompanhado pelo estrondo ensurdecedor de uma miríade de objetos maiores dentro da sala que começaram a se deslocar a todo custo em direção às crescentes forças que os arrastavam. A luz do telão já não lançava raios dançantes; ao contrário, o que antes era errático e desgovernado agora se tornara uma luz brilhante constante, que projetava raios longos e firmes.

A corrente de ar aumentara, arrastando todos os objetos não metálicos. Com todo aquele barulho na sala, Dana mal podia ouvir a própria voz quando ela gritou as palavras:

— Parecem duas figuras... duas silhuetas. — Ela recuou para perto de Graves, e os braços dos dois se esbarraram delicadamente. Sem tirar os olhos da tela, ela segurou a mão dele, entrelaçando seus dedos nos de Graves.

Na frente de um fundo azul brilhante, estavam duas imagens fantasmagóricas, fora de foco no início, mas que foram se tornando reconhecíveis à medida que o caos na sala aproximava-se violentamente de seu clímax. Os rostos de um adulto e uma criança abraçados entraram em foco, translúcidos, como se fossem esculpidos em gelo.

— Meu Deus! — Bastien caiu de joelhos no meio do turbilhão. — É a Virgem e o Menino.

— Não. — A mandíbula de padre Moriel tremeu. Ele engoliu em seco para continuar, gritando acima do barulho. — É Fin, e ele está segurando Eva.

O barulho se tornou ensurdecedor quando as forças combinadas do crescente buraco branco ameaçaram partir a instalação. Objetos que antes estavam firmemente fixos no chão eram arrancados de suas bases, chocando-se com estrondos de estourar o tímpano quando eram devorados pelo crescente abismo negro, onde antes ficava o poço do elevador.

Paralisado pela prova de sua fé, e com lágrimas a escorrerem pelo rosto, o padre murmurou para si mesmo:

— Sapientone, você a encontrou.

Os dedos macios de Eva tocaram as garras endurecidas e ensanguentadas do que ela ainda reconhecia ser seu pai...

Como se um interruptor houvesse sido desligado, o caos terminou subitamente. Com um baque coletivo, todos os objetos caíram no chão e derraparam até parar. Um silêncio sepulcral encheu a sala. Quando a violenta corrente de ar cessou, o telão piscou e a imagem oscilou, deixando apenas um breve vislumbre de um halo brilhante com um único raio de luz fluindo para fora de seu centro; então tudo ficou escuro.

Com a aura de sua presença refletida no rosto de Fin... eles estavam à deriva.

Capítulo 45

Um ano depois...

— Bem-vindos de volta ao nosso programa. O nosso convidado de hoje é o padre David Moriel. Padre, antes do intervalo, você estava dizendo que é a comunidade religiosa que está relutante em aceitar suas descobertas.

— Não são descobertas minhas, Anderson, são as conclusões dos cientistas que operam o equipamento científico mais sofisticado já construído.

— Soube que alguns desses cientistas morreram no processo de fazer essas descobertas. Isso é verdade?

— Sim. O diretor do CERN e seu filho morreram na noite em que as imagens foram recebidas. É lamentável a forma como o fato aconteceu, mas, na ausência deles, o restante da comunidade tem unido esforços para examinar minuciosamente os dados obtidos. Todos os demais, incluindo as instituições religiosas, podem falar o que quiserem, mas é difícil contestar o acúmulo de evidências coletadas pelo CERN e por suas máquinas.

— Volte para a cama, Tom. Eu não consigo ver coisa alguma com você em pé bem na frente da TV. — Sem desgrudar os olhos da tela, Dana virou as cobertas e gentilmente deu uns tapinhas no colchão.

— Ele parece bem. Acho que perdeu um pouco de peso — enquanto falava, Graves recuou em direção ao lugar reservado para ele.

— Temos o vídeo gravado de um homem falecido e sua filha também falecida se abraçando, vídeo este que foi transmitido diretamente da principal câmara do reator do CERN, o Atlas, do que se provou ser um buraco branco de breve existência.

— Os especialistas estão argumentando que isso pode ser uma farsa, um estratagema montado por...

— Por quem, Anderson? Por mim? Pela Igreja? Pelo CERN?

— Talvez pela Igreja. Alguns dizem que isso é uma armação do novo milênio para aumentar o número de fiéis e encher os cofres das religiões estabelecidas.

— Temos amostras de DNA retiradas de dentro do Atlas que são do doutor Fin Canty, o homem que aparece nitidamente no vídeo...

— Sim, padre, mas o DNA poderia ter sido obtido a partir de qualquer fonte antes de sua morte, e vários especialistas de renome argumentam que se podem replicar grandes quantidades de amostras utilizando PCR.

— Anderson, vamos por partes. Primeiro, estamos falando de quantidades fenomenais de material genético, proteínas e nucleotídeos mensuráveis em quantidades tais que levariam décadas para serem acumuladas. Em segundo lugar, os assim chamados "especialistas" estão indiretamente sugerindo que uma máquina científica, cujo custo operacional por hora é de dezenas de milhares de dólares, que conjurou a primeira fenda entre dimensões obtida pelas mãos do homem, foi sequestrada pela Igreja Católica e usada como brincadeira de primeiro de abril para aumentar a participação dos fiéis? Esta seria uma teoria conspiratória de grandiosa magnitude...

Graves agora estava sentado na cama, sorrindo de orelha a orelha enquanto o padre continuava a defender o seu ponto de vista.

— Ponto para ele. Já era hora de alguém dizer publicamente o que todos nós pensamos há meses.

— Ok, padre. Eu, pelo menos, acredito no que vi. Mas o que isso significa para nós, para a raça humana?

O padre sorriu antes de continuar.

— *Eu acho que estamos vendo o que significa, Anderson. O número de pessoas em todo o mundo que voltou a frequentar cerimônias religiosas, de todas as denominações, não tem precedentes. Estamos vendo um aumento de mais de duzentos por cento no comparecimento. Nossas descobertas no CERN, essa revelação, se preferir, estão mudando a cara da religião de uma forma como apenas a presença do próprio Cristo na Terra havia feito previamente.*

— Mas o que isso significa para nós?... Para mim?

— *Significa que as pessoas já não se sentem sós, ou desconectadas.* — O padre agora estava com os olhos fechados e falava gesticulando vigorosamente. — *As pessoas agem no dia a dia com mais propósito e um maior sentido de pertença. Temos a sensação de que há mais nesta existência do que simplesmente o que vemos aqui. Estamos destinados a alguma coisa, a algum lugar maior, e nós vimos isso.*

O padre inclinou-se para a frente na cadeira e apoiou os braços sobre a mesa, enquanto continuava mais lentamente.

— *Os índices de criminalidade em Nova York, Chicago e Los Angeles caíram mais de 31% nos últimos seis meses... e isso em relação a todo tipo de crime, crimes violentos inclusive. As atuais negociações de paz em Gaza foram iniciadas há pouco mais de cinco meses e meio, um período de relativa paz que durou mais do que qualquer outro na sua história. A população carcerária começou a diminuir pela primeira vez em décadas, multas de trânsito estão em declínio e, em geral, as pessoas estão mais amigáveis. E por que não... a maioria de nós mais uma vez acredita que Deus está nos observando e esperando por nós.*

O padre parou e voltou a se recostar no espaldar da cadeira.

— *Eu acho que isso significa que nós reencontramos a nossa fé: em Deus, em nós mesmos e, por extensão, em toda a humanidade.*

— O que você diria para aqueles que não creem?

O padre ficou em silêncio por um minuto antes de continuar.

— De certo modo, esse homem, Fin Canty, morreu por causa dos pecados coletivos da nossa sociedade. Nossa guerra contra as drogas, a nossa Internet, nossos vícios e nossa autopromoção, tudo isso promoveu a cultura que tão facilmente engoliu a ele e a Eva... De certa forma, ele ressuscitou para nos mostrar a luz. Mesmo que esta não seja a Segunda Vinda de Cristo, como alguns têm sugerido, é improvável que vejamos outro milagre dessa magnitude em nosso tempo de vida. Acho que eu gostaria de perguntar aos não crentes: "Se não for isso, pelo que você está esperando?".

— Quero agradecer ao meu convidado...

Graves desligou a TV e apagou a luz. Colocando a mão em cima da de Dana que descansava sobre sua barriga, ele beijou-lhe a bochecha antes de fechar os olhos.

— Amo você.

— Eu também amo você — ela disse suavemente.

E os dois adormeceram alheios aos ruídos da cidade.

As estações estavam mudando de novo, mas o calor do outono permaneceu no lago. Fin sentou-se com o pai junto à água, enquanto Eva brincava com a mãe e a avó na parte rasa. Era finalzinho de tarde, e o marrom e dourado do céu saturavam seu humor.

— Nos últimos meses, você não tem subido no telhado. Encontrou algo mais importante para resolver do que os mistérios do nosso universo? — perguntou Jack, com uma voz bem-humorada, num tom provocador.

— É engraçado como tudo funciona, pai. Eu vinha apenas curtindo muito Rachel e Eva, mas então... — as palavras de Fin se perderam, enquanto ele olhava fixamente para a água, sentado ali.

— Então o quê, filho?

— Havia aquela caverna onde eu encontrei as criaturas pela primeira vez, de fato. Aquele mural, não conseguia tirá-lo da cabeça. Tudo que me disseram enquanto eu estava lá... aquilo tudo me fez pensar. Todo esse processo de vida, morte, céu, inferno tem acontecido desde que precisamos dele. Entretanto, há algo que está ocorrendo há muito mais tempo do que isso.

Protegendo os olhos do reflexo da luz do sol poente no lago, Jack virou-se para o filho:

— E o que é?

— Vida.

— O que ela tem a ver com tudo isso, Fin?

— A vida começou cerca de quatro bilhões de anos atrás, bem na época em que a força da energia escura ultrapassou as forças da matéria escura. A vida tem-se espalhado e diversificado desde então, mas tudo começou bem no ponto em que o nosso universo passou a se expandir cada vez mais rápido... No ponto em que a constante cosmológica de Einstein tornou-se relevante.

Rachel sentou-se ao lado de Fin enquanto ele continuava.

— Há uma energia mais forte do que qualquer outra coisa ao nosso redor e, até recentemente, eu não sabia o que era, ou por que era. Fin virou-se brevemente para a esposa, segurando-lhe a mão que descansava entre eles na grama macia. — Parece que a vida é a única coisa que se recusa a obedecer aos limites que o nosso universo define. É a única coisa que expande cada um deles. Acho que somos todos parte dessa energia escura.

— Você está se referindo a todos nós, a nossa família, aqui neste lugar?

Fin podia sentir o sorriso crescendo em seu rosto enquanto o olhar de Rachel o aquecia. Ficou ali sentado por um breve momento sem falar nada, apenas observando Eva brincar. Recortada contra o pôr do sol, sua silhueta escura espalmava a água, dançava, dava risadinhas.

— Nós não estamos sozinhos, sabe? — Fin prosseguiu rapidamente. — Eu não sei se o que me foi dito é verdade, se há um Deus ou não, mas eu nunca estive sozinho lá... Ela estava sempre comigo. — Ele balançou a cabeça sutilmente na direção de onde a filha brincava.

— Filho, o que você quer dizer com "a vida expande todos os limites"?

Fin sentou-se satisfeito por um momento, deixando o ar repleto com a pergunta de seu pai, enquanto ouvia os ruídos do lago.

— Eu amo você — ele disse baixinho, virando a cabeça na direção de Rachel.

— Eu também amo você — ela sussurrou.

Colocando a mão em cima da de Rachel que descansava sobre sua barriga, Fin sorriu antes de fechar os olhos. Respirando fundo e devagar, ele saboreou o pulsar ritmado da nova vida que crescia no ventre de Rachel.

— Fim —